GYDA'R HWYR

GAN

E. TEGLA DAVIES

LERPWL
GWASG Y BRYTHON
HUGH EVANS A'I FEIBION, CYF.,

Argraffiad Cyntaf — Mawrth 1957.

*Argraffwyd gan Hugh Evans a'i Feibion, Cyf., Gwasg y Brython,
9-11 Hackins Hey, a 350-360 Stanley Road, Liverpool.*

I'M HWYRESAU
A'M HWYRION FEL Y
GWYPONT AM HEN AMSERAU

Dau dymor o neilltuaeth gorfodol sy'n gyfrifol am y casgliad hwn, o atgofion gan mwyaf. Yn eu mysg y mae rhai o atgofion melysaf fy mywyd, a hefyd fy atgofion mwyaf torcalonnus.

Gwêl amryw o'r ysgrifau olau dydd am y tro cyntaf, a'r cwbl o'r sawl a gyhoeddwyd eisoes wedi eu hailwampio ac eithrio tair, rai ohonynt mor llwyr nes dyfod o'r pair ar newydd wedd. Y rhai sydd yma bron yn union fel y cyhoeddwyd hwy eisoes yw,—" Y Wraig o'r Wyddgrug " (*Yr Eurgrawn*) ; " Hen Gyfaill " (*Y Genhinen*) ; " Mab ei Fro " (*Trafodion Cymdeithas Hanes Sir Ddinbych*). Diolchaf i bawb yr wyf yn ddyledus iddynt am bob caniatâd.

Dymunaf ddiolch i'm mab Arfor am fy helpu ynglŷn â'r proflenni.

CYNNWYS

YN Y WLAD

I.

LLOERGAN

CEFAIS rai o brofiadau gwychaf bywyd a rhai o'i brofiadau gwrthunaf dan olau lleuad, a chymaint yn fwy felly am i'r gwych a'r gwrthun ddyfod gyda'i gilydd yn barau.

Un o'm diddordebau rhyfeddaf yn nyddiau cynnar fy mhererindod oedd awch anniwall, lle bynnag y digwyddwn fynd iddo, am weld y wawr yn codi. Un o'r pethau cyntaf a wnawn bob amser wedi cyrraedd ardal ddieithr fyddai llygadu'r bryn agosaf y gallwn ei ddringo i weld ohono godiad y wawr. Cefais lawer profiad i'w gofio byth ar y crwydradau hyn.

Un o'r bryniau y dringais iddo yn y cyfnod rhamantus hwnnw oedd Bryn Castell Dinas Brân, ar bwys Llangollen, cartref Myfanwy Fychan gynt, a'r lle yr oedd ynddo y " ffynnon lân i 'molchi." Ni chynghorwn neb arall i'w ddringo os gwylio'r wawr fydd ei amcan, canys y mae'r bryniau o'i ddeutu gymaint uwch nag ef, ac y mae hi'n ddydd golau ymhell cyn i'r haul gyffwrdd y Castell. Digwyddwn fwrw Sul yn Llangollen unwaith yn y cyfnod hwnnw, ddechrau Awst braf odiaeth,— myfyriwr coleg oeddwn ar y pryd,—a phenderfynais nad awn oddi yno heb weld codiad y wawr oddi ar fryn y Castell. Llwyddais i berswadio llencyn o'r tŷ yr arhoswn ynddo i ddyfod gyda mi y nos honno i ben y bryn hwnnw i wylio'r wawr, ond mynnai beidio â chychwyn cyn hanner nos rhag torri'r Saboth. Yr oedd ef yn gwbl glir oddi wrth yr haint a'm blinai i, a'i agwedd yn fwy am gadw llythyren y gyfraith ynglŷn â'r Saboth nag i weld y nefoedd yn datgan gogoniant Duw a'r ffurfafen yn mynegi

I

gwaith ei ddwylo Ef. At hynny yr oedd yn Sais, ond yr
oedd yn gwmni, ac yr oedd hynny'n rhywbeth. Paratôdd
gwraig y tŷ becyn bob un o frechdanau cig inni, a dechreu-
asom eu bwyta ar odre'r bryn,—camgymeriad dybryd,—
gan ddal ati i gnoi a llyncu, yn enwedig y cyfaill, ynghanol
y chwythu a'r tagu ar y daith serth iawn i fyny. Ni fwyt-
áwn i gymaint ag ef o lawer, am fy mod yn llawn eisoes o
ramant Myfanwy Fychan a Hywel ab Einion Llygliw, ac
yn ceisio goleuo'i anwybodaeth echrydus ef yn ei chylch,
gan egluro rhieingerdd Ceiriog iddo wrth ddringo, ond
yn gwbl ofer. Fel y dringem ac y chwysem cynyddai ei
eiddgarwch ef am fachio'r brechdanau cig, ac ymosododd
ar weddill fy mhecyn innau, a chynyddai fy eiddgarwch
innau dros ramant Myfanwy Fychan a Hywel ab Einion
fel y nesâi'r Castell atom.

O'r diwedd cyrraedd y Castell, a than y gyfaredd ryfedd,
hanner arswydus honno, crwydrais oddi wrth fy nghydym-
aith gan ei anghofio'n llwyr. Rhyfeddol oedd yr olygfa
yn y tawelwch hwnnw dan yr hanner lleuad a oedd ar ei
chefn ar yr awyr. Lledrithiol hollol oedd y bryniau a'r
dyffrynnoedd oddi amgylch, a golau'r lleuad ar bennau
rhai o'r bryniau fel caenen o eira ; a gwrychoedd a gwal-
iau'r meysydd, a'u darniai hwy bron i'w brig, fel rhwyd
aruthrol a daflesid drostynt i'w cadw rhag ffoi, canys
anodd oedd credu dan y rhith hwnnw nad byw oeddynt,
ac mai i'r ddaear-bob-dydd y perthynent. Gwelid y
gwartheg yn ysmotiau duon yma ac acw, ac ambell ys-
motyn yn codi ac ymysgwyd ac ymystwyran a symud yn
ddioglyd am ychydig, ac aros drachefn. Siffrwd Afon
Ddyfrdwy yn y pellter, a chyfarthiad ambell gi o'r eith-
afion, ac ambell fref dafad, oedd yr unig sŵn. Am y
Castell ei hun, ymdaenai dirgelwch arswydus drosto, y
naill hanner yn welw olau dan y lleuad, a'r hanner arall
yn ddudew ei dywyllwch. Syllai'r tyrau a'r rhimynnau
gwaliau yn syn a mud arnaf, fel petai fy rhyfyg yn aflon-
yddu ar eu hunigrwydd ar yr awr honno wedi eu syfrdanu.

Ac yn awr ac eilwaith clywn sŵn siffrwd mân greaduriaid yn ffoi rhag pwysau fy nhraed, a cheisiwn ddychmygu yn fy nhanbeidrwydd ieuanc mai siffrwd traed Myfanwy ydoedd. Syllai'r lleuad arnaf yn arwyddocaol drwy hafn rhwng dau dŵr. Ai dyma'i hagwedd tybed, pan guddiai Hywel ei beithynen ? A dechreuais innau ei hannerch yn ei eiriau yntau :

Mewn derwen agennwyd gan follt
    Draigfellten wenlachar ac erch,
Gosodaf fy mraich yn yr hollt
    A chuddiaf beithynen o serch ;
Ni'm gwelir gan nebun ond gan
    Y wenlloer, gwyn fyd na baut hi
Er mwyn iti ganfod y fan ;
    Ond coelio mae 'nghalon fod ysbryd eill sibrwd â thi,
    Eill ddwedyd y cwbwl i ti.

Ar y funud, yn yr hud a'r distawrwydd, dyna oernad a fferrodd fy ngwaed, fel griddfaniad ysbryd coll, a fu'n cronni'n ei fynwes am fil o flynyddoedd cyn ffrwydro.

Distawrwydd ofnadwy wedyn, yna'r un oernad drachefn, yn ddyfnach a mwy ingol nag o'r blaen o rywle yn nuwch mwyaf dudew y Castell. Beth a allai fod yno ond cri ysbryd Hywel, yn chwilio'n ofer am ysbryd Myfanwy ar hyd yr hen lwybrau ? Yr unig beth, bellach, gwerth byw er ei fwyn, oedd dianc oddi yno ar unwaith a chymaint fyth. Rhaid, fodd bynnag, oedd mynd heibio i'r fan y daeth y cri ofnadwy ohoni ; a phan oeddwn yn ei hymyl, yn llithro heibio â distawrwydd tylluan, a'm calon yn fy ngwddf a'm gwynt yn fy nwrn, torrodd cwyn hirllaes megis dan fy nhraed, fel petai'r ddaear ei hun yn araf ymagor, a neidiais ymaith fel gafr ar daranau. Beth oedd yno ond fy nghydymaith yn ymgordeddu ar lawr dan wewyr gwynt ar ei stumog.

Wel, Castell Dinas Bran, y lleuad arno, dau o'r gloch y bore, ysbrydion Myfanwy Fychan a Hywel ab Einion

Llygliw yn crwydro'r lle—a dyn â gwynt ar ei stumog !
Ie, rhywbeth ond hynny—strôc y parlys, niwmonia, haint
y nodau, a hyd yn oed " yr haint sy'n rhodio yn y tywyll-
wch," neu unrhyw afiechyd barddonol arall. Eithr
gwynt ar y stumog, yn y fan honno, am ddau y bore, a'r
lleuad ar yr awyr, ac wedi ei achosi gan frechdanau cig,—
o'r holl fwydydd a ddychmygwyd erioed, y mwyaf gwrthun
o ryddieithol.

Pont y Borth dan leuad Hydref, dyna un arall o'r
golygfeydd prin nas anghofir byth. Ac un o olygfeydd
mawr fy mywyd innau hyd yn hyn oedd yr olygfa gyfriniol
honno un noson o Hydref lawer blwyddyn yn ôl,—noson
gannaid olau leuad. Yr oedd y lleuad lawn ar yr awyr, a'r
awyr yn ddulas o'r tu ôl iddi, a'r sêr yn fflachio'n welw
a swil yn ysblander y lloergan. Oddi tanaf yr oedd Afon
Fenai, yn llawn llanw, yn llonydd â'r llonyddwch hwnnw
pan fo'r llanw ar ei lawnaf, heb osgo at dreio. Yn y pell-
ter yr oedd Biwmares, fel perl ar ffiniau Môn, a'i goleuadau
rhwng fflachio a pheidio, a'r Borth yn ymyl yn llechu'n
gynnes yng nghesail ei bryn. A dacw Ynys Llandysilio
a'i mynwent, a'r cerrig gwynion, sythion, fel meirw yn eu
hamdoau, newydd atgyfodi, ac wedi llonyddu drachefn
dan y swyn. Collasai Twr y Marcwis ei herfeiddiwch, ac
ymddangosai fel petai'r ddaear yn ei ddefnyddio'n fys
i'w estyn tua'r rhyfeddod uwchben, a bryniau Môn a
choed Arfon yn syllu a gwrando mewn dwyster mud. A'r
Bont ei hun fel gwe dros y gwagle, a minnau'n bryfyn
diymadferth wedi fy nal ynddi. A thros y cwbl gaddug
ysgafn, hudolus, fel mantell o wawn, ac yn ddigon tenau
i weld fflachiadau'r sêr drwyddo ar wyneb y dwfr. A'r
lloergan yn ddylif dros bopeth. Yr oedd yn llethol dawel
yno, fel petai rhyw ddisgwyl anesmwyth a dieithr wedi
meddiannu popeth, a si ysgafn o'r dwfr a'r goedwig yn
angerddoli'r tawelwch. Nid oedd ond eisiau'r perarog-
lau a weddai i'r olygfa a'r si, i berffeithio gwynfyd y prof-

iad,—aroglau tyner, esmwyth, meddal, y tir pell,—y lili
a'r lelog a'r lafant. Ac ar y funud daeth aroglau, gan
dreiddio'n dawch drwy'r caddug yn llond yr awyr,—
aroglau *chips*.

Un o genedl Dante a oedd yno, wrth enau'r Bont, yn
cyflenwi anghenion rhai o genedl Goronwy Owen, a
ddaethai yno i weld y paratoadau ar gyfer Ffair y Borth
drannoeth. A than y tawch ymddangosai'r Bont a'r
caddug a'r afon a'r pelydrau sêr a'r lloergan a'r cwbl fel
pe'n crebachu, a ffois innau am fy mywyd.

A welsoch chwi enfys leuad rywdro, nid y cylch cyff-
redin o amgylch y lleuad, a welir o flaen glaw, ond enfys—
pont law—fel enfys liw dydd, ond mai'r lleuad ac nid yr
haul a'i creodd ? Y mae'n olygfa a gofir byth. Llencyn
oeddwn pan welais hi gyntaf, ym Mwlch Gwyn, uwchlaw
Wrecsam, un o'r lleoedd godidocaf yng Nghymru yn ddiau
i weld gwahanol fathau o olygfeydd dieithr Natur ohono,
yn enwedig yn y nos, gan mor uchel ydyw, a gwastadedd
Caer yn ymestyn oddi tano i'r gorwelion. Yno hefyd y
gwelais am y tro cyntaf, yn bileri a llenni symudol, am-
ryliw, yn yr entrych, y Goleuni Gogleddol, yr *Aurora
Borealis*, ar noson o aeaf. O ganol mwrllwch Man-
chester y gwelais yr *Aurora Borealis* yr eiltro a'i gam-
gymryd i ddechrau am fflamau ffwrnais wedi codi ei
chaead. Ym Mwlch Gwyn hefyd, y gwelais gyntaf enfys
leuad. Eithr am yr eiltro imi ei gweld y dymunaf sôn.
Yn Nhregarth yr oeddwn ar y pryd, ac y mae Tregarth,
fel llawer lle arall ar yr ochr honno i Sir Gaernarfon, yn
lle ardderchog i weld rhyfeddodau'r ffurfafen ohono,
megis enfysau, machludiadau godidog a'r cyffelyb. Y
nos hon deuwn i a'm priod i lawr o Waun y Pandy tuag
un-ar-ddeg y nos, wedi diwrnod gwlyb. Agorasai'r
cymylau ychydig ynghynt, a thywynnai'r lleuad a'r sêr yn
ddisgleiriach nag arfer, fel y gwnânt pan fo'r awyr yn
drom gan wlybaniaeth. Fel y deuem i lawr teithiai cwmwl

dudew, hollol bygddu, yn araf dros Fôn, a dechreuodd
yn y man daflu cawod. O'r tu ôl inni disgleiriai'r
lleuad, ac o'r tu blaen y cwmwl du a'r glaw, ac ar
glawr y cwmwl gwelem yn ffurfio'n araf enfys leuad.
Nid oes i enfys leuad liwiau, gwelwder fel gwelwder
marwolaeth yw ei hunig liw. Ac y mae rhyw ddi-
eithrwch anesmwyth yn yr olwg arni sy'n tynnu dyn i
deimlo na pherthyn ef na hithau ar y pryd i'r byd cyff-
redin hwn. Daw holl ofnau ac amheuon bywyd o'u
gwâl gan ymrithio ger eich bron, a'r gwelwder annaearol
yn ceulo'r gwaed.

Pan oeddym yn sefyll yno'n syllu felly, heb dorri gair y
naill wrth y llall, clywem sŵn traed yn symud tuag atom
yn araf a thrymllyd, a syniem fod rhywun arall yno dan
gyfaredd yr enfys leuad, ond yr oeddym ni wedi'n llygad-
dynnu ormod i droi i edrych arno, pwy bynnag ydoedd.
Safodd y cerddwr yn ein hymyl, yn fud a llonydd fel
ninnau. Ni allwn ymatal yn hwy. " Ddyn !" meddwn,
heb dynnu fy llygaid oddi ar y gogoniant ger fy mron,
" beth feddyliwch o hyn—enfys leuad—a welsoch ryw-
beth tebyg erioed o'r blaen ?" Dyna rochiad fel rhoch-
iad mochyn yn ebwch ei chwythad olaf. Trois i edrych,
ac o bob gwrthuni digrif a welais erioed yr oedd y gwrth-
uni digrifaf oll ger fy mron ar y pryd,—dyn chwil ulw
feddw, yn ceisio'n ofer ei sefydlogi ei hun ar ei sodlau, i
amgyffred gogoniant enfys leuad, ac yn chwilio amdani
dan ei draed.

Gorffennaf fel y dechreuais,—â chodiad y wawr, a'r
adeg y dringodd cyfeillion a minnau i ben yr Wyddfa i
weld y wawr yn codi. Nid oes eiriau a all ddisgrifio'r
olygfa honno, na lliwiau a all ei pheintio. Yr oedd y
lleuad eto ar yr awyr wrth inni ddringo, gan gilio fel y
deuai'r dydd i gymryd ei lle. Ac fel y dechreuai'r wawr
chwarae ar y gorwel, ac i'r dyffrynnoedd ddechrau ym-
wahanu oddi wrth y mynyddoedd, gwelem fod pob dyffryn

a phob cilfach oddi tanom dan niwl tonnog fel breichiau'r môr, yn union fel petai'r eigion mawr wedi rhewi'n sydyn ar ganol tymestl. Ac fel y codai'r haul disgleiriai'r niwl fel môr o berlau, a holl liwiau'r enfys yn dawnsio arno. Ar yr ochr arall gwelem fynydd aruthrol megis yn codi o'r môr gan orwedd ar ei hyd ar draws Môn, a chyrraedd, i'n bryd ni, hyd at Amlwch, a chewri arswydus fawr yn symud ar ei ben. Wedi gorchfygu'n syndod syniasom mai cysgod yr Wyddfa oedd y mynydd, a ninnau—am unwaith yn ein hoes—oedd y cewri. Oddi tanom ymagorai'n araf y dyfnder ofnadwy sydd â Llyn Llydaw'n waelod iddo, a dechreuodd y niwl a oedd ynddo gasglu'n bellen a llithro ymaith, wedi hofran yn ansicr am ennyd yn bellen gwbl gron yn y gwagle. Eithr anodd yw cadw gwybed o ennaint yr apothecari, gyda'r canlyniadau echrydus. Torrwyd ar ein syfrdandod mud gan lais hoyw cyfarwydd un ohonom a syllai i'r dyfnder, a dweud,—" Dyma le campus i daflu lludw." A dyna'r dryswch oesol sut i gael gwared â'r domen ludw ar bwys y drws cefn wedi ei datrys dros byth,—trwy ddifetha'r wawr ar yr Wyddfa.

Ac eto, efallai mai gwamalu yr oedd yr hen gyfaill, fel y gwnawn mor aml yn awr y brofedigaeth ddu, i geisio cuddio'n methiant, a deimlwn mor fawr, i fynegi'r anhraethadwy.

II

YM MALDWYN

Cefais achos i ymhyfrydu yn emynau Ann Griffiths, a
hefyd i fod yn anesmwyth iawn yn eu cylch oherwydd
annigonolrwydd eu hamgyffrediad o lawnder y Crist a
glodforant, a hynny o fewn yr un dyddiau. Treuliwn
ddeng niwrnod yn Nyffryn Banw, yng nghalon Maldwyn,
ym Mai, 1952, a'r tywydd yn odidog ragorol. Hawdd
anghofio'r byd a'i helbul yn Nyffryn Banw ar adeg felly,
ac ymgolli yn ysbryd emynau Ann Griffiths. Yr oeddwn
yno pan ddaeth Cynan a'i ddosbarthiadau ar wibdaith i
grwydro'i gwlad, gan gynnal gwasanaeth coffa darl\|ededig
yn y Capel Coffa yn Nolanog. Hanner can mlynedd yn
ôl daeth O. M. Edwards yma ar ei deithiau ymweled â
chartrefi cysegredicaf Cymru, a chyhoeddi'r hanes yn ei
lyfr,—" Cartrefi Cymru," a thrwy hynny ail greu rhai
ohonom a'n gwneud yn addolwyr wrth yr allorau hynny.
Heddiw y mae'r werin wedi troi oddi wrth ddarllen Cym-
raeg, ac o'r herwydd pa fodd y gellir dwyn y cartrefi hyn i
sylw'r bobl ond drwy ymweliadau fel hyn, a darlledu
cyfarfod coffa yn y fan a'r lle, fel y gwnaeth Cynan a'i
gwmni yn Nolanog ? Gwych gan hynny oedd aros ar y
daith i ganu rhai o emynau Ann Griffiths, a darllen y
rhannau arbenicaf o'r Ysgrythur y trwythodd hi ei henaid
ynddynt ; a thrwy fynegi ei rhiniau mewn iaith ddethol
yn y gweddïau, osod ei delw arnom ninnau heddiw, fel y
gwnaeth O. M. Edwards yn ei ddydd ef.

Gwych o beth fuasai cael cyfres o'r pererindodau hyn
a'u cyhoeddi i Gymru drwy'r radio, fel y gwypo'r genhed-
laeth sy'n codi am y cyfoeth a fu, ac sydd yn disgwyl am-
dani hithau i'w fwynhau, fel yr ymhyfrydo yn ei hetifedd-
iaeth, yn hytrach nag ar y cibau a fwyty moch. Hyfryd imi
oedd cael y fraint o fod yn y cyfarfod yn Nolanog.

Pa mor hyfryd bynnag y gallai'r gwasanaeth fod ar y radio, ni allai fod yn debyg i'r hyn ydoedd yn Nolanog yng ngwlad ac awyrgylch Ann Griffiths ei hun. Y mae Ann Griffiths yn ymgorfforiad o Faldwyn, ac ynghanol mwynder meddwol Maldwyn yr amgyffredir ei gwaith a'i ryfedd rin.

Pan oeddwn yn casglu'r meddyliau hyn at ei gilydd eisteddwn yn ystafell ffrynt hen blasty. Wrth edrych drwy'r ffenestr fawr sydd o'm blaen gwelaf yn ymagor ger fy mron Ddyffryn Banw a'i wyrddlesni o bob gwawr hyd frig y bryniau eithaf, a'i goed blodeuog a rhosynnog, a'i fân flodau o bob lliw, ar wasgar i bob cyfeiriad. Y mae aderyn unig yn canu â'i holl egni, a chi unig yn cyfarth yn y pellter mawr, a'r tawelwch yn llethol o hyfryd. Mewn gwlad fel hyn yn unig y gellir disgwyl i neb weld yr Arglwydd yn " Rhosyn Saron." O weld prydferthwch Maldwyn y gwelir gogoniant y gymhariaeth, ac Ef yn y prydferthwch hwnnw yn anghymharol. Yna'r dychymyg yn ehedeg i gael cip ar brydferthwch mwy ysblennydd y nef a'i weld Ef yn anghymharol yno hefyd,—" Ti yw tegwch nef y nef." Y mae hi a Phantycelyn yn cydolygu ar hyn. Gwir mai o'r Beibl y cafodd Ann Griffiths yr enw " Rhosyn Saron," ond y tebyg yw na welodd hi erioed rosyn Saron, ac mai trwy brydferthwch rhosynnau Maldwyn ar bob llaw iddi y gallodd amgyffred tegwch sy'n rhagori ar ddeng mil. Nid fel hyn y canai petai wedi ei magu yn Eryri. Y mae Eryri yn hardd, canys gall gerwinder fod yn rhan o harddwch. Hawdd yw anghofio cyni'r byd ym Maldwyn, ond nid yn Eryri. Nid oes ym Maldwyn erwinder; y mae gerwinder yn lladd prydferthwch. Prydferth yw Maldwyn. Ni faliaf yma am droi botwm y radio i wybod pa mor helbulus yw'r byd, ac ni faliaf pe na chawn gip ar bapur newydd o un pen i'r wythnos i'r llall. Yma gellir ymgolli'n rhwydd mewn pethau nas adnabu'r byd. Dyna a wnâi Ann Griffiths,—" Tragwyddol syllu ar y Person a gym'rodd arno natur dyn,"

a gadael i'r byd a'i drybini gymryd eu siawns. Ac yr
oedd canu hyfryd ar "Tragwyddol syllu" a "Rhosyn
Saron" y prynhawn Sadwrn hwnnw.

Y mae rhywbeth yma'n tynnu sylw yn gyson at ryw
linell neu'i gilydd o emynau'r fun o Faldwyn.   Gwelaf
fwthyn mewn cesail yn y pellter, yn llonyddwch perffaith
yr awyr, a'i fwg yn esgyn yn esmwyth ac unionsyth.
Ofnaf i T. Gwynn Jones gael cam gwag pan ddywedodd yn
ei lyfr,—" *Y Môr Canoldir a'r Aifft*,"—" Yr oedd Bedawin
wedi cynneu tân ym mhell bell ar yr anialwch.   Drwy'r
' awyr denau a'r tes ysblennydd tawel,' chwedl Elis Wyn,
gwelais ddwy golofn laswen yn ymgodi yn syth i fyny fel
dau biler, ac yn dringo yn uwch, uwch, yn araf i fyny fry,
i fyny fry, nes ymgolli yng nglesni tragywydd yr wybren.
Codais ar fy nhraed o barch i'r ferch o Sir Drefaldwyn, y
farddones y canfu ei dychymyg mor glir ac mor berffaith
beth nas gwelodd ei llygaid erioed,—

> ' O ! am dynnu o'r anialwch
> I fyny fel colofnau mŵg'."

Nid dychymyg Ann Griffiths a barodd iddi ddweud
hyn ond ei chyfarwydd-deb â *Caniad Solomon*,—" Pwy yw
hon sydd yn dyfod i fyny o'r anialwch megis colofnau
mwg ?" a'i bod ganwaith wedi gweld yng ngheseiliau ei
dyffryn ei hun fwg bythynnod Maldwyn yn tynnu i fyny
yn union fel colofnau.   Ie, hawdd yw anghofio'r byd yn
yr hyfrydwch a'r tawelwch anghymharol hwn, a dychmygu
yma Fynydd y Gweddnewidiad a thragwyddol syllu yma
ar y Person a gym'rodd arno natur dyn.

Gallai Ann Griffiths, a gallaf finnau, yma, dreiddio'n
rhwydd i deimladau Pedr, pan ddywedodd, ar Fynydd y
Gweddnewidiad,—" Gwnawn yma dair pabell, un i Ti,
ac un i Moses ac un i Eleias."   Byddai yntau a'r ddau
ddisgybl arall yn berffaith fodlon i orwedd ar y mynydd
a'u penelinoedd ar y ddaear a'u gên yn eu dwylo, yn syllu,

ac aed y byd a'i helbulon i'r man y mynnont. Awgrym-
iadol iawn yw'r frawddeg hon,—' Daeth cwmwl ac a'u
cysgododd hwynt.' Nid da i'r golwg yw dal i syllu yn
llygad yr haul. Daeth y cwmwl i arbed Pedr rhag ei
berygl,—cael ei ddallu i gyni'r lloerig mud ar lethr y
mynydd, a oedd mewn angen am wellhad, a phawb yn
methu ei wella. Y mae gwella hwnnw yn arwydd o fwy o
amgyffrediad o Grist na hyd yn oed bod dan gyfaredd ei
Berson ar Fynydd y Gweddnewidiad.

Ar fryniau lleddf Maldwyn hawdd yw deall y Gwedd-
newidiad. Ac er ardderchowgrwydd emynau Ann
Griffiths, eu perygl, fel y gwnaeth Pedr, yw gwneud y
" syllu " yn uchaf bwynt yr amgyffrediad. Nid oes ias o
arwydd yn ei hemynau ei bod yn adnabod Crist llethr y
mynydd, y Crist a adnabu'r lloerig yng nghraidd ei enaid
ac a'i hiachaodd.

Er mwyn ein harbed rhag y diffyg hwnnw rhaid gadael
Dolwar Fach a Phontrobert a Llanfihangel-yng-Ngwynfa
a Dolanog, a dyfod yma i Blas Cyfronnydd, canys yma, lle
gwelaf yr olygfa hon o'i hystafell ffrynt, y mae brwydr
fawr godre'r mynydd, a'r amgyffrediad sy'n ysbrydiaeth
iddi, canys ni ellid y frwydr heb yr amgyffrediad. Yma
ceir copa mynydd " syllu ar y Person " a hefyd frwydr ei
odre.

Hen blasty wedi ei droi heibio ydyw, o briddfeini
cochion, ar fryncyn coediog, yng ngolwg ysblander Dyffryn
Banw. Ar nos Sul y Mai hwnnw, eisteddwn ar fy mhen
fy hun yn ei ystafell ffrynt, am hanner awr wedi chwech,
canys yma'n gorffwys yr oeddwn oddi wrth y byd a'i
flinderau. Dyna pam nad oeddwn wrth fy ngwaith priod
ar yr awr honno. Ni wyddwn fod neb yn yr holl adeilad
ar y pryd ond myfi fy hun. Yr oeddwn ynghanol tawelwch,
prydferthwch, hyfrydwch, tangnefedd. Yn y dwys ddis-
tawrwydd, b'r pellter mawr, torrodd ar fy nghlyw leisiau
côr genethod, peraidd, hudolus, mewn perffaith gynghan-
edd. Nid oedd neb i'w weld yn unman, na si na siffrwd,

na symud ond y golofn fwg union acw o fwthyn yn y pell-
ter mawr, dim ond y lleisiau hyn o'r anweledig. Distaw-
rwydd, a dechrau wedyn,—" Holy, holy, holy, Lord God
Almighty," fel pe deuai o'r wlad lle y maent ddydd a nos
gerbron yr Orsedd yn canu,—" Iddo Ef." Distawrwydd
eto, yna " Calon Lân," a thewi llwyr, a'r distawrwydd yn
dychwelyd fel mantell dros y lle. Balch ydwyf na ddaeth
neb i'm hystafell a'm gweld y munudau trydanol hyn, neu
fe welsent yr hyn a eilw Pantycelyn yn "ddagrau melys
iawn," canys yr oedd arwyddocâd y canu yn fwy ysgytiol
na hyd yn oed y canu ei hun.

Ysgol yw'r hen blasty heddiw, ysgol blant araf. Y mae
mintai o ferched bach yma, anffodusion bywyd, wedi eu
dwyn yma i frwydro drostynt frwydr godre Mynydd y
Gweddnewidiad. Rhai ohonynt yn araf o'r bru, rhai
oherwydd afiechyd cynnar, rhai oherwydd eu goddiweddyd
gan drychineb bore a ddrysodd eu tymherau, rhai oher-
wydd eu magu ar aelwydydd â'r rhieni fel cŵn a chathod.
Y mae yma ofn bywyd, dicter a chwerwder at fywyd, di-
faterwch tuag at fywyd, a syniadau chwith ynglŷn ag
ystyr bywyd. A'r dasg yw dyfod â goleuni a chynghanedd
a threfn i'r bywydau bach difrodedig hyn. Oni bai am
weledigaeth na all y byd hwn ei rhoddi buasai'r gwaith yn
anobeithiol ofer. Y mae'n rhaid cael tynerwch ac am-
ynedd a dyfalbarhad anhygoel i fynd ymlaen â'r gwaith
heb lwyr dorri calon. Ac yn y tawelwch hwnnw, nos Sul,
pan dorrodd y canu dirgel, peraidd, o ystafell bell ar fy
nghlyw, gwelais fod y gwaith yn mynd rhagddo, a bod y
" disgyblion " hyn heddiw yn cael goruchafiaeth ar yr
ysbryd sy'n bwrw cleifion godre'r mynydd, weithiau i'r
dwfr ac weithiau i'r tân. Y mae gorchfygu yn y fan yma'n
fwy o ddatguddiad ohono Ef na syllu ar ei ogoniant yng-
hanol gorweddian mwyth pen y mynydd.

Wrth wrando ar y canu hwnnw daeth arswyd drosof,
arswyd llethol, wrth fyfyrio ar fy llafur fy hun. Crwyd-
rais lawer ar y wlad, gan lefaru'n fwy neu lai hwyliog wrth

bawb, heb fod yn sicr fy mod yn llefaru wrth neb yn
arbennig, ac yn tueddu i fodloni os dywedid yn nawdd-
ogol wrthyf fy mod wedi cael hwyl. Arswydais wrth
feddwl y gallwn i fod yn y farn yn un o'r rhai a ddywaid,—
" Oni phroffwydasom yn dy enw Di ?" ac yntau'n ateb,—
" Nid adnabûm chwi erioed." Ac yna rai'n dyfod ym-
laen, a dreuliodd eu bywyd heb na sylw'r byd na chan-
moliaeth y saint, i wasanaethu pob un o'r rhai hyn ar wa-
hân—symud y llwch a'r baw a fwriodd y byd ar eneid-
iau'r rhai hyn, mor gynnar yn eu hanes, rhoi trefn ar y
dryswch a barodd y dallineb a'r chwerwder, a dyfod o
hyd i'r perl yn eu heneidiau, a hwnnw'n torri'n ddisgleir-
deb yn eu llygaid. Bodlonant ar y wobr a'r gwynfyd o
weld y disgleirdeb newydd yn eu llygaid, ond cânt fwy.
Clywant hefyd lais yn dywedyd,—" Yn gymaint â'i
wneuthur ohonoch i un o'r rhai lleiaf hyn, i mi y gwnaeth-
och." Anobeithiol, fodd bynnag, fuasai llwyddo, oni bai
i ysbryd arbennig eu meddiannu, sydd ers canrifoedd yn
rhodio'r fro, yr ysbryd hwnnw a ddatguddiwyd gynt ym
Mhlas Dolobran ac yng ngharchar y Trallwng.

Aethpwyd â mi i weld hen blas Dolobran ar bwys Pont-
robert. Yma yn yr ail-ganrif-ar-bymtheg trigai Charles
Lloyd a'i briod a'i faban, gwrbonheddig y fro, ynghanol
llawnder, a phawb at ei alwad i wneud ei ewyllys a bod-
loni ei fympwy. Eithr tywynnodd goleuni arno, o Ben
Calfaria, ac o'r herwydd fe'i cafodd ei hun ynghanol bud-
reddi a drewdod a heintiau a chythreuligrwydd carchar y
Trallwng, lle bu'n dihoeni am flynyddoedd. Yr oedd ei
frawd Thomas yn ddig iawn wrtho, ond wrth weld ei
foneddigeiddrwydd yn ffynnu dan amgylchiadau felly,
daeth yntau hefyd yn Grynwr. Fe'i cafodd ei hun yn
fuan ynghanol trueiniaid Llundain, yn brwydro â'r Pla
Mawr, ef yn aros i leddfu poen pan oedd eraill yn ffoi.
Ei wobr wedi cyrraedd adref oedd carchar. Cynigiwyd
iddynt eu rhyddid, ond gwrthodasant heb i'r unrhyw ryddid
gael ei gynnig i eraill a oedd yng ngharchar dan yr unrhyw

gyhuddiad ond a ystyrid yn perthyn i radd is o gym-
deithas. Cawsant nerth i orchfygu'r byd am iddynt
wynebu'r groes gyda'u Harglwydd. Oherwydd bod yng
nghymdeithas ei ddioddefiadau Ef daethant i brofiad o
rym ei atgyfodiad Ef. O'r dydd hwnnw hyd heddiw
gwŷr y gyffes hon sydd ar y blaen yn lleddfu poen a chyni.
Hawdd yw gorfoleddu ar Fynydd y Gweddnewidiad.
Pedr, y gŵr a wnaeth hynny, oedd y ffoadur cyntaf oddi
wrth Fynydd y Groes. Wynebodd y rhai hyn Fynydd y
Groes. Lle bo rhyfel a newyn a haint, yno y mae'r bobl
hyn, yn lleddfu a iacháu. Eithr wrth syllu ar y Person
a gym'rodd arno natur dyn, *a hefyd* gyd-grogi ag Ef ar y
groes, y daethant hwythau o hyd i'r grym anorchfygol.
Y sawl a ddywedodd,—" Mi a groeshoeliwyd gyda Christ"
a allodd ddywedyd,—" Crist sydd yn byw ynof fi." Eu
hysbryd hwy, yn cerdded i lawr yr oesoedd, a wnaeth yr
ysgol hon a'i bath, a phob sefydliad i liniaru cyni dyn, yn
bosibl.

Adlewyrchiad anffafriol iawn ar grefydd Cymru yw nad
oes yma dir cyfaddas i argyhoeddiad y Crynwyr wreiddio
a ffynnu yn helaeth yn ein plith, ein bod mor chwannog i
ddewis rhialtwch crefydd yn hytrach na'i hysbryd gwasan-
aeth, i dorheulo ar Fynydd y Gweddnewidiad yn hytrach
na chrogi ar Fynydd y Groes.

Tybed a fuasai Ann Griffiths yn ymhyfrydu mewn gofalu
am sefydliad fel yr Ysgol Blant Araf hon, yn enw'r Arg-
lwydd, y Gŵr a ddywedodd,—" Gadewch i blant bychain
ddyfod ataf fi ?" Os gwnâi, ni allai ddal i syllu fel eryr i
lygad yr haul, ond fe gawsai ei oleuni o amgylch ei thraed,
i ddangos iddi gyda phob cam y cam nesaf. Dyheodd
am gael cario'r groes a'i chyfri'n goron, ei chroes ei hun,
nid croesau anffodusion bywyd. Dyna pam yr wyf braidd
yn anesmwyth am ei dyfodol petai wedi cael byw,—mai
ffrwydro'r peiriant a wnâi'r ager, nid ei yrru yn ei flaen.

III

Y BEDD HWNNW

Pan oeddwn ar gychwyn unwaith i'r Canoldir, i Ddinas Birmingham, yr oedd un dymuniad arbennig o flaen fy llygad,—cael cipolwg ar Neuadd enwog y ddinas, a hynny am dri rheswm,—onid ohoni hi y dihangodd Lloyd George, ddyddiau Rhyfel De Affrica, mewn dillad plismon, pan oedd y dyrfa loerig am ei waed, ac onid dyna ddyddiau gloywaf Lloyd George, yn ei holl hanes cynhyrfus, pan âi â'i fywyd yn ei law, i ddadlau achos cenedl fach orthrymedig ? Onid adeiladwyd hi hefyd ar gynllun y Parthenon, teml enwocaf yr hen Roeg, ac un o adeiladau enwocaf a pherffeithiaf y byd, ac onid yngolwg y deml hon y bu Paul yn dadlau â'r Groegiaid ynghylch atgyfodiad Crist ? Ac oni chynhesai calon Cymro hefyd wrth edrych arni a chofio mai o le teilwng o'r Parthenon, y daeth ei cherrig, o'r hen chwarel yn ymyl priordy Penmon, ym Môn dirion dir ? Dyma'r rheswm triphlyg dros fynnu ei gweld ; ond wedi ei gweld, yr oedd fy siom yn driphlyg hefyd, ac ni bydd llawer o awydd ynof eto i gael cipolwg arni.

Noson gynhyrfus oedd honno dros hanner can mlynedd yn ôl, a chynulleidfa waedwyllt yn disgwyl am eilun Cymru i'w rwygo'n ddarnau, ac eto yntau'n llwyddo i ddianc. Syndod pob syndod yw i un o'i fychander ef lwyddo i fynd drwy dyrfa lofruddiog mewn dillad plismon, heb iddi sylwi ar y gwrthuni. Ac eto nid oes dim mor ddwl â thyrfa wedi colli ei phen. Nid oes dim yma heddiw i'm hatgoffa o'r cynnwrf hwnnw o'r hen fyd. Y mae'r neuadd yn ddisylw iawn gan bawb, sy'n rhuthro heibio, i'w fusnes ei hun, heb gymaint â thaflu llygad i'w chyfeiriad.

A du iawn yw cerrig gwynion Môn heddiw, nes codi hiraeth am olwg ar eu cymheiriaid ar y penrhyn hwnnw a olchir bob dydd gan awelon y môr mawr. Teimlir mai gresyn oedd bod y cerrig wedi gorfod newid eu lle, o'r hen lendid i'r mwrllwch yma.

Gwir fod y neuadd wedi ei llunio hefyd ar batrwm hen deml y Parthenon ar yr Acropolis yn Athen. Y mae'r un fath yn union â'r lluniau ohoni, ond y fath watwar o'r Parthenon yw'r neuadd ei hun ! Y Parthenon yn ei chylchyniadau yn un o ryfeddodau'r byd,—y marmor gwyn, yr awyr glir, y ffurfafen ddisgleirlas, a'r llewyrch ar y môr sy'n ymestyn hyd olygiad pellaf y llygad. Y mae'r neuadd ynghanol tawch parhaus, ac yn lle tawelwch hen oesoedd berw cras dinas fawr, ac adeiladau sgrechlyd diwydiant yn pwyso arni, yn ddolur llygad a chlust, o bob cyfeiriad. Cyffelyb yw i ferch yn golchi'r llawr yn ei gwisg briodas. Siomedig iawn oeddwn wrth droi cefn, ond gwnaed iawn am y siom pan arweiniwyd fi i weld y bedd rhyfeddol, a gofiaf tra fyddwyf, ac y trof yn ôl iddo'n gyson am dangnefedd pan fo'r byd a'i helynt wedi mynd yn ormod imi. Bûm yn Birmingham drachefn. Euthum heibio i'r neuadd, ond ymwelais yn arbennig â'r bedd.

Daeth cyfaill o weinidog heibio, Cymro Cymroaidd iawn a oedd yn weinidog gyda'r Saeson, a gallu rhyfedd ganddo i ffureta popeth anghyffredin a dieithr. Ef a gynigiodd fynd â mi i weld y bedd. Pan ddeellais bedd pwy, collais bob awydd i'w weld, canys gwelwn gofgolofn rodresgar, angylog, yn rhythu arnaf, ond ni ddadrithiwyd fi'n debyg erioed. Yn lle troi cefn arno mewn diflastod, daeth y cof amdano yn rhan o wynfyd fy mywyd, i'm harwain at yr " Hedd, perffaith hedd, na ŵyr y byd amdano."

Cychwynasom, ac aeth y cyfaill â mi at y tram, a gwên anniffiniol ar ei wyneb a ddangosai fod ganddo rywbeth i'm hysgytio yn y daith. Yn lle mynd i gyfeiriad y ddinas gwelwn fod y tram yn tynnu tua'r wlad. Mynd filltir ar ôl milltir nes

cyrraedd terfyn eithaf llwybr y tram, chwe milltir i ffwrdd,
ym mhentref Rednal ar odre Bryniau Lickey, cyrch-
fan tyrfaoedd ar ddyddiau heulog haf, bryniau heirdd
coediog.   Pentref gwledig yw Rednal, ond y ddinas
yn dechrau gosod ei hôl arno.   Wedi cyrraedd, torri'n
union ar draws y ffordd at ddrws llwybr yr ochr arall iddi,
ac ar y drws, mewn llythrennau breision, y geiriau,—
STRICTLY PRIVATE.   Agor y drws a mynd drwyddo,
a'n cael ein hunain ar drawiad wedi cau'r byd yn
llwyr o'n hôl.   Llwybr cul, lleidiog, ond carped trwm o
ddail yr hydref arno, a rhyw ddwy droedfedd o laswellt
bob ochr iddo rhyngddo a bonau'r cloddiau.   Cloddiau
uchel, gwylltion, a gwrychoedd uchel ac aflêr yn codi
ohonynt, a chyfarfod ei gilydd yn do uwch ein pennau.
Y llwybr yn lledu ychydig fel yr aem ymlaen, a choed yn
cymryd lle'r gwrychoedd, a charped mwyth y dail yn trym-
hau, a'r cerdded arnynt yn ddistaw a hyfryd.

Wedi mynd ryw ddau neu dri chan llath ar y llwybr
cefnu-ar-y-byd hwn, try'r llwybr ar y chwith.   Ar y
naill ochr i'r tro y mae hen sied, ac yn y tro, ar dwmpath
bach, y mae croes, ac arni y geiriau hyn :   " *LAUS DEO.*
In thankful remembrance of June 30th, 1866, when Divine
Providence saved our schoolboys all collected round their father
prefect under the adjacent shed, from a sudden thunderstorm when
the lightning playing around them struck with death as many as
ten sheep about the field and trees close by."   A'r groes yn
llechu dan gysgod pren.

Braidd yn angharedig, efallai, fuasai awgrymu gan fod
Rhagluniaeth drugarog wedi arbed y bechgyn a'u tad
ysbrydol, na fuasai waeth iddi daflu ei chysgod dros y
defaid druain hefyd, yn enwedig gan mai llywodraethwr
Rhagluniaeth yw awdur Dameg y Ddafad Golledig.
Wrth glodfori Rhagluniaeth yn y modd hwn, onid ydyw'r
dystiolaeth hon yn ei bychanu hefyd, drwy ei gwneud
braidd yn grintachlyd yn ei hamddiffyniadau ?   Cul
yw'r ffin rhwng ofergoel a ffydd, a nodweddiadol iawn o'r

grefydd a gododd y garreg hon.

Wedi mynd heibio i'r sied a'r groes, cerdded ymlaen ych-
ydig ar hyd llwybr llydan dan gysgod coed. Trymha carped
tew dail yr hydref dan ein traed, a'r gwrych uchel ar y dde
yn mynd yn fwy carpiog ac adwyog. Troi ychydig ar y
dde a gweld talcen plasty mawr drwy adwyon y gwrych.
Yna'r plasty yn ein hwynebu'n llawn. Fel un cyfarwydd
gwyddai fy nghyfaill mai dyma'r tŷ yr oeddym i ofyn
caniatâd ynddo i ddyfod drwy'r drws STRICTLY
PRIVATE, canys bu yma o'r blaen, yn arwain pererinion
fel myfi.

Plasty hardd â'i saffe'n anghyffredin o hyfryd. O'i
flaen y mae lawntiau, y naill o dan y llall, a grisiau'n mynd
o'r naill i'r llall, a gerddi, a glaswellt y lawntiau wedi ei
gneifio'n llwyr, a phopeth yn batrwm o ddestlusrwydd
a chwaeth. Mynd at ddrws y ffrynt, curo a dweud ein
neges, a rhoddi'r caniatâd yn llawen a chynhesol gan
wraig ieuanc radlon. Y tu ôl i'r drws agored y mae
neuadd y plasty, ac yna y gwelwch nad plas cyffredin
ydyw. Y mae'r neuadd wedi ei throi'n gapel bach, a
hanner dwsin o gadeiriau ynddo, a delw sant neu ddau.
Yn eich wynebu, i mewn yn y pared de, y mae croes
aruthrol a delw fawr o'r Gwaredwr yn hongian arni. A
gwyddom yn awr ymh'le'r ydym, yng nghafell weddi neu
fetws offeiriaid,—encilfa Oratori Birmingham. Cofiaf
rywbeth, a iasau'n dechrau fy ngherdded, canys yr wyf yn
troedio man cysegredig, ond dyfod o hyd i'r llecyn. O'n
blaenau wrth edrych allan y mae dyffryn, a bryniau a
choedwigoedd yn ymdoddi ac ymestyn y tu hwnt i gan-
fyddiad y llygad, a'r unigrwydd a'r tawelwch mor llwyr â
phe na bai dinas fawr o fewn miloedd o filltiroedd. Y
wraig yn dyfod allan gyda ni a dangos adwy inni wrth
dalcen chwith y tŷ. Lleindir yno o ryw bymtheg llath o hyd
a lled, gwrychoedd uchel ar dair ochr iddo, y llecyn tawelaf,
mwyaf tangnefeddus, yn yr holl fyd. Lawnt, na, gardd ;
gardd ? na, mynwent, na, gardd. Petruso, canys ni

welsom erioed ddim tebyg na'i ddychmygu.

Y mae'r llain bron yn llawn o feddau, ond y fath feddau! Pedair rhes o bump yr un, a bedd arall yn dechrau rhes arall, y cwbl yn wynebu'r un ffordd, a dau fedd arall yn eu hwynebu hwythau. Wedi ychwanegu pedwar bedd arall at y bedd sy'n dechrau rhes yn y fan draw, bydd y lle'n llawn. Draw acw mewn lle enciliedig, ar ei ben ei hun, a llwybr rhyngddo a'r lleill, y mae bedd arall. Yn llythrennol, ofnwn fynd ymlaen, rhag torri ar y tangnefedd.

Nid oes yma awgrym o angau du, dim ond gorffwystra hyfryd ar ddiwedd dydd. Y mae'r holl gerrig beddau, ac eithrio'r un draw ar ei phen ei hun, yn union yr un fath, ac yn rhyfeddol o syml,—cylch hollol grwn, a chroes yn ei ganol, ar ei draws ac ar ei hyd, a choes i bob carreg i'w gosod yn y tir, pob carreg yn rhyw lathen o uchder, o dywodfaen llwyd, ac enwau'r claddedigion arnynt, dyddiad y marw, weithiau dyddiad y geni, dyna'r cwbl.

Nid ydyw'r beddau hyn yn debyg i feddau. Yn hytrach y maent yn debycach i'r gwrymiau ar welyâu wrth i ffurfiau cyrff y cysgwyr ddangos drwy'r dillad, a thipyn o ofod rhyngddynt heb derfyn pendant, a'r glaswellt cwta fel cwrlid llyfn drostynt oll, cwrlid gwyrdd diwnïad. Tangnefedd, gorffwystra, ond nid marwolaeth, a'r brodyr yn cysgu'n dawel ynghyd yma, ymhell bell o sŵn y boen sy'n y byd.

Bedd gwraig sydd ar ei ben ei hun yn y pellter, a charreg wahanol ei ffurf iddo, ac ar orwedd,—" Frances, widow of John Wootten, Esq. M.D. Died January 9, 1876." Pam bedd gwraig mewn lle fel hyn, o bobman yn y byd, pa ddewin a ŵyr?

Dyma'r cyffyrddiad o wrthuni sydd yma, yr unig gyffyrddiad, dim ond braidd gyffwrdd, ond y mae'n gyffyrddiad,—gwraig yn gorwedd yma, a hefyd ei chadw draw yn bendant ac amlwg. Y ddau fedd sy'n wynebu'r lleill, beddau lleygwyr ydynt. Eithr pam eu hwynebu, a thraed

yn erbyn traed? Eglurhad fy nghyfaill ar hyn, sy'n
ffuretwr mor ddyfal, oedd mai dyna'r arfer,—y lleygwyr
a'r offeiriaid yn wynebu ei gilydd, a thrwy hynny, yn yr
atgyfodiad y dydd diwethaf, y bydd yr offeiriaid a'u cynull-
eidfa, yn yr act o godi, yn sefyll wyneb yn wyneb.

Y mae rhywbeth uffernol mewn Pabyddiaeth, a hefyd
nefolaidd. Hi a greodd Gathrin de Medici a'i bytheiaid,
na allai Gehenna ddychmygu eu hamgenach. Hi hefyd
a greodd Ffransys o Assisi a'i "frodyr," na allai Paradwys
lunio prydferthach bucheddau. A gardd Paradwys i
wŷr lluddedig orffwyso ynddi yw hon. O! na bawn yma
yn y gwanwyn, i glywed yr adar yn canu, canys y mae'r
gwrychoedd hyfryd-wylltion hyn yn sicr o fod yn baradwys
adar.

Mynd o garreg i garreg, i ddarllen yr enwau arnynt, a
pharchedigaeth, fel awyrgylch taranau, yn pwyso'n drwm
arnom. Cwbl ddieithr yw pob enw, Eithr beth yw hyn
—yr ail garreg i'r dde, yn y rhes bellaf ond un, a dau enw
ar y garreg, yr unig garreg â dau enw arni? Ar ran uchaf
y cylch,—"Ambrose St. John, Died May 24th, 1875."
A pheth yw hyn, ar draws y groes,—"John Henry Cardinal
Newman," ac ar ran isaf y cylch,—"Born Feb. 21, 1801.
Died August 11th 1890." Sefyll, heb yngan gair, a syllu'n
hir, a'r hud yn llethol, a'r symlrwydd huawdl yn fwy
llethol na dim.

Ac yma, yn y tawelwch dwyfol hwn, y mae ei orwedd-
fan ef, ymhlith ei frodyr. Yr enaid mawr, y sant mawr, y
pregethwr mawr, a'i frwydrau enaid yn ysgytio a rhwygo'i
Eglwys,—yma'n dawel, wedi'r brwydro a'r ymbalfalu
hir, ac wedi derbyn y goleuni y bu'n crwydro gyhyd,
mewn gwewyr enaid, i chwilio amdano. Dyma ef yn
gorwedd, yn ôl ei ddymuniad ei hun, gyda chyfaill y frwydr
a'r ymchwil. A pheth am y bedd hwn, yr agosaf ato?
Hen gyfaill arall a wybu ei wewyr,—"Edward Caswall,
Died January 2, 1878." Wele ef, ynghanol ei hen gyfeill-
ion, bellach yn wynebu'r dydd:

" Diau dy allu, a'm bendithiodd cyd,
  A'm harwain i
Dros waun a rhos, dros graig a chenlli, hyd
  Pan wawrio hi,
A'r engyl gyda'r wawr yn gwenu fo,
A gerais er ys talm, a gollais dro."

O bopeth, y bedd rhyfeddol hwn, a'r fynwent ryfeddol hon, sy'n diddymu dychryn angau'n llwyr, fydd yr hyn a erys gyda mi tra fwyf, o'r daith hon, fel rhan o gynhysgaeth gyfoethocaf fy mywyd. Tybed a gaf gyfle i ddyfod yma yn y gwanwyn, i glywed adar yn canu uwch ei ben ? Dyma briod le adar yn canu.

IV

NANT Y FFRITH

AR fy nghrwydradau pe digwyddaf sôn yn y cartrefi am
Fwlch Gwyn, yr ymateb cyffredin fydd cwestiwn dryslyd,—
" Ymh'le yn union mae Bwlch Gwyn?" Yr ateb yw, yn
Sir Ddinbych ar y ffordd fawr rhwng Wrecsam a Rhuthun,
chwe milltir o Wrecsam a deuddeg o Ruthun. Fe ddring-
wch bron bob cam o Wrecsam, a disgyn bron bob cam i
Ruthun. Y mae, yn ôl y map, yn 1085 o droedfeddi uwch-
law arwynebedd y môr, ac nid yw Llyn Ogwen, yn Eryri,
yr uchafbwynt rhwng Bethesda a Chapel Curig, ond 984.
Ef, felly, yw un o'r pentrefi uchaf yng Nghymru, onid yr
uchaf oll, a'i enw yn fynegiad o'i liw cyffredin gefn gaeaf.
Fel y dringwch o Wrecsam fe adewch y pyllau glo a'r
gweithfeydd eraill, ac ymegyr gwastadeddau o'ch blaen,
ar y dde, gwastadeddau Caer ac Amwythig, gan ymledu
hefyd i'r gorwelion o'r tu ôl i chwi. Wedi ei gyrraedd fe
ddaliwch eich anadl gan ehangder yr olygfa. Os bydd
caddug dros y gwastadeddau byddant fel môr diderfyn. Os
bydd yn glir, yr olygfa dir hefyd yn ddiderfyn. Yn ystod
yr Ail Rhyfel Byd gallai'r bobl weld fflachiadau'r
bomio ar Coventry, Crewe, Warrington a Lerpwl, heb
symud o'u hunfan. Yr oeddwn yn sefyll ar drofa'r pen-
tref—Trofa'r Jagar—ryw ddau neu dri haf yn ôl pan
ddaeth cerbyd heibio a sefyll yn fy ymyl. Daeth gŵr o
Sais ohono, a syllu a gofyn enw y lle, a dweud iddo fod
mewn llawer gwlad, ond na welodd yn ei oes y fath ehang-
der oddi ar safle mor syml. Wrth fynd i lawr tua Rhuthun
y mae'r wlad yn tirioni. Deuwch, o fewn milltir go dda, i
fynydd-dir Maes Maelor, ucheldir gwastad, grugog, rhwng
bryniau grugog. Ar y chwith fe welwch Graig Pant
Lladron, a dyna chwi ar eich union yng ngwlad y porth-
myn. Yn yr hafn o'r tu ôl i'r graig, neu hen chwarel,

hon y cuddiai'r lladron pen ffordd i ddisgwyl y porthmyn
yn ôl o Loegr yn llawn eu codau wedi gwerthu eu gwartheg.
Yn llechu mewn pantle ar ben y gefnen uwchlaw'r hen
chwarel y mae Llyn Penddinas, ac ar ei lan fryncyn grugog,
a llawn o goed llus, a godwyd wrth durio lle i'r llyn tua
throad y ganrif ddiwethaf. Oddi ar y bryncyn hwnnw,
ar ddiwrnod clir, heb ddim ond troelli yn eich unfan, fe
welwch Ddyffryn Iâl, Aran Benllyn, yr Wyddfa, Moel
Famau, New Brighton ar lan Afon Ferswy, Castell Beeston
yn Sir Gaer, a mynydd y Wrekin, unig fynydd Sir Am-
wythig. Ar fryncyn uwchlaw'r Bwlch Gwyn ei hun, oddi
ar " Y Warchae," gellir gweld rhan o dair sir ar ddeg.

Codwyd y pentref ar graig, a'r graig yw ei gadernid a'i
bryder. Yr oedd chwarel fach o gerrig ffordd wedi ei
thurio o gongl y graig hon gynt, ar bwys y pentref, cerrig
caled, miniog, a felltithid yn gyson am falu gwadnau
'sgidiau, ac ychydig yn gweithio ynddi, yn gyffredin rai
na allent gael gwaith yn unman arall, a chyffredin
yno oedd clwy'r frest. Yn ystod yr Ail Rhyfel Byd
gwelwyd gwerth mawr y garreg i bwrpas ffwrneisiau, yn
un o ddwy chwarel o'r fath ym Mhrydain, a phan ddechreu-
wyd dyfalu bod y garreg yn cynnwys uraniwm aeth y
chwarel yn hollbwysig mewn noson. Chwarela gwyllt
wedi hynny i gyfeiriad y pentref, a chychwyn chwarelau
yn Nant y Ffrith yr ochr arall i'r pentref, a'r chwarelau'n
nesu at ei gilydd, a'r cwmni'n bwrw llygad ar y pentref ei
hun gan fod y graig oddi tano. Os llwydda'r bwriad ryw-
bryd, dyna bentref arall yng Nghymru, a hen draddodiad
Cymreig arall, wedi diflannu.

Ie, Nant y Ffrith, bro dlysaf daear a pharadwys cariadon.
Cwm yw Nant y Ffrith, o dan y pentref, cwm cul iawn, ei
ochrau'n serth, ac ar astell ar lan arall y nant a red drwyddo,
y plas, a thu hwnt i'r plas Mynydd y Penllyn, a'i odre o
goed a'i fantell o rug hyd i'w gorun, ac oddi yno golygfa
anghymharol y bryn sydd yr ochr arall i'r pentref, ac
changach na hi. Ni welais erioed gwm cyn dlysed â Nant

y Ffrith, coedwig o goed pin ac ambell bren o fath arall yn
awr ac yn y man i dorri ar yr undonedd, ar ei ddwy lethr,
o'r top i'r gwaelod, a pherthi llawryf a rhododendron yn
gloywi yma ac acw liw trymllyd y pinwydd. Ffordd
ddestlus—" y dreif "—yn gwingo fel neidr drwy'r coed, o
frig y gefnen i lawr at y nant ; rheiliau gwynion, a beintid
yn aml, bob ochr iddi, a rhyw ganllath o enau uchaf y
ffordd fryncyn noeth, ac oddi arno yr holl gwm yng ngog-
oniant ei liw a'i lun, i'w weld, a'i enau isaf yn ymagor ar
wastadedd Caer.   Yn y gwaelod pont fach fel petai'n
rhan o Natur ei hun, bron wedi ei chuddio ag eiddew, a
llynnau dwfr bach slei wedi eu ffurfio yma ac acw o'r nant,
a physgod hy yn neidio ynddynt, a mangoed yn crogi
drostynt. Yr ochr isaf i'r bont, yr ogofau llawn o bob
dirgelwch ac arswyd a rhamant. Wedi croesi'r bont y
ffordd yn troelli ar i fyny a heibio i gongl y plas, yna
gwahanu'n ddwy, y fraich chwith yn mynd heibio iddo
drwy goedwig drom, dangnefeddus, nes dyfod allan ar
odre'r Penllyn, a'r fraich dde i lawr gyda glan y nant
drwy goedydd, a lawntiau dirgel, nes cyrraedd pentref y
Ffrith yn y gwaelod ; a llwybr arall yr ochr arall, uwch-
ben y nant heibio i blas y Glasgoed, a'r ddau'n cyd-
gyfarfod ar odre'r Ffrith. Tawelwch pob tawelwch ym
mhobman yn enwedig ar fin nos o haf pan fyddai'r troell-
wr rywle ym mherfeddion y coed yn canu grwndi di-dorr
o groeso haf. I lawr i Nant y Ffrith y tynnai pob deuddyn
o gariadon. Gan bwyso ar y rheiliau gwynion neu ar
ganllawiau'r bont y cyfamodent i'w gilydd gyfamod oes,
a minnau hefyd yn un ohonynt, a'r bont a'i heiddew yn
rhoi'r ddeilen gyfaddas iddynt i'w chyflwyno i'w gilydd
yn arwydd traddodiadol yr adduned,—" Glynaf wrthyt."
Ie, paradwys oedd Nant y Ffrith.

Ni pherthynai teulu'r plas i hen deuluoedd traddod-
iadol Cymru. Y sôn oedd mai rywbryd yn nechrau'r
ganrif o'r blaen y daethent i'r fro, yn nyddiau'r deffroad
ynglŷn â'r mwyngloddiau plwm, a gwneud eu harian a

phrynu'r cwm. Gŵr y plas, fodd bynnag,—R. H.
Venables Kyrke—a droes y cwm yn baradwys. Gŵr
surbwch, ond arglwydd y fro, a phawb yn cwrcydu neu
fowio iddo. Ei briod yn ferch dal, hardd, frenhinol, a
merch ganddynt, tua phymtheg oed pan welais hi gyntaf,
a ystyriem ni y glaslanciau yn dywysoges y Tylwyth Teg.
Deuai i'r ysgol gyda'i mam unwaith y flwyddyn i roi'r
addewid flynyddol o de parti a chwaraeon i'r plant. Dydd
eu hymweliad byddai disgwyl mawr, wedi i'r ysgolfeistr
ddweud eu bod yn dyfod, a'n siarsio i fyhafio neu y disgyn-
nai'r gwaeau oll arnom. Pan welai ef hwynt, drwy'r
ffenestr, yn nesu at y naill ddrws, brysiai i'w agor a'u croes-
awu, wedi ei orchuddio â gwenau o'i gorun i'w sawdl.
Cerddent yn araf ar hyd yr ysgol, fel brenhines a thywys-
oges yn archwilio rhes o filwyr. Codai pob dosbarth ar
ei draed fel y deuent ato, ac eistedd wedi iddynt droi cefn
a mynd at y dosbarth nesaf, ac felly nes mynd ohonynt i
ben arall yr ysgol ac allan drwy ddrws y pen hwnnw.
Rhythu ar y ferch y byddai'r bechgyn, yn cerdded fel
saeth, a dwy bleth ei gwallt i lawr ei chefn gan gyrraedd
yn is na'i gwasg. A ninnau'r disgybl-athrawon hefyd yn
rhythu ar ddull tylwyth-tegaidd y ferch o ymlwybro, ac
yn meddwl meddyliau.

Ni ellid rhwystro pobl rhag mynd i ffordd y cwm ac i
lawr at y plas a chrwydro llwybrau'r coed, am fod y ffordd
a'r llwybrau'n draddodiadol cyn bod sôn am y plas, ond
gofelid eu bod yn cadw i'r ffordd a'r llwybrau. Yr oedd
rhybudd ar enau uchaf y ffordd yn gofyn i ymwelwyr
dieithr fod cyn foneddigeiddied â'r brodorion drwy
barchu'r coed a'r blodau. Yma ac acw yn y coed yr oedd
rhybuddion,—" *Spring guns are set in the woods.*" Gan
hynny, ar berygl bywyd y crwydrid o'r llwybrau, neu o
leiaf, dyna'r bygythiad. Yr oedd hefyd wifrau pigog i'n
cadw yn gadarn at y llwybrau, yn llechu'n gyffredin dan
gangau'r coed, a wnâi alanastr ar ddillad a chroen y di-
ofal. Dan amodau felly y mwynhaem ni, bobl ieuainc,

C

yr hyfrydwch, ond beth oedd rhwystrau felly i gariadon
a allai mor rhwydd droi llwybrau gormes yn llwybrau
gwynfyd ? Nid oedd gormes yn ormes, gan fod cariad y
galon fel caddug hyfryd yn cuddio pob arwydd ohono.

Gŵr y plas a gynrychiolai'r fro ar y Cyngor Sir. Y
mae'n wir nad oedd yn dda i ddim yno, ond cymerai pawb
yn ganiataol mai felly yr oedd pethau i fod, a phan ddeuai
etholiad ni cheid neb i'w wrthwynebu. Tua'r adeg y
dechreuais bregethu, pan oeddwn yn tynnu at y deunaw
oed, teimlid yn y fro nad oedd yr awyr mor glir â chynt,
a chlywid chwyrnu isel, megis sŵn taranau yn y pellter.
Daeth yn etholiad, a beiddiodd gweinidog y Bedyddwyr
ym Mrymbo, gŵr ieuanc â chudyn gafr a phen blaen
ganddo, o'r enw E. K. Jones, Cadeirydd y Bwrdd Ysgol,
ddyfod i wrthwynebu gŵr y plas. Yr oedd cryn groeso
cudd iddo er gwadu hynny'n gyhoeddus, ond ni phetrusai
neb am ei dynged ddydd y lecsiwn, yr ysgubai plaid y plas
y llawr ag ef. Cynyddai'r berw fel y nesâi'r dydd tynged-
fennol. O'r diwedd daeth, a daeth ei ddiwedd. Tyr-
rai'r bobloedd at Ysgol y Mwynglawdd noson y cyfrif i
glywed y canlyniad. Darllenwyd y ffigurau. Tawelwch
hollol a syfrdandod mud am eiliad, yna cymeradwyaeth
eiddil gan bleidwyr y plas, am fod eu dyn i mewn. Eithr
pan ddeallwyd arwyddocâd y peth daeth bonllef daran-
aidd oddi wrth yr ochr arall. Gwir fod gŵr y plas i mewn,
ond â chroen ei ddannedd,—pedwar-ar-ddeg yn unig
oedd ei fwyafrif. Gwelwyd ar drawiad fod teyrnasiad
unbenaethol gŵr y plas bellach ar ben. Toddodd pleid-
wyr y plas ymaith. Ciliodd rhyw ddwsin ohonynt, fel
cŵn wedi torri eu cynffonnau, i gyfeiriad y Bwlch Gwyn,
a llu o'r lleill yn gynhyrfus ar eu holau, gan weiddi,
gwawdio a dirmygu. Euthum innau i lawr i'r cyfrif a
dychwelwn ar gwr y fintai gynhyrfus. Ofnwn y byddai
cryn helynt cyn bo hir, oherwydd yr oedd y rhai mwyaf
blaenllaw o'r cynhyrfwyr yn ffyrnigo fwyfwy wrth fynd
ymlaen.

Pwy a ddaeth i'n cyfarfod a heibio i'r dorf ond yr ysgol-
feistr, yn mynd am ei dro nosawl ar ôl swper, yntau'n
ddistaw-awyddus am glywed y ddedfryd, ac yn bleidiwr
y plas. Galwodd fi ato. Gadewais y dyrfa ac euthum.
Gofynnodd ganlyniad y lecsiwn ac aethom ati i ymddi-
ddan. Ciliodd y dyrfa o glyw a throesom yn ôl dan ym-
ddiddan, a dyna fu fy ngwaredigaeth.

Ymddengys bod tyrfu mawr wedi digwydd, a lluchio
cerrig a thywyrch at bleidwyr y plas fel yr aent hwy a'r
gwrthryfelwyr yn eu blaenau, a mawr oedd y sôn am yr
helynt yn yr ysgol fore drannoeth. Pan ddychwelais o'r
ysgol y prynhawn yr oedd 'mam â'i hwyneb fel y galchen,
—cipar y plas wedi bod yno'n dweud fy mod yn un o'r
cynhyrfwyr, ac y gwysid fi gerbron llys barn onid awn ar
unwaith i'r plas i fegio fy mhardwn. Ofer oedd ceisio
gwadu, canys mynnai hi fod yn rhaid cael peth lliw cyn
llifo. Pan euthum i'r ysgol drannoeth yr oedd si am
ymweliad y cipar â chartrefi rhyw hanner dwsin o lanciau
eraill, pob un ohonynt ymhlith y rhai mwyaf diniwed yn y
dyrfa, yn fechgyn glân eu cymeriadau, ffyddlon i gapel a
gweithgar ynglŷn â'r achos, a hyrwyddwyr pob achos da.
Nid oedd sôn am erlyn yr un o'r llanciau garwaf. Hawdd
gweld beth oedd y dichell,—pardduo Ymneilltuaeth drwy
ddifwyno'i bechgyn ffyddlonaf.

Yr oedd pethau'n edrych yn ddu arnaf fi, yn waeth nag
ar neb. Os erlynid fi peryglid fy safle fel disgybl-athro a
difethid fy ngobaith am gael fy nerbyn yn bregethwr. Eithr
nid oedd dim i'w wneud. Daeth y si i glustiau'r ysgol-
feistr. Galwodd fi ato a gofyn a oedd yn wir i'r cipar
ymweled â'm cartref. Pan ddywedais ei fod, atebodd,
â'i lygaid yn fflamio,—" Ond yr oeddych gyda mi y noson
honno." " Oeddwn, syr," meddwn. Trodd ei gefn heb
ddweud gair ac at ei ddesg a dechrau sgrifennu. Gwelwn
ef yn estyn amlen a rhoi'r hyn a sgrifennwyd ynddi a'i
chau. Daeth ataf a dywedodd fel gŵr yn ffroeni brwydr,
—" Ewch â'r llythyr yma drosof i Mr. Kyrke heno."

Euthum, curais y drws, a gofynnodd dyn mewn lifrai imi
ddyfod i mewn a'm troi i ystafell. Daeth gŵr y plas i
mewn a chwerwder yr holl fyd yn ei aeliau. Nid oedd
ganddo syniad pwy oeddwn. Dywedais wrtho fy mod
wedi dyfod â llythyr iddo oddi wrth yr ysgolfeistr. Cymer-
odd ef a'i ddarllen heb yngan gair wrthyf. Edrychodd yn
ffyrnig arnaf a dweud,—" Oni bai am hwn buaswn yn
sicr o fod wedi eich gwysio." Hynny yw, nid oedd gan-
ddo rithyn o dystiolaeth yn fy erbyn. Gallai'r ysgol-
feistr arthio'n enbyd ar ei ddisgybl-athrawon, ond gwae'r
sawl o'r tu allan a ymosodai arnynt.

Cafodd y gweddill eu gwysio. Yr oedd cynnwrf mawr
yn ein plith. Codwyd pwyllgor amddiffynnol i logi cyf-
reithiwr a chodi cronfa i dalu costau'r " arwyr," a min-
nau'n ysgrifennydd y mudiad. Llogwyd Wyn Evans,
Wrecsam, i ddadlau drostynt, cyfreithiwr enwog iawn am
ddadlau achosion pobl ar lawr, a allai brofi bod du yn wyn
a gwyn yn ddu. Unwaith y clywais ef wrthi. Daethai'r
areithiwr dirwest Americanaidd enwog, Tennyson Smith,
am wythnos o genhadaeth ddirwestol i Neuadd Bentref
Coed Poeth. Gŵr tal, gosgeiddig, gwallt hir, barfog, heb
fod yn annhebyg ei wedd i'r bardd Tennyson. Yr oedd
y lle'n orlawn bob nos, ac yntau'n llefaru â grym anghyff-
redin. Ar ei noson olaf cynhaliai ffug brawf ar y carch-
aror, John Heidden, gyda barnwr a rheithwyr, a gwahodd
y darllawyr i anfon gŵr i amddiffyn y carcharor. " John
Lewis y Calch," clerc yng ngwaith calch y Mwynglawdd,
gŵr bonheddig ac urddasol, oedd y barnwr, a Wyn Evans
a gyflogwyd i amddiffyn dros bobl y ddiod. Yr oedd
araith ymosodol Tennyson Smith yn ysgubol a ninnau'r
dirwestwyr yn orfoleddus. Yr oeddwn ar y pryd hyd yn
oed yn Demlwr Da. Cododd Wyn Evans i amddiffyn,
ac er ein braw, mewn ychydig eiliadau malodd ddadleuon
yr ochr arall yn deilchion. Rhywbeth fel hyn oedd
rhediad ei amddiffyniad. " Rhydd yr ochr arall fai ar y
ddiod am lu o hunanleiddiaid. Mae rhai ohonoch yn

eillio, ond a fynnech gondemnio eillio am fod rhai ffyl-
iaid yn torri eu gyddfau ag ellyn ? Yr ydych oll, yn
chwarelwyr a ffermwyr, yn defnyddio rhaffau. A rodd-
wch hynny heibio am fod ambell ffŵl yn ei grogi ei hun â
rhaff ?" Ac felly ymlaen. Edrychai'n ddu iawn ar
ragolygon dirwest. O drugaredd, dirwestwr mawr oedd
y barnwr, ac o'r herwydd crynhodd y dadleuon i'r rheith-
wyr yn y fath fodd ag i gael dedfryd unfrydod yn erbyn
John Heidden. A Wyn Evans a gyflogwyl gennym i
amddiffyn y llanciau. Gwnaeth waith mor ddeifiol yn y
llys â'r noson honno yn Neuadd Bentref Coed Poeth, gan
wneud yr ochr arall yn gyff gwawd gogoneddus. Taflwyd
yr achos allan, a daeth y llanciau adref yn fwy na chon-
cwerwyr. Yr oedd digon o gronfa wedi ei chodi i dalu'r
costau, a hefyd i gael swper campus i ddathlu'r fuddugol-
iaeth, yn yr ysgol fwrdd. Cafwyd benthyg yr ysgol yn
rhwydd ddigon, canys onid E. K. Jones oedd cadeirydd
y Bwrdd Ysgol ? Swper heb ei fath. Gwelaf yr ham
gartref ysblennydd, y darn biff aruthrol, a'r danteithion
cyfatebol, ger fy mron y funud hon.

Bu'r swper hwnnw, ar gefn y fuddugoliaeth fain, yn
ormod i ŵr y plas. Ni fynnai wneud dim â'r ardal mwy,
a dialodd hyd yn oed ar blant yr ysgol drwy wrthod rhoi ei
de blynyddol iddynt y flwyddyn wedyn. Daeth y bardd-
roser, John Davies (Neifion), i'r adwy, a chafodd y plant
de. Yr oedd Neifion yn fardd o fri, a dywedid iddo fod yn
ail mewn Eisteddfod Genedlaethol yng nghystadleuaeth y
gadair ar awdl " Y Meddwl." Cefais ei benthyg rywdro,
a cheisiais ei ddarllen. Oherwydd ei huchder, ardal
chwannog i niwl yw'r Bwlch Gwyn, a diau mai ar ham-
dden dyddiau felly y cyfansoddodd Neifion ei awdl. Yna
daeth gwraig y plas a'r ferch i'r ysgol am dro, ac am rai
blynyddoedd wedyn daethant yn gyson, i drefnu te a
chwaraeon i'r plant. Penderfynodd yr ardal wneud
tysteb iddynt, a chodwyd pwyllgor i'r perwyl. Cynigiodd
rhywun gyflwyno *Address* i'r ddwy.

" 'Rydwi'n cynnig dwy, un bob un," ebe Robert Jones y Rhes (Rhes Ffynnon y Cwrw). " A oes rhywun yn eilio *Address* ?" ebe'r cadeirydd. " 'Rydwi'n cynnig dwy," ebe Robert Jones wedyn. " Wel," ebe'r cadeirydd yn llariaidd, " 'rydwi'n credu y gwnâi un y tro rhwng y ddwy." " Ddyn," ebe Robert Jones, " ydech chi'n meddwl i ledis fel nhw wisgo'r un ddres, heblaw nad ydi'r ddwy ddim yr un seis ?" Wedi egluro i Robert Jones, pasiwyd i roi un *Address* rhyngddynt.

Eithr casglodd y cymylau o amgylch y plas. Daeth yn amser i'r ferch, ein tywysoges Dylwyth Teg, briodi. Penderfynodd y tad gael cinio'r briodas yn y fwyaf o'r ogofau, a chodwyd bwrdd cerrig hirgrwn yno i'r perwyl. Caffai pobl y fro ganiatâd i fynd i weld y bwrdd. Y mae'n rhaid bod y ferch oddi cartref ar y pryd. Pan welodd y bwrdd aeth yn gaclwm gwyllt. Ni fynnai ddim o'r fath, a chan hynny ofer oedd paratoadau rhamantus yr ogof. A dyna hithau'n troi'n erbyn ewyllys ei thad yn ogystal â chynhyrfwyr yr ardal. Un o deulu enwog Spottiswoode, argraffwyr swyddogol y Beibl, a briododd, ac aeth i fyw i Loegr. Bu farw y tad, cymysgodd meddwl y fam, a chredaf mai mewn ysbyty meddwl y daeth ei diwedd. Methiant fu priodas y ferch, a dychwelodd i'r plas i fagu cŵn. Yr oedd ganddi ugeiniau ohonynt. Ar noson dawel o haf, ar Drofa'r Jagar, y tawelwch yn baradwysaidd, a'r troellwr yn canu ei grwndi yng nghoed Nant y Ffrith, torrai cri main llwynog ar y tangnefedd, o'r pellter mawr, ac ar unwaith âi'r cŵn yn wallgof, gan gyfarth ac udo'n ofnadwy, nes troi'r holl wlad o fewn clyw yn fedlam. Gwerthodd y ferch y plas a'r tir i gwmni'r chwarel, a dychwelodd i Loegr i fyd y cŵn a'r ceffylau, ac yno y bu farw. Felly y diflannodd tywysoges Dylwyth Teg ieuenctid fy nghyfnod.

Heddiw y mae'r olwg ar yr hen Baradwys yn dorcalonnus. Chwarel wedi ei chychwyn yma a methu, chwarel draw a methu, dwy chwarel yn rhyw lun o weithio, tomennydd rwbel mawrion, melyn, ar chwâl yma ac acw. Coed yn ysgyrion, wedi eu malu wrth fwrw arnynt y gwageneidiau rwbel. Anialwch diffaith ym mhobman, a'r plas yn garnedd, ond bod y perthi rhododendron yn dringo'r mynydd gan geisio cuddio'r briwiau wrth dyfu'n wyllt.

Doe, prydferthwch anghymharol ac unbennaeth. Heddiw, rhyddid dilyffethair ac anialwch. Beth yw'ch dewis ?

YMHLITH FFERMWYR

V

Y FFOADUR

Bro fryniog, brin iawn ei phoblogaeth, yw'r Cymdu, a fferm unig yn llechu ym mhob cesail iddi, ar ucheldir un llethr i Ddyffryn Tanat, yn ochr Sir Ddinbych iddo, a llethr yr ochr arall ym Maldwyn. Dring ffordd drwyddi dros y gefnen o Ddyffryn Tanat i Ddyffryn Ceiriog, ac ar ei brig fe'n gwelwn ein hunain wedi'n hamgylchu gan y mynyddoedd mawr sydd â'r gwynt yn rhuo drostynt a nant y mynydd yn sisial ganu rhwng eu brwyn. Teithiwn oddi yno mewn cerbyd, yn un o dri, ar fin nos hafaidd ym Mehefin 1951, am Lanrhaeadr Mochnant, ar hyd ffordd gul, droellog, cloddiau a gwrychoedd uchel, a'r gwrychoedd yn llawn rhosynnau a gwyddfid a bysedd cochion. Trigai un o'r tri ar gwr yr ardal. Gwelais o'n blaenau ar un o'r troadau, hen ŵr musgrell a gwyrgam â ffon wen ganddo. Gwasgodd i'r gwrych o glywed y cerbyd nes ein bod wedi mynd heibio. Cefais gip arno wrth fynd heibio,—wyneb rhychiog a chrebachlyd, dau lygad llwyd, dwl, ac yn pwyso'n drwm ar ei ffon. Ychydig a feddyliwn wrth edrych arno fy mod wyneb yn wyneb â gŵr a ysgytiodd fywyd ardal am bedair blynedd ac a greodd ramant a erys ynddi i dreiglo i lawr o genhedlaeth i genhedlaeth. Tosturio am ennyd a gyrru ymlaen a'i anghofio,—un o'r anffodusion sydd fel pe'n rhan o wead bywyd ym mhob cenhedlaeth, beth bynnag fo'r ymdrechion i wella amodau bywyd. Teimlir weithiau fod y creaduriaid hyn wedi eu tynghedu i fod yn fynegiad o'r elfen ddidostur sydd yn gynhenid yn Natur er seiliad y byd. Ni ddychmygwn ar y pryd fod yr hen greadur, pan welais ef ddiwethaf, cyn sionced ag ewig ac yn gynnwrf bro, wedi

32

herio holl gyfrwystra llywodraeth a byddin Prydain Fawr, a hynny'n llwyddiannus, a dyfod o'r frwydr yn orchfygwr di-anaf.

Nos drannoeth deuwn tua'r un adeg ar hyd yr un ffordd. Cerbyd gwahanol y tro hwn a gyrrwr gwahanol. Ni wyddai gyrrwr y nos gynt, er ei fod o'r fro, ddim am draddodiad y gŵr dall a'i gampau rhyfeddol, ond gwyddai gyrrwr y nos hon. Wedi troi'r un troad gwelwn o'n blaenau yr hen ŵr yn teithio ymlaen bron yn yr un fan, yna sefyll a throi ei wyneb tua'r cerbyd, ac ymwasgu i'r gwrych, a'r tro hwn ei wyneb yn llawn i gyfeiriad y cerbyd, gan rythu arnom gymaint fyth fel petai'n ceisio ein gweld. Aethom ymlaen, a minnau'n dweud,—" 'Roedd o bron yn yr un fan neithiwr." " 'Dydech chi ddim yn ei 'nabod o ?" ebe'r gyrrwr. " Mewn bwthyn rownd y gornel 'ma mae o'n byw. Yr hen greadur, yno ar ei ben ei hun ac yn ddall, ond yn hollol hapus. Yr hen Ddic y Glo ydi o." Ar drawiad cododd y llen oddi ar angof deuddeng mlynedd ar hugain, pan oedd y gŵr dall â'i enw ar dafod pawb, a phawb yn holi yn ei gylch, beth oedd ei wrhydri a'i gampau diwethaf. O'r dyddiau hynny hyd y nos honno dyna'r tro cyntaf oll imi feddwl amdano, ac erbyn hyn do wedi codi na wyddai ddim oll ond am ŵr dall, musgrell, cyfyng ei fyd, a'r traddodiad amdano'n perthyn i hen oesoedd.

Debyg iawn, yr oeddwn yn adnabod Dic y Glo, a Bob y Glo ei frawd, a Marged Ann eu chwaer. Yn y Llan, yn Stryd y Moch, y trigent, a Marged Ann bob amser ar ben y drws. Ganddi hi y clywais gyntaf y gair " neithior " am briodas. Yr oeddwn newydd fynd yno, ac yn dyfod i lawr Stryd y Moch tua'r capel, ar fore Mercher, yn fy het silc a'm ffroc côt, yn ôl arfer y dydd ar briodas a chynhebrwng, a Marged Ann fel arfer ar ben y drws. Wrth imi fynd heibio,—" Oes 'ne neithior yn y capel y bore 'ma ?" meddai. Trawyd fi â syndod o gael y fath air o'i genau hi. Deellais wedyn mai dyna air cyffredin

y fro am briodas, a chofiais mai dyna air y Beibl am wledd
briodas, ac mai yn Llanrhaeadr y trigai William Morgan
pan gyfieithodd y Beibl. Yn Llanrhaeadr yn unig y clywais
hefyd y gair " cyfer " am " *acre* "—" acer " ym mhobman
arall—a "cyfer" yw gair y Beibl hefyd. Petrusais lawer,
wedi hynny, faint tybed, o ddylanwad Cymraeg y Llan
sydd ar iaith y Beibl. Beth a ddywaid y gwybodusion ?
Ni ellid meddwl am Marged Ann ond fel darn o'r Llan.
Pan euthum yn weinidog i Ddinbych ac ymweled yn fy
nhro â'r Ysbyty Meddwl, er fy syndod trewais ar Marged
Ann yno, hithau'n crio pan welodd fi, eisiau imi ei chymryd
i'r Llan, y byddai'n iawn ond cael mynd i'r Llan.

Yr oedd Marged Ann yn rhy afiach a'i brest yn chwislo
gormod i ddyfod i'r capel, ac eto os byddai unrhyw ryf-
eddod rywle yn y cyrraedd, byddai Marged Ann yno,
'waeth am y tywydd. Y mae pibellau dŵr Lerpwl yn
mynd heibio i ffiniau'r Llan, drwy dir corsiog. Gwelais
Marged Ann ar fore gwlyb, oer, yn Ionawr, yn sefyll
mewn cae, a'r llaid dros ei 'sgidiau, a'i breichiau noeth-
ion ymhleth, yn gwylio'r gweithwyr yn torri rhych ar gyfer
pibellau newydd, ond ni fynnai Marged Ann ei bod nac
yn oer na gwlyb. Adar o'r unlliw oedd ei brodyr, ond
bod Bob yn araf a chymesur ei gam, a Dic yn fuan fel ewig,
y tri yn rhan hanfodol o du chwith bywyd y Llan.

Adeg y Rhyfel Byd Cyntaf ydoedd. Wedi llawer o
ddarogan daeth gorfodaeth filwrol, a chribo'r ardaloedd
yn llwyr am bob un posibl i'r fyddin. Ni fynnai'r fyddin
mo Bob rhag ofn peryglu ei rhagolygon, ond mynnai
fachu Dic. Llwyddodd i'w hosgoi yn hwy na llawer,
drwy lawer o esgusion mwy neu lai ffansïol, ond daeth ei
ddydd yntau a bu'n rhaid iddo fynd. Yn ei dro daeth
yn ôl i'r ardal am egwyl, yn ei ddillad milwr, ac yn swagro
mwy na'r un milwr a berthynai i'r fro, a thybiech ar ei
osgo a'i siarad mai arno ef y dibynnai tynged y rhyfel.
Difyr a rhyfeddol oedd ei adroddiadau wrthyf o'i wrhydri
ar faes y gwaed, maes nas gwelodd erioed. O'r diwedd

daeth yr adeg iddo fynd yn ôl, a disgwyliwn, o fesur a
phwyso'i eiriau, y byddai'r rhyfel ar ben yn fuan wedi iddo
ddychwelyd i'r gad, a Phrydain unwaith eto yn fwy na
choncwerwr ac yn obaith y cenhedloedd. Ie, mawrion
ac ysblennydd oedd ei gampau, yn ôl ei eiriau ef ei hun, a
phwy a wyddai amdanynt yn well ?

Ymhen tipyn wedi ei fyned gwelwyd dau filwr â chapiau
cochion ganddynt yn rhodio yn ôl a blaen ar hyd ffyrdd y
pentref a'r lonydd croesion, ac yn aros am ymgom â hwn
a'r llall y digwyddent daro arnynt. Yna mynd ymaith,
ond ymhen rhyw bythefnos yn dychwelyd a chwilota'n
ochelgar a holi'n ochelgar hwn a'r llall. Ac aeth y gair
ar led, fod y milwr dewr, gobaith y cenhedloedd unedig,
ar ffo, nad ydoedd wedi dychwelyd i'r fyddin, a bod lle i
gredu mai yng nghyffiniau ei hen ardal yr ymguddiai,
ond âi pawb ar ei lw na wyddai ddim amdano. Ac yng
nghyffiniau ei hen ardal yr ymguddiai, a phawb yn gwybod
amdano, a phawb a gaffai gyfle yn ei gysgodi, a phawb yn
cadw ei enau ynghaead, a phawb yn gwbl anwybodus yn
ei gylch ef a'i symudiadau, a'r capiau cochion yn crwydro
oddi amgylch gan ddyfod bellach bob wythnos a holi a
stilio a dychwelyd fel y daethent.

Daeth Gŵr Bryn 'Deryn, gŵr nerfus, yn welw a dych-
rynedig at ei frawd, Gŵr yr Ochor, ryw fin nos i ofyn ei
gyngor. Yr oedd wedi digwydd mynd i'r daflod am
wair i'r gwartheg a phwy a welai'n gorwedd yn ddiddos
yn y gwair ond Dic y Glo. Pan welodd ef ŵr y tŷ cododd
ar ei eistedd gan fygwth ei einioes os dywedai ond y byddai'n
gyfaill tragwyddol iddo, gan ei helpu ym mhob cynhaeaf,
os cadwai'n ddistaw. Ofnai'r ffermwr os datguddiai'r
gyfrinach y byddai'r milwr yn dial pan gaffai ei draed yn
rhyddion, a gwyddai pe delid ef yn cysgodi ffoadur na
byddai ei draed yntau'n rhyddion, a daethai at ei frawd
hŷn a mwy profiadol a gwastatach ei nerfau am gyngor.
Cyngor y brawd oedd am iddo ymdawelu a rhoi tamaid
i'r ffoadur, gŵr diniwed i'r eithaf, a'i berswadio i newid

ei ymguddfan, gan eu bod yno'n rhy agos i'r pentref, a phe cymerai'r capiau cochion yn eu pennau i chwilota'r tai y gallent ei ddal yno, ac yna y byddai'n ddrwg arnynt ill dau. Llarieiddiodd y ffoadur ac aeth, wedi clywed hyn, wedi tynnu addewid o'r ffermwr y caffai gysgod yno drachefn petai'n galed arno. Ciliodd oddi yno'n dawel a llechwraidd.

Ymhen rhai wythnosau yr oedd Gŵr yr Ochor yn unig-edd y mynyddoedd yn bugeilio'i ddefaid, a gwelai ŵr yn y pellter yn ymlwybro'n hamddenol drwy'r grug i'w gyfar-fod. Fel y nesaent at ei gilydd gwelodd y bugail y llall yn torchi ei lewys ac yn cymryd agwedd ymosodol. Adnabu'r bugail ef a gwenodd yn braf. Pan ddaeth y llall yn ddigon agos i adnabod y bugail, agorodd ei ddyrnau a gostyngodd ei lewys a'u cau, gan weiddi'n llawen,—" Helô, Mr. Jones, chi sy 'ne ? 'R oeddwn i'n ofni mai un o'r cnafon 'ne sy ar f'ôl i oeddech chi. 'Does gennoch chi ddim tamed o faco i gradur ar ffo ? Ond 'chân nhw mono i, na 'chân yn wir." Cafodd faco, ac eisteddodd y ddau yn y grug am ymgom, a chafodd Richard Jones yr Ochor stori ramantus y ffoadur,—hanes ei driciau llwyddiannus i osgoi ei ymlidwyr. Dywedodd ei stori'n llawn wrtho, ymh'le y bu a pheth a wnaethai er pan ddechreuodd grwydro. Dyna enau ffermwr arall ynghaead, canys gwyddai Gŵr yr Ochor hefyd mai ar ei benyd y byddai yntau pe deuai ei ymddiddan â'r ffoadur i glustiau'r awdurdodau, heb iddo ef fod wedi clepian arno. Heb hynny ystyrid ei fod wedi rhoddi ei gysgod drosto a'i loches iddo. Dyddiau caled oedd y dyddiau hynny, caled a didostur.

Daeth ffermwyr cwm cul unig, Maengwynedd, bron i gyd i'r un rhwyd pan grwydrodd y ffoadur i'w plith. Yr oedd dynion yn brin, ac nid oedd yntau ond yn rhy barod i helpu. Trwy hynny, meddai ef wrth Wr yr Ochor, yr oedd bron bawb o dipyn i beth wedi ei beryglu ei hun. Âi'r ffoadur at bob un ohonynt yn ei dro, i drin gwair, chwynnu maip, codi at datws, gweithio'r peiriant malu,

tocio maip a chodi tatws, a chwalu tail. Gofynnodd
Gŵr yr Ochor iddo, a chanddo ef y cefais hanes yr ym-
ddiddan, a wyddai fod gwŷr y capiau cochion ar ei dry-
wydd yn gyson o wythnos i wythnos, a phlismon y Llan
yntau â'i lygad ar ei ysgwydd amdano. Chwarddodd yn
braf gan ddweud ei fod wedi eu gweld lawer tro drwy
lwyn o goed o fuarth fferm ar bwys y Llan, ond yr oedd
iddo amddiffyniad arall hefyd pan alwent heibio. Llith-
rai i'r tŷ a deuai allan mewn dillad merch, a chadach am
ei ben i guddio'i wallt, a mynd ati i ysgubo o amgylch y
domen. O dipyn o bellter hawdd fuasai ei gamgymryd
am ferch, gan mor wisgi ei rodiad.

Rhyw fore yr oedd yn chwalu gwair mewn cae yn y cwm
mynyddig, a daeth yr awr ginio. Aeth i'r ffordd ac i lawr
y rhiw. Yng ngwaelod y rhiw âi'r ffordd i mewn i ffordd
arall, ac ychydig i'r chwith i'r ffordd ar yr ochr arall iddi
yr oedd llidiard cae. Er ei syfrdandod pwy a welai'n
sefyll â'i bwysau ar y llidiard yn mwynhau'r olygfa ac yn
cael mygyn braf, ar ei ffordd i chwilio amdano ef yn ddiau,
ond Jones y plismon. Safodd yntau ac ymwthio i'r
gwrych, ond yr oedd chwant bwyd arno. Mentrodd
ymlaen, ar y glaswellt ym min yr union ffordd y safai'r
plismon ar yr ochr arall iddi â'i bwys ar y llidiard. Llith-
rodd ymlaen, fel cath ar farwor. Pan oedd ar gyfer y
plismon trodd hwnnw ei ben. " Helô," meddai, " sut
wyt ti ?" gan nesu ato, ond yr oedd y milwr dewr yn rhy
chwim o lawer i blismon a oedd yn dechrau magu trymder
canol oed, ac i ffwrdd ag ef fel ewig heibio i gongl. Gan
na wyddai'r plismon o b'le y daethai ni wyddai pa ffermwr
a wasanaethai, er bod y ffoadur yn gweithio drwy'r bore
am y gwrych ag ef. A chwarae teg i Jones, o'i adnabod yn
dda ni chredaf ei fod yn or-awyddus i'w ddal. Yr oedd
Jones yn blismon gwlad delfrydol. Os gwelai hwch a
pherchyll yn crwydro'r ffordd fawr, nid rhuthro i wysio'u
perchen a wnâi, ond agor llidiard y cae nesaf a'u gyrru i
mewn iddo.

Yr oedd y ffoadur ryw brynhawn yn gweithio mewn
cae arall pan glywai siarad Saesneg yn y ffordd, ac o godi
ei ben gwelodd gorunau capiau cochion yn mynd gyda
thop y gwrych yn y pellter.   Gorweddodd ar ei hyd yn y
rhes, ond sylweddolodd nad oedd fawr o gysgod iddo pan
ddeuent at y llidiard draw.   Neidiodd ar ei draed, tyn-
nodd goes yr erfyn yn ei law o'i soced, gwthiodd ef drwy
lewys ei gôt, hen gôt garpiog, yna tynnodd yr het a oedd
mor dyllog â'i gôt dros ei wyneb, a'i freichiau drwy lewys
ei gôt, a sefyll yn llonydd â'i wyneb tua'r llidiard.   Daeth
y capiau cochion heibio gan sefyll a phwyso ar y llidiard
am fygyn, a chwerthin pan welsant y bwgan brain, a'r bwgan
brain yn chwerthin arnynt hwythau drwy'i het.   Aeth y
capiau cochion, ac wedi holi'r fforddolion anaml a gyfar-
fyddent, dychwelyd i'w gwersyll.   Ni wyddai neb a holid
ddim am y ffoadur.   Diogel yw cyfrinach bro pan ben-
derfyno gau ei genau.   Eithr bu bron iddo fynd i'r fagl
unwaith.   Deuai sibrydion o'u blaenau'n gyffredin pan
fyddai'r capiau cochion yn y cyffiniau, ond nid bob amser.
Pan oedd ef ar ginio mewn ffermdy unig iawn, curwyd yn
drwm ar y drws ffrynt.   Cymerodd gwraig y tŷ ei hamser
i godi'r glicied anystwyth, a'r ffoadur yn llithro allan
drwy'r drws cefn,—y drws cefn yw'r drws ffrynt yn gyff-
redin mewn tŷ fferm, a'i glicied yn llac a rhwydd.

Daeth y rhyfel i ben.   Peidiodd gwŷr y capiau cochion
ag ymweled â'r fro.   Rhentodd yntau fwthyn yn y Cym-
du a setlo ynddo gan gael llwyr lonydd.   Euthum innau
o'r cylch am Sir Gaernarfon, ac anghofio amdano ef a'i
orchestion am ddeuddeng-mlynedd-ar-hugain.   A heno
dyma fe.   Pwy, oni wyddai eisoes, a dybiai wrth
edrych ar yr hen ŵr musgrell, dall hwn, yn pwyso ar ei
ffon wen ym môn y clawdd, a rhythu â'r llygaid deillion
acw ar y cerbyd yn rhuthro heibio, mai ef oedd arwr y
campau hynny gynt a gynhyrfodd fro gyfan am bedair
blynedd, a heb ei ddal ?

Beth a roddwn am egwyl gydag ef heno yng nghongl

ei fwthyn i glywed ei stori ganddo ? Faint a dyfodd,
tybed, yn ei feddwl yn yr unigrwydd tywyll hwnnw ?
Sicr yw mai tyfu a wna o flwyddyn i flwyddyn yn yr hen
fro, nes chwyddo gyda'r blynyddoedd yn rhamant fawr, i
ddiddori a synnu plant yr oesoedd. Mewn ardaloedd
fel hyn, hen eu traddodiad, y tyf storïau o'r fath yn rham-
antau, onid yw ymchwydd y byd, erbyn hyn, wedi mynd
yn ormod iddynt hwythau, a'i lifeiriant yn eu gorthrechu.

VI

YR HEN FFERYLLYDD

UN o'r rhai diddanaf o blant dynion oedd Williams Pandy
Coed, Llanrhaeadr. Fferyllydd wedi ymneilltuo ydoedd.
Dau fwthyn dan yr unto oedd Pandy Coed, a chlogwyn
uchel o'r tu ôl iddynt. Yr oedd astell yma ac acw ar y
clogwyn, yn llathen fwy neu lai o led. Yr oedd Williams
wedi dringo a chario pridd arnynt a gwneud mân erddi
dros y clogwyn, a thyfai ynddynt lysiau a blodau, ac yr
oedd yn gyson ar y graig yn trin y tir a gofalu na thyfai
cymaint ag un chwynnyn arnynt. Yr oedd y clogwyn
yn bictiwr o brydferthwch.

Mab i hen weini og cyn cof i mi ydoedd—Lewis
Williams (Lewis Egryn), ond wrth sôn am ei dad gofalai
Williams ddweud mai " pistol " oedd ei dad, nid " canon."
Saesneg a siaradai, nid yn unig am mai Saesneg oedd
iaith yr aelwyd pan ydoedd yn blentyn, yn ôl ffasiwn
gweinidogion Cymreig yr oes honno, ond hefyd am ei fod
wedi crwydro cymaint ar y byd. Dyna ran bwysig o'i
ddiddordeb. Mewn bro ddiarffordd felly, yn byw cym-
aint arni ei hun ac iddi ei hun, da oedd cyfarfod weithiau
ag un a ddeuai ag awel gydag ef a chwythasai dros ramant y
byd mawr oddi allan.

Ac yr oedd bywyd Williams yn rhamant. Cawsai
addysg ragorol, yn Ysgol Kingswood, a'r gŵr a ddaeth
yn Arglwydd Farnwr Moulton yn gyd-ddisgybl ag ef.
" Yr oeddym ar y dechrau yn union ar yr un lefel," ebe
Williams, " ond fe dyfodd ef a minnau ddim." Dywedodd
wrthyf un o'r troeon y cyfarfûm ag ef dri pheth a ystyriai'n
uchafbwyntiau ei fywyd. " Hanner can mlynedd yn ôl,"
meddai, "yr oeddwn ym myddin yr Unol Daleithiau,
America, yn ymlid Indiaid cochion, ac weithiau am dair
wythnos a mwy ar y tro heb brin adael y cyfrwy." Dyna

40

un o'i storïau mawrion,—hanes yr ymgyrchoedd hynny. Cafodd le pan ddychwelodd i Loegr fel cynorthwywr i fferyllydd yn Lerpwl, yn ymyl Hengler's Circus, enwog am ei gyfarfodydd. Yr oedd cenhadaeth fawr Sankey a Moody yn ei grym yr adeg honno. Daethant i Lerpwl, a'r genhadaeth yn Hengler's Circus. " Bob bore fel cloc," meddai Williams, " galwai'r ddau heibio i'm siop am ddôs o *pick-me-up*, a minnau'n ei chymysgu iddynt." Ystyr- iai hyn yn un o'r atgofion yr oedd falchaf ohonynt, gan ychwanegu, â direidi yn ei lygad, fod llwyddiant y gen- hadaeth honno'n dibynnu'n drwm arno ef. Dyna'i ail stori fawr. Y drydedd oedd ei fod yn y dyrfa yn Llun- dain y tro olaf y crogwyd dyn yn gyhoeddus. Yr oedd y dyrfa'n aruthrol a'r tyndra'n boenus. Gwisgai ef gôt " gynffon wennol," a dwy boced iddi y tu ôl. Rhywbryd yn ystod y disgwyl teimlai ryw symud rhwng ei goesau. Edrychodd i lawr a dyna lle'r oedd bachgen â'i fraich rhwng ei goesau yn teimlo'i bocedi. Ysgythrodd i'w ysgwydd, ond dyna ergyd iddo rhwng ei lygaid nes ei syfrdanu. Pan ddaeth ato'i hun nid oedd sôn am y bachgen nac am yr hwn a'i trawodd, nac am ei waled a'i arian. Aeth oddi yno wedi colli pob diddordeb mewn crogi o unrhyw fath, ond crogi'r ddau hynny.

Cafodd le'n gynorthwywr i fferyllydd yng Nghroesos- wallt. Anfonodd hwnnw ef i agor siop yn Llanrhaeadr a gofalu amdani iddo. Yn y man daeth yn berchen y siop honno'i hun, ac am dros ddeugain mlynedd buasai'n rhan o fywyd y Llan pan euthum i yno. Wedi cael ei draed dano aeth i garu â merch Rhyd-y-Cul, ond nid oedd ei thad yn fodlon. Rhyw noson aeth Williams yno pan oedd pawb ond y ferch yn cysgu. Rhoddodd ysgol ar y mur ar gyfer ffenestr ei llofft, a derbyniodd hi allan drwy'r ffenestr, ac felly yr aethant i'w priodi. Yr oedd y briodas yn un ddedwydd iawn, a magodd nifer o blant â boneddigeiddrwydd yn nodwedd arbennig iddynt. Storïau ei fywyd yn y Llan oedd y gweddill o'i storïau, ac

D

yr oeddynt yn storïau am hen gyfnod yn dangos math o Lan na ddeuthum i o gwbl i'w adnabod.

Stori fawr oedd honno amdano'n gwaedu ffermwyr. Ymddengys ei fod yn ei flynyddoedd cyntaf, am gryn nifer o flynyddoedd, yn gwneud llawer o'r gwaith hwn. Yr oedd yn draddodiad cyffredinol gan ffermwyr y dylent yn y gwanwyn gael ymadael â gwaed drwg y gaeaf. Deuent ato y naill ar ôl y llall, i ofyn iddo ollwng gwaed y gaeaf. Agorai yntau wythïen, gollwng hyn a hyn o waed, a rhwymo'r dolur. Wedi talu iddo, gair y ffermwr bob amser fyddai ,—" 'Rwan am lasied o gwrw yn y *Sun* i fagu gwaed newydd. Dowch odd'ne Mistar Williams." Yr oedd tafarn y *Sun* am y ffordd â'i siop. Ac i'r *Sun* yr aent, y ffermwr am lasaid o gwrw ac yntau am lasaid o chwisgi ar gost y ffermwr. Ambell ddiwrnod deuai cymaint â hanner dwsin ato, a glasaid o gwrw i'r ffermwr a glasaid o chwisgi iddo yntau. Ar derfyn diwrnod felly byddai ef mewn cyflwr braidd yn adfydus. Dywedai wrthyf yn aml, er nad oedd yn llwyrymwrthodwr pan ddaeth i'r Llan, mai ychydig a yfai, ond mai pan ymgymerodd â goruchwyliaeth y gwaedu yr ymollyngodd, a diwedd y stori bob amser fyddai,—" *I've drunk enough whisky in my time to float a Dreadnought.*" " *Dreadnought* " oedd yr enw ar longau rhyfel " anorchfygol " y cyfnod.

Un frwydr ar ddiwrnod ffair a welais yn y Llan yn ystod fy mhum mlynedd yno, ond un ddiniwed a derfynodd yn fuan ydoedd. Gwahanol iawn oedd, meddai Williams, yn yr hen amser. Yr oedd cae ar fin yr afon y tu hwnt i'r Capel Wesleaidd a elwid yn " Waterloo." Digwyddais ofyn iddo ar ryw ymddiddan am eglurhad ar y gair. " Dyna gae'r ymladd ar adeg ffeiriau," meddai. Gwelsai gymaint â deuddeg batel ar unwaith yno. Diwrnod prysur iddo ef fyddai diwrnod ffair. Treuliai bron y cwbl o'i amser ar ôl cinio ar faes Waterloo. Âi yno â llond ei hafflau o ennaint a rhwymynnau i drwsio'r clwyfau, a byddai'n brysur iawn, a deuai oddi yno yr hwyr wedi cael

diwrnod da iawn o safbwynt busnes. Diwrnod sâl fyddai'r
diwrnod na chyfrannai dros hanner dwsin o frwydrau.

Dirmygai'n gyson ffydd y fro yn ofergoel ffisigwriaeth.
Deuai ffermwr ato am botel o ffisig,—" potel dda, Mistar
Williams, 'rydwi'n fodlon i dalu." (Dyfynnai Williams
ddywediadau'r ffermwyr yn Gymraeg). Gwelai nad oedd
angen ar y ffermwr ond am dipyn o Halennau Epsom, ac
awgrymai hynny iddo. Brochai'r ffermwr a dweud,—
" Ydech chi'n meddwl 'mod i'n rhy dlawd i dalu ?" Âi
Williams o'r neilltu, gwacâi owns o Halennau Epsom i
botel, ei llenwi â dŵr, rhoi tipyn o liw, a chodi hanner
coron amdani, a'r ffermwr yn mynd oddi yno'n ddiolch-
gar. Ymhen ychydig, deuai ffermwr arall ato a gofyn am
botel o ffisig " yr un fath â hwn-a-hwn, 'roedd o'n ei
chanmol yn fawr." Awgrymu'r Halennau eto. Codai'r
ffermwr ei wrychyn,—" 'Ydech chi'n meddwl na alla i
fforddio i dalu cystal â hwn-a-hwn ?" Mynd wedyn o'r
neilltu, yr un oruchwyliaeth, a chodi hanner coron a'r
ffermwr yn mynd adref yn fodlon, ac yn gyffredin yn
dychwelyd ymhen tipyn i ddiolch.

Yr oedd wedi profi un goel enwog, meddai, a'i chael
yn brin. Y mae ffermdy yn unigedd y mynyddoedd ar
y ffordd i Bistyll Rhaeadr, a thu hwnt i'r ffermdy, mewn
cwm, yn un o lecynnau mwyaf rhamantus mynyddoedd
y Berwyn, y mae Ffynnon Sant Dogmael (ar lafar—
Ffynnon Cwm Ffynnon). Y mae olion eglwys fach yn ei
hymyl hefyd. Yn ei hymyl hi y gwelais lygaeron (llygid
eirin) yr unig dro imi eu gweld erioed. Tebyg i lus
ydynt, ond yn gochion yn lle glas tywyll. Y traddodiad
ynglŷn â'r ffynnon ydoedd bod ei dŵr yn rhinweddol at
wella crydcymalau, ac mor oer ag na ellid dal y troed
ynddo ond am ychydig eiliadau hyd yn oed yn anterth
haf gwresog. Aeth Williams yno â gwres-fesurydd, ar
ddiwrnod felly. Cymerodd wres y ffynnon, ac aeth ar
ei union at y Pistyll, nad ystyrir bod ei ddŵr yn wahanol
i ddŵr cyffredin. Cymerodd wres y Pistyll, ac yr oedd

dŵr y Pistyll raddau'n oerach na dŵr y ffynnon. Eithr
ni chredai'r bobl ef, meddai, ond dal i fynd yno. Ni
welais unrhyw arwydd fod y goel yn fyw yn fy nyddiau
i yno.

Stori arall a oedd ganddo i'r un cyfeiriad, oedd am yr
hen ferch a drigai yn Stryd y Moch, a gymerai ddwy
bilsen bob nos at gysgu. Rhyw noson, tuag un o'r gloch
y bore, ac yntau yn ei wely ers meitin, clywai ro yn cael ei
daflu at ffenestr ei lofft. Cododd ac agor y ffenestr, a
gwaeddodd dyn arno,—" Mistar Williams, mae puls
cysgu hon-a-hon wedi darfod, ac y mae hi'n bur wyllt."
Aeth i lawr i'r siop, ond yr oeddynt wedi darfod yno hefyd.
" Er hynny," meddai wrthyf, " 'doeddwn i ddim am gael
fy ngwneud o swllt. Euthum i'r gegin, cymryd tam-
eidiau bach o fara, eu rowlio rhwng cledrau fy nwylo
nes eu bod yn berffaith grwn, eu dipio mewn siwgwr, eu
rhoi mewn blwch coch y tu allan a gwyn o'r mewn,
ysgrifennu arno gyfarwyddiadau sut i'w cymryd, mynd â
hwy i'r dyn, a chodi swllt amdanynt. Clywed wedyn
fod yr hen ferch ar ôl eu cymryd wedi cysgu fel twrch
drwy'r nos."

O sôn am gyffuriau, yr oedd ganddo stori am weinidog,
yr hoffai ei dweud. Caffai Llanrhaeadr, yn gyffredin,
gan y Cyfundeb, rai o'i weinidogion gorau, megis Glan-
ystwyth, D. O. Jones a'u tebyg. Bu John Evans, Eglwys-
bach, ar y gylchdaith hefyd, byw yng Nghroesoswallt, ond
drwy hynny gwasanaethai Lanrhaeadr. Eithr drwy ryw
ryfedd dro anfonwyd yno unwaith un o'r salaf o'r salafion,
gŵr o'r enw Peter Roberts. Ceisiodd wella'i safle drwy
ei alw ei hun yn Peter Roberts Jones, ond nid oedd dim yn
tycio. Pechod parod yr hen weinidogion o bob enwad
oedd y ddiod feddwol. Nid oedd y ddiod, fodd bynnag,
yn ddigon cref i hel Peter Roberts Jones at ei gilydd, ac
aeth i bwyso ar lodom (*laudanum*). Deuai'n bur aml at
Williams am ddôs o lodom,—" at fy *nerves*, Mistar
Williams bach." Galwodd heibio iddo ryw fore Sul am

ddôs, ar ei ffordd i'r capel, a chafodd un. Aeth i'r capel, lediodd emyn ac eistedd tra fyddent yn canu. Pan beidiodd y canu ni chododd y pregethwr, yr oedd yn cysgu'n drwm. Aethpwyd i'w ddeffro ond methwyd, a rhaid oedd ei dynnu o'r pulpud, a'i gario adref gerfydd ei goesau a'i ysgwyddau. Methai Williams ddeall bod un ddôs wedi cael y fath ddylanwad. Wedi hynny y deallodd fod Peter Roberts Jones wedi cymryd dôs o lodom cyn gadael y tŷ am y capel. Nid arhosodd Peter Roberts Jones yn hir wedyn yn y weinidogaeth. Aeth pethau'n rhy boeth iddo. Yr olaf a glywais amdano oedd mewn llys barn ym Manchester, tua'r adeg yr oeddwn yn y coleg, yn eiriol dros ei ferch, yn ddagreuol iawn druan.

Yr oedd Williams yn hoff o sôn am ei driciau ac am driciau pobl eraill. Trigai am gyfnod mewn tŷ o'r enw Bryn Afon—Llys Myfyr heddiw, ac yr oedd yn arddwr dan gamp yno hefyd. Y mae'r tŷ â'i gefn at y ffordd, a gwal ei gefn yn wal i'r ffordd. Yr oedd ganddo bren eirin ffrwythlon iawn wedi ei drin i dyfu gyda'r wal yn erbyn gwal talcen y tŷ, a gellid casglu'r eirin oddi arno drwy ddringo gwal y ffordd a'r ardd, a oedd yn barhad o wal cefn y tŷ. Blinder Williams am flynyddoedd, meddai, oedd oni chasglai'r eirin cyn Ffair Chwarter Gŵydd, fis Hydref, y byddai'r gweision ffermwyr wedi dringo'r wal ar eu ffordd o'r ffair ac ni byddai eirinen ar y pren fore drannoeth. Ystyr Ffair Chwarter Gŵydd yw, i ba le bynnag yr aech yn y Llan y diwrnod hwnnw am damaid o ginio, caech chwarter gŵydd ar eich plât, a gwerthid gŵydd gyfan am bumswllt. Dyna ofid Williams, ond meddyliodd am waredigaeth. Rhyw noson cyn y ffair dringodd ar y pren a chwistrellodd i bob eirinen ychydig ddiferion o ffisig gweithio. Trannoeth y ffair nid oedd eirinen ar y pren, ond deuai rhyw was ffferm neu'i gilydd i'r siop drwy'r dydd a dweud,—" Mistar Williams bach, 'does gênnochi ddim potel at y boen 'ma, mae hi'n ofnadwy ?" gan gyfeirio at ei goluddion. " Wel," meddai Williams wrthyf dan chwerthin, "mi ges i dâl da am f'eirin."

Adroddai am un digwyddiad mewn hwyl fawr, ond gan ddweud ar y diwedd fod ganddo ychydig gywilydd ohono. Aethai am dro i fwrw Sul i gyfeiriad Llangadfan i edrych am ryw berthynasau iddo ef neu ei wraig. Aeth gyda bachgen y tŷ i'r Eglwys nos Sul. Wrth fynd drwy'r ardd am y ffordd penderfynasant lenwi eu pocedi â phys, a dechrau eu bwyta ar y ffordd. Gwelsant bioden (*magpie*) wedi ei charcharu mewn gwrych. Daliodd Williams hi a'i rhoi i'r bachgen. Rhoddodd yntau hi ym mhoced ei gôt uchaf. Cyrraedd yr Eglwys. Ychydig o'u blaenau eisteddai gŵr â phen moel ganddo a hwnnw'n disgleirio. Pan oedd y person yn gweddïo difyrrai Williams y bachgen drwy geisio fflipio pys i ddisgyn ar ben y gŵr moel, a'r bachgen wedi ymgolli yn y peth, ond yn dal ei law yn ei boced i ddiogelu'r bioden. Yn y man disgynnodd pysen yn union ar y corun. Rhoddodd y bachgen wawch o chwerthin gan godi ei law a chlapio. Gwelodd y bioden ei chyfle ac allan â hi o'r boced. Y lle cyntaf y disgynnodd arno oedd y corun moel, disglair. Deallaf fod disgleirdeb yn atyniad i biod. Yr oedd perchen y corun erbyn hyn yn wallgof. Ehedai'r bioden o amgylch yr Eglwys. Cododd y person ei lygaid a sylwodd ar y cywilydd amlwg ar wynebau'r ddau, a gorchmynnodd hwy'n chwyrn i fynd allan.

Yr oedd yn hoff o sôn am ei dric i setlo rhyw gi a ddeuai i'w gut ieir i ladrata'r wyau. Yr oedd y cut yng ngwaelod yr ardd. Pob bore neidiai'r ci ar dop gwal yr ardd, i lawr i'r ardd ac am y cut ieir, a chipio wy ac ymaith cyn y gellid ei ddal. Rhyw fin nos aeth Williams i'r cut ag wy yn ei law a'i roi mewn nyth. Yr oedd wedi tyllu pob pen i'r wy, sugno'i gynnwys, a llenwi'r plisgyn â mwstard gwlyb, yna sicrhau'r tyllau. Gwylio am y ci fore drannoeth. Yn y man gwelai ef yn neidio'n dalog ar dop y wal, naid i'r ardd ac am y cut. Cymryd wy a chychwyn oddi yno, ond dyna'r oernad fwyaf annaearol, a rhuthr, a

naid dros y wal heb ei chyffwrdd, ac nis gwelwyd mwy.
Un o'i hoff storïau hefyd oedd am dric rhywun arall.
Yr oedd rhyw Huw o'r Llan a adawodd ei enwad a mynd
at y Bedyddwyr a chymryd ei ail fedyddio. Prynodd lyfr
emynau ei enwad newydd a'i gario dan ei gesail i'r capel
yn bwysig a rhodresgar. Gadawodd y llyfr yn ei sedd
yn y capel nos Sul fel ernes o'i ffyddlondeb. Aeth i'r capel
y Sul wedyn, agorodd ei lyfr emynau, ac o fewn ei glawr
yr oedd y pennill hwn :

> Cythreuliaid aeth i genfaint foch,
> A rhoddi iddynt erchyll droch,
> Boddodd y moch, ond hwythau'n fyw,
> Tybed mai hwy fedyddiodd Huw ?

Ai Bedyddiwr oedd y bardd ? Pwy arall a lwyddasai
i lithro i'r capel ? O leiaf, dyna farn Huw, canys yr oedd
yn ôl yn ei hen gorlan y Sul wedyn.

Er na fu i Williams gysylltiad agos â chapel yn nyddiau
ei nerth, deallaf ei fod ar hyd y blynyddoedd yn weddol
ffyddlon i foddion gras ar y Sul. Rhyw bum mlynedd
cyn imi fynd i'r Llan,ac yr oedd ef yn ei ddeg-a-thrigeiniau
pan euthum yno, daethai'n sydyn yn llwyrymwrthodwr, a
dechrau mynychu'r cyfarfod gweddi a'r seiat, a hynny'n
gwbl ohono'i hun. Pan euthum yno yr oedd wedi hen arfer
cymryd rhan mewn gweddi a dweud profiad yn y seiat.
Mewn gweddi ni welais erioed ysbryd mwy gostyngedig,
na chlywed brawddegau mwy dethol a phrydferth. Ac
felly â'i brofiad,—profiad syml, cywir, mewn brawddegau
parchedig, chwaethus, gan ddangos nid yn unig ei fod wedi
cael gafael ar rywbeth arbennig, ond ei fod hefyd wedi ei
drwytho mewn gwir ddiwylliant. Ac nid oedd ei Saes-
neg yn tarfu dim ar yr awyrgylch Cymreig. Yr oedd ei
fore oes, a'r ysgol enwog y buasai ynddi, yn dangos eu hôl
arno yn niwedd ei ddyddiau. Pan gafodd odidowgrwydd
fe wyddai sut i'w wisgo.

VII

ISAAC AC ELIN

Tybiwn mai Isaac oedd y dyn dylaf a gyfarfûm erioed nes imi weld ei fferm, yna gwelais mai myfi fy hun a oedd yn ddwl. Nid oedd ganddo fawr o iaith nac ymadrodd, ond yr oedd y fferm yn huawdl iawn,—ei gwrychoedd yn llawn a chryno, ei thir yn lân, ei buarthau'n drefnus, yr anifeiliaid yn raenus, yr adeiladau'n gyfain, a'r ydlan yn daclus a chelfydd. Hen lanc oedd Isaac, ac Elin ei chwaer yn cadw tŷ iddo, hithau'n hen ferch. Yr oeddynt yn ddau o dri-ar-ddeg o blant, a phan ddeuthum i'r fro, pob un ohonynt yn fyw, ac Elin, yr ieuangaf, dros ei deugain. Yr oedd gan bob un ohonynt ei fferm ei hun, a graen y ffermwr medrus ar bob fferm. Yr oedd y fferm-ydd ar chwâl mewn gwahanol siroedd, rhai ohonynt yn Sir Amwythig, ond pob un yn dwyn yr un ddelw. Yr oedd dau o'r plant yn weddol ddeallus yn gyffredinol, oherwydd crwydro mwy na'r lleill, ond am y gweddill a adwaenwn i,—bonheddig, caredig, tawedog, dwl, ac anodd fuasai cael eu dylach, ond i chwi beidio â mynd am dro gyda hwynt i weld y fferm, yna dechreuai'r fferm lefaru. Ar ucheldir ochr Sir Ddinbych i Ddyffryn Tanat, ond ar ffin Sir Amwythig, y trigai Isaac ac Elin.

Magwyd y teulu mewn bwthyn mynyddig ar ochr Mald-wyn i'r dyffryn, y tŷ unicaf y bûm ynddo erioed. Caeai bryniau Maldwyn fel caer amdano, neu'n hytrach fel muriau cartref canys mwynder a diddosrwydd cartref a oedd iddynt ac nid gerwinder a chadernid caer. Chwaer iddynt a drigai yn y cartref yn fy amser i, merch ddi-briod, dal, urddasol, fonheddig, enciliedig, garedig, a dwl nes i chwi weld ei thŷ, a oedd fel nyth dryw. Trigai nai iddi gyda hi gan ofalu am y tyddyn. Llanc siriol, diddan, tafodrydd, wedi etifeddu dawn wahanol iawn i ddawn gweddill y teulu. Hoff iawn oeddwn o roi tro heibio iddynt. Yr oedd yn ddeddf y Mediaid a'r Persiaid mai yno'r âi'r gweinidog i ginio ddydd diolch am y cynhaeaf. Cofiaf un o'r troeon hynny'n arbennig. Yr oedd y cynhaeaf eirin yn anghyffredin o doreithiog y flwyddyn honno, mor doreithiog nes bod y ffermwyr yn cwyno nad oedd yn werth mynd â hwy i'r farchnad. Yr oedd canghennau ym mherllan y bwthyn hwnnw wedi hollti dan eu pwysau. Ni cheid ond dimai'r chwart hyd yn oed am eirin damson. Gadewid hwy heb eu casglu i ddisgyn i'r moch eu bwyta. Ar ôl cinio y diwrnod hwnnw a rhyfeddu at y cynhaeaf eirin toreithiog, mynnai'r nai imi fynd gydag ef i saethu cwningod, i aros cyfarfod y prynhawn, a minnau heb erioed afael mewn gwn. Y mae gan ffermwr ddull celfydd o ddangos eich dylni heb ddweud a heb wneud dim. Cymerais fy mherswadio i ymarfer, drwy anelu at fwced. Gwasgu'r gwn at fy ysgwydd, yn ôl y cyngor, cau un llygad a thanio. Bu bron imi daro'r bwced. A chofiais am yr hen Ffrainc Edwards, Bwlch Gwyn, gŵr diniwed, tordyn, broliog, a oedd yn briod â hen fodryb i'm gwraig. Blinid ef gan ysgyfarnog yn dyfod i'w ardd i fwyta'i lysiau. Cafodd fenthyg gwn ac aeth i wylio. Yn y man clywai'r wraig ergyd yn diasbedain dros y fro, a breuddwydiodd freuddwyd hyfryd. Yna gwelai Ffrainc yn dychwelyd i'r tŷ yn dorsyth iawn. " Wel," meddai, fel gŵr wedi mesur ei eiriau, " 'ddaw honene byth yma eto. Mi dwmes i ei chynffon hi. Tasech chi'n ei gweld hi'n rhedeg,—am ei bywyd." Nid ysgyfarnog yn rhedeg am ei bywyd a'i chynffon yn gynnes oedd gweledigaeth y wraig pan glywodd yr ergyd. A chan nad oedd gennyf finnau awydd cael fy adnabod fel twymnwr cynffonnau cwningod bodlonais i droi fy nghefn ar saethu. Pan adroddais yr hanes wrth Isaac, yr oedd ei ffordd o chwerthin yn arwydd imi yr ystyriai hyn hefyd yn fynegiad o'm dylni.

Mewn unigrwydd felly y magwyd Isaac ac Elin, ac yr

oedd ôl yr unigedd arnynt yn drwm,—enciliedig, swil, tawedog, nes bod yn siŵr ohonoch. Un yn unig o'r holl deulu a fentrasai fod yn ddawn gyhoeddus yn y capel, ond nid oedd yntau'n llithrig ei ymadrodd, nac yn hyderus wrth orsedd gras. Ffyddlon oll, cyfrannu'n hael at yr achos, croesawus iawn ar eu haelwydydd, ond dwl, dwl, o'r tu allan i'w byd.

Y dylaf ohonynt oll, ond pur siaradus wedi i chwi lwyddo i fynd dan y croen, oedd Isaac. Wedi disbyddu ei atebion i'm holi ynglŷn ag ehangder a graen ei fferm, nid oedd ganddo fawr mwy i'w ddweud, na dim ohono'i hun. Caredig iawn oedd Elin hefyd a distaw, ond yr oedd ffordd i ryddhau ei thafod hi,—cymryd sylw o'i chathod. Merch yn arbenigo mewn cathod oedd Elin, ond cas beth Isaac oedd cathod. Pan ddigwyddai ef fod yn yr adeiladau allan deuai hithau'n gynhesol ei hymgom —ym myd cathod. Eisteddai ar gongl y setl, a chyn gynted ag y gwnâi hynny deuai'r cathod, hanner dwsin ohonynt, o wahanol gyfeiriadau, ac ymwthio ati yn erbyn ei gilydd, a rhwbio'u pennau yn ei hesgidiau a'i choesau, gan gystadlu am ei moethau. Yr oedd rhinwedd gwahanol i bob un, meddai, gan ddisgrifio'u gogoniant yn fanwl. Yna codi un arbennig ohonynt a'i chymryd i'w chesail gan ddweud,—" Hon sy'n cysgu hefo fi. Cyn gynted ag y gwêl hi fi'n golau'r gannwyll, i fyny'r grisiau â hi ac ar y gwely, ac o dan y dillad pan goda i nhw, ac y mae'n gorwedd yn fy nghesail drwy'r nos, heb symud dim." Nid aeth mor bell â mynnu bod y gath yn dweud ei phader yn gyntaf. " Mae hon, a hon," meddai, " ar draed y gwely, a'r lleill tu allan i'r drws, yn hollol dawel cofiwch, a phob un yn gwybod ei lle, ac yn barod amdanai pan godai yn y bore." Yna eu moethi bob yn un ac un.

Clywid traed Isaac yn dyfod i'r tŷ, a diflannai'r cathod, a chodai hithau i fynd at ei gwaith. Ar fore Sul, wedi'r oedfa, pan fyddent hwy'n cadw'r mis, eisteddai Isaac ar y setl—hen setl ddu gefn uchel—a minnau ar gadair yn ei wynebu, ac Elin wrth fwrdd mawr draw yn paratoi cinio, a'r cathod o amgylch ei thraed, Neidiai un ar gadair, yna ar y bwrdd, mentrai arall ar ei hôl, ac arall, a gwylient hi'n torri cig a rhoi'r tatws a'r llysiau yn eu gwahanol ddysglau, a thynnu'r pwdin o'r popty, a'i roi ar y bwrdd. Pan fyddai hi yn un pen gyda'r pwdin, byddent hwythau'n crwydro yn y pen arall, yn ffroeni'r tatws a'r llysiau a'r cig a'r grefi. Pan fyddai hi gyda'r tatws a chwrs cyntaf y cinio, byddent hwythau wrthi'n ffroeni'r pwdin. Ni welai Isaac y symudiadau hyn, am ei fod â'i gefn atynt, ond amlwg oedd ei fod yn eu teimlo yn ei groen. Ni chymerai unrhyw sylw ond dal i ymgomio yn ei ddull ymholgar mewn ateb i'm ymholiadau innau, wedi cymryd ei gap oddi ar gongl y setl a'i ddal yn ei law.

Yn y man âi ei chwaer i'r cefn am rywbeth a neidiai'r cathod oll ar y bwrdd gan ffroeni ym mhobman am y prysuraf. Cyn gynted ag yr ymgollai swn traed Elin yn y pellter, trôi Isaac yn chwyrn a rhugn llewaidd yn ei gorn, a bwrw ei gap fel bwled i'w ganol, a'r hyn a ddeuai o'i enau fyddai,—" Y-y-y-diawchthreuliaid." Diflannai'r cathod fel cynifer o fellt, ac Isaac yn codi a chyrchu ei gap a dychwelyd i'w gongl ac ail ddechrau ar yr ymgom fel pe na bai dim wedi digwydd. Yn y man dychwelai Elin at y bwrdd. Gwelid pen cath yn dyfod i'r golwg yn llechwraidd heibio i gongl y setl ac edrych yn ochelgar i gyfeiriad coesau Isaac, yna ben arall yn dyfod i'r golwg wrth ddrws y bwtri, ac wedi aros yn fyfyrgar am ennyd yn mentro ymlaen i gyfeiriad y bwrdd, yna ben arall wrth y drws cefn a mentro i mewn. Bob yn dipyn byddai'r holl gathod yn ôl, ac yn neidio o un i un ar y bwrdd a dechrau ffroeni o ddysgl i ddysgl, fel pe na bai unrhyw ddychryn wedi dyfod o gyfeiriad Isaac, ac Isaac yn ymddwyn fel pe na bai'r fath greadur â chath mewn bod. Âi Elin drachefn i'r cefn, chwyrnellai'r cap eilwaith, a byddai diawchthreulio a chathod yn diflannu. Pan ddychwelai Elin, yr oedd fel pe na bai cath yn yr holl fyd.

Tymhoraidd iawn oedd Isaac ym mhopeth. Er bod y Rhyfel Byd Cyntaf ar gerdded ar y pryd ac yn ei anterth, a bom wedi disgyn ger Amwythig, a phobl yn gyffredin yn gynhyrfus a brawychus iawn, ni chynhyrfai Isaac ddim. Ei gwestiwn cyntaf fore Sul fyddai, ar ôl gair am y tywydd, —" Sut y mae hi ar y rhyfel yr wythnos yma ?" Nid heddiw, na neithiwr, na doe, nac echdoe, ond " yr wyth-nos yma," neu'n hytrach, " yr wsnos yma." Yr oedd meddwl wrth yr wythnos yn llawn cymaint ag y gallai ef ei wneud. Ei unig bapur newydd oedd papur newydd wythnosol ei enwad, ac am reswm arbennig. Darllenai hwnnw'n fanwl drwyddo, a mynegodd imi ryw fore Sul y rheswm dros ei ymddiriedaeth ynddo,—" Yr unig bapur yr ydw i'n ei gym'yd ydi'r ' Gwyliedydd,' achos mae nhw'n cael digon o amser i chwilio ydi rhywbeth yn wir cyn ei roi o i mewn yn'o fo. Am y pure erill, mae'r cnafon yn deud un peth heddiw ac yn ei dynnu'n ôl 'fory ; ond am ' Y Gwyliedydd,' weles i 'rioed mono fo'n tynnu dim yn ôl. Mae'r peth wedi cael digon o amser i socio cyn ei roi i mewn yn'o fo." Dull ymadrodd ffermwr a oedd gan Isaac hyd yn oed wrth sôn am bapur newydd a'i gynnwys.

Er mai byd Natur oedd ei fyd, nid oedd erioed wedi myfyrio pum munud ar ddirgelion Natur, dim ond ei chymryd fel y deuai. Weithiau, fodd bynnag, deffrôi ei chwilfrydedd, pan fyddai rhywbeth anghyffredin iawn wedi digwydd. Daeth storm enbyd o fellt a tharanau dros y fro ryw fin nos ganol wythnos. Yr oedd yn genlli ofnadwy, a hyd yn oed ffosydd bach wedi codi'n llifeir-iant ym mhobman, a dywedid bod cwmwl wedi torri ar y Berwyn. Y bore Sul dilynol yr oeddwn yn y capel a fynychai Isaac ac Elin. Trodd yr ymddiddan yn naturiol at y storm a'r cenlli. Gofynnodd Isaac yn sydyn :

" Deudwch i mi, bedi cwmwl yn torri ? ' Rydwi wedi clywed am y peth lawer gwaith, ond 'dydwi 'rioed wedi'i ddallt o."

Ceisiais innau egluro gorau y gallwn :

" Fe wyddoch bedi cwmwl ?" meddwn.

" Wel, ia," ebr Isaac, " be ydi cwmwl, hefyd ?"

Dechreuais yn nes i'r ddaear :

" Fe wyddoch bedi niwl ?" meddwn.

" Wel, ia," ebr Isaac, " be' ydi niwl, hefyd ?"

" Fe wyddoch bedi stêm yn dwad o degell ?" meddwn.

" Wel, ia," ebr Isaac, " be' yn union ydi stêm ?"

" Dŵr ydi stêm, wrth gwrs," meddwn, " wedi mynd yn boethach na berwi, ac yn chwythu drwy big y tegell. A phan fo'n boeth felly mae o'n anweledig, ond pan fo'n cyfarfod â'r awyr oer y tu allan i'r tegell mae o'n oeri a throi'n ddiferion bach, bach, o ddŵr, fel niwl, a dyna ydi stêm."

" 'Dydech chi ddim yn deud ?" ebr Isaac, " ond be' sy a wnelo tegell yn berwi â chwmwl yn torri ?"

" Peth tebyg sy'n gwneud cwmwl," meddwn, " ond nad oes eisio cymaint o wres. Mae digon o wlybaniaeth ar chwâl yn yr awyr, ond ei fod o'n rhy gynnes i'w weld. Yna y mae'r ddaear yn oeri, ac wrth i'r gwlybaniaeth sy'n yr awyr oeri yn ymyl ei hwyneb, try'n ddiferion bach, bach, gweledig o ddŵr, digon ysgafn i aros yn yr awyr, a dyna ydi niwl."

" 'Dydech chi ddim yn deud ?" ebr Isaac, " ond be sy a wnelo hynny â chwmwl yn torri ?"

" Pan ddigwydd y peth yn uchel yn yr awyr," meddwn, " yn lle yn ymyl y ddaear, awel gynnes yn cyfarfod ag awel oerach, ac o ganlyniad y gwlybaniaeth ynddi'n troi'n ddiferion mân, mân, fe'i gelwir yn gwmwl. Pa fo o'n cwmpas ni, niwl ydio ; ond pan fo uwch ein pennau, cwmwl ydio. Pan fo'r cwmwl yn dwad yn sydyn ar draws awel lawer oerach fe oera'n sydyn iawn a throi'n law i gyd ar unwaith, yn genlli dychrynllyd, a dyna ydi cwmwl yn torri." (Gobeithiaf fy mod yn weddol agos i'm lle).

" Wel, wel," ebr Isaac, " 'chlywes i 'rotsiwn beth. Wyddoch chi be' oeddwn i'n i feddwl oedd cwmwl ? Bag

mawr yn yr awyr yn llawn o ddŵr, ac mai'r bag hwnnw yn
bostio oedd cwmwl yn torri."

Ni cheisiodd Isaac esbonio glaw, na holi yn ei gylch.
Y tebyg yw y dywedai mai mân dyllau yn y bag a achosai
law. Ni wawriodd arno ofyn iddo'i hun chwaith pwy a
fyddai'n trwsio'r bag wedi iddo fostio. Y mae'n debyg
y credai fod digon o stoc ohonynt.

Cyffelyb oedd ei syniad am lawer peth arall. Daeth
lliwiau i'r ymddiddan ar yr awr ginio ryw Sul, ac fel
merched yn gyffredin gellid disgwyl i Elin ymddiddori
ynddynt. Ceisiai egluro i Isaac pwy a gyfarfuasai yn y
stesion :

" Mi 'gwelsoch chithe hi hefyd," meddai, " 'dydech
ddim yn cofio'r ferch honno mewn côt nefi blŵ a gerddai
o'n blaenau ni ?"

" Be' wn i bedi nefi blŵ ?" ebr Isaac yn chwyrn, gan
newid yr ymddiddan yn ddiamynedd, ac aeth cais ei
chwaer i egluro yn ofer.

Ac mor gymysglyd ac annelwig oedd ei syniadau am y
byd a'i bethau a'i amrywiaeth cenhedloedd. Yr oedd yn
adeg casglu at y Genhadaeth Dramor, a chais wedi dyfod
at Isaac am ei gyfraniad arferol o hanner coron. Mynegai
ei betruster wrthyf a gyfrannai'r flwyddyn honno ai
peidio :

" Mi fydd y casgliad i lawr 'leni'n sicir ddigon," meddai.

" Pam y deudwch chi hynny ?" meddwn.

" Pwy," meddai yntau, " sy'n mynd i gyfrannu at y
bobol 'ne, a nhwthe'n ymladd yn ein herbyn ni ?"

" Pwy sy'n ymladd yn ein herbyn ni ?" meddwn.

" Y Chinamen ene," ebr Isaac.

" Nid nhw sy'n ymladd yn ein herbyn, ond y Germans,"
meddwn innau.

" Be'," ebr Isaac, " onid yr un pethe yden nhw ?"

Cefais stori dda ganddo i bwrpas pregethwr, ond na
ddychmygodd Isaac am ei harwyddocâd. Yr oedd gwas
iddo wedi torri ei goes, ac yn ei wely o'r herwydd,—codwr

cloddiau fel codi plu, a thorrwr ffosydd fel torri trwy
fenyn, na wyddai mo'i nerth, a bwytâwr difesur ar bopeth
a osodid o'i flaen.   Ymhen ychydig wedi gorfod cadw i'w
wely, fe'i teimlai ei hun yn gwaelu, nad oedd ei fwyd yn
gwneud dim lles iddo er gwneud ei orau i'w gymryd.
Galwyd y meddyg.   Wedi ei fodio gofynnodd y meddyg
iddo beth a fwytâi.   Atebodd yntau ei fod yn gwneud
ei orau fel arfer, gan nodi cynnwys ei sgryglwyth dyddiol.
" Ddyn bach," ebe'r meddyg, " 'r ydych chi'n bwyta
gormod o lawer *i ddyn yn ei wely.*"
    Rhoddaf y stori'n anrheg i'm brodyr.   Onid un rheswm,
efallai'r prif reswm, dros fod y cynulleidfaoedd yn diflasu
ar gymaint o bregethu, yw mai pobl yn eu gwelyâu sy'n
gwrando arnom, a'u bod yn ceisio bwyta gormod o sgryg-
lwyth o lawer *i bobl yn eu gwelyâu* ?   Pan oedd y gwas yn
codi cloddiau, agor ffosydd ac aredig, yr awchai am
fwyd, ac y trôi'n faeth iddo.   Heb hynny nid oedd y bwyd
ond gwenwyn.   Eithr stori arall yw hon.
    Dyna Isaac ac Elin.   Yn fy myd i nid oeddynt na
deallus na huawdl.   Eithr yr oedd fferm Isaac yn huawdl
ac yn llefaru drosto.   Aeth Elin â photiaid o fenyn i'r
dref i'r farchnad ddechrau'r gaeaf, ond ni chafodd ei
phris a daeth ag ef adref.   Aeth ag ef wedyn ymhen y
flwyddyn ac nid oedd damaid gwaeth.   Yr oedd menyn
yn fenyn dan ddwylo Elin.

VIII

YR ORNEST.

Yʀ oedd y tŷ wedi ei wthio i gesail o godiad tir y llun-
iwyd hi ohono i'w gynnwys. Yr oedd gwal cyn uched â
bondo gwal gefn y tŷ wedi ei chodi i gynnal y tir y llun-
iwyd y gesail ohono, a phedair troedfedd rhyngddi a gwal
gefn y tŷ. Rhedai llwybr rhwng y ddwy wal uchel o'r
naill gongl i gefn y tŷ i'r llall. Yn y conglau trôi'r llwybr
heibio i ddau dalcen y tŷ tua'i wyneb, a gwal rhyngddo
a gardd y tŷ nesaf gyda'r naill dalcen—gwal ryw bedair
troedfedd o uchder—a gwal is gyda'r talcen arall, rhyng-
ddo a gardd flodau'r tŷ. O flaen y tŷ yr oedd darn o dir
glas ar ogwydd i lawr at y gwrych rhyngddo a'r ffordd
fawr. Yr oedd y wal rhwng y naill dalcen i'r tŷ a gardd y
tŷ nesaf wedi ei chuddio â choed eiddew hyd o fewn dwy-
lath i wrych y ffordd fawr. Y tir glas oedd maes yr ornest,
a therfyn y gwrych o eiddew oedd y ffin dyngedfennol.

Ar gongl y tŷ, yr agosaf i'r ardd flodau, a'r bellaf oddi
wrth wal y gwrych eiddew, yr oedd y drws cefn, yn wynebu'r
wal uchel a gynhaliai'r tir y lluniwyd y gesail ohono. Ar
hyd y llwybr rhwng y tŷ a'r ardd flodau y deuid at y drws
cefn o'r ffordd fawr ac o gyfeiriad y felin. Yr oedd y felin
am y ffordd â'r tŷ, ac yn gartref toreithiog llygod mawr.
Eithr yr oedd inni gath. Bu gennym lawer cath erioed,
ond ni chawsom erioed un debyg i hon. Dyna'r unig
un o'r holl deulu a feiddiai ymosod ar lygoden fawr. Am
rai wythnosau, y peth cyntaf a welem bob bore pan agorem
y drws cefn fyddai'r gath frech, deigraidd, hon, yn eistedd
yn hamddenol ar garreg y drws, a chorff llygoden fawr
rhwng ei choesau, ac yn bwyta'i phen.

Aeth y peth mor gyffredin o'r diwedd fel na ddisgwyl-
iem ddim arall. Eithr ryw fore pan agorwyd y drws nid

oedd y gath yno nac unrhyw arwydd ohoni yn unman. Rhywbryd yn ystod y bore digwyddodd yr eneth o forwyn agor y drws, a dyna waedd dros y lle a hithau'n rhedeg i'r gegin dan weiddi bod y gath ar garreg y drws a llygoden fawr fyw gyda hi. Yn fy ngwely yr oeddwn i ar y pryd yn dechrau gwella oddi wrth ymosodiad gwyllt gan fy hen gyfaill, y ffliw. Neidiais o'm gwely, a threwais y peth agosaf i law amdanaf, ac i lawr â mi i ganol cynnwrf merchetaidd y gegin.

A dyna lle'r oedd y gath yn eistedd yn hamddenol ar garreg y drws cefn, fel pe'n rhyw hanner cysgu, ac yn gwylio â llygaid hanner agored y llygoden fawr a oedd yn swatio ryw lathen oddi wrthi. Yr oedd y llygoden yn anadlu'n drwm a llesg fel petai ar ddarfod amdani, a'i llygaid fel llygaid pysgodyn marw. Ymhen ennyd gwelwn y llygoden yn codi'n araf ac yn rhoi cam neu ddau llesg ymlaen a'r gath yn neidio a rhoi dyrnod ysgafn iddi ar ei phen â'i phawen, y llygoden yn swatio a llonyddu drachefn, a'r gath yn cilio'n ôl ryw lathen oddi wrthi i'w gwylio. Wedi ennyd o orffwys codai'r llygoden drachefn yn llesg ac araf a symudai gam ymlaen, yna'r gath yn neidio ati, yn ei tharo'n ysgafn â'i phawen, a chilio'n ôl megis o'r blaen. Gwnaed hyn droeon, a minnau'n eu gwylio, heb i'r un o'r ddwy gymryd unrhyw sylw ohonof.

Toc, meddyliais mai gwell fyddai imi fynd i ymloywi ac ymbincio ychydig, ac euthum yn ôl i'r llofft. Pan ddychwelais yr oedd y gath a'r llygoden wedi symud ryw chwellath ymlaen tua chongl bellaf y tŷ, i gyfeiriad y wal a oedd dan eiddew, bob yn hwb a cham felly, ac erbyn hyn wedi bron gyrraedd y gongl. Euthum at y ddwy. Dyna lle'r oedd y llygoden yn hanner gorwedd a hanner sefyll, fel petai'n rhy wan i ddim, ac ar fin trengi, a'r gath ryw lathen oddi wrthi'n ei gwylio'n gysglyd. Yr oedd y llygoden yn union fel petai ar ei chwythad olaf. Symudais innau ymlaen yn nes ati er mwyn gwybod pa mor agos i farw yr ydoedd, ac wrth wneud hynny gwneuthum, yn

fy niniweidrwydd cibddall, y peth ynfytaf yn bod,—rhoddi
fy nhroed yn y canol yn union rhwng y gath a hi. Cyn
gynted ag y rhoddais fy nhroed i lawr diflannodd y
llygoden yn y deiliach fel fflach mellten. Ni welais ddim
cyflymach yn fy oes. Ar y naill eiliad ymddangosai fel
pe na symudai gam byth, ond cyn gynted ag y disgynnodd
terfyn rhyngddi a'r gath rhuthrodd ymaith mor rhyfeddol
o sydyn nes fy syfrdanu'n llwyr, a safwn yno, yn llonydd
a hurt.

Yr oedd y gath yn ddychrynllyd. Nid oedd arnaf lai
nag arswyd rhagddi. Yr oedd yn lloerig hollol ac ym
mhobman ar unwaith, yn rhedeg a neidio a throi a throsi
a rhuthro.

Euthum i'r tŷ yn ddigalon ddigon, yn teimlo'n wirion iawn
am adael i lygoden fawr fy nhwyllo felly dan fy nhrwyn.
Cefais achos cyn hir i fynd i'r llofft, edrychais drwy'r
ffenestr, ac er fy syfrdandod gwelwn y gath ar y gro o
flaen y tŷ, rhwng y drws a'r tir glas, ryw lathen oddi wrth
y wal ddeiliog, yn symud ymlaen yn araf a gofalus fel
petai'n cerdded ar farwor, a gwylio'r wal yn fanwl. Wrth
syllu ar y deiliach a wylid mor fanwl ganddi, gwelwn
hwy'n siglo'n ysgafn, a'r siglo hwnnw yn symud ymlaen,
a'r gath yn symud fel y symudai yntau.

Oedd, yn sicr, yr oedd y llygoden fawr o'r tu ôl i'r deil-
iach hyn, yn symud tua gwrych y ffordd fawr, a diogelwch
y felin, a gwylio'i symudiadau hi yr oedd y gath. Beth
tybed, a ddigwyddai pan ddeuai'r llygoden at derfyn y
deiliach, ac o'i blaen, rhyngddi a gwrych y ffordd, ddwy-
lath o wal noeth? Gelwais y teulu i fyny ataf i wylio.
Deuai'r llygoden yn araf a gofalus at derfyn ei chysgod.
O'r diwedd cyrhaeddodd yno a daeth ei phen i'r golwg.
Trodd i edrych, ac yno, yn hollol lonydd, yn ei llygadu,
yr oedd y gath. Rhuthr gwaedwyllt, nid y gath am y
llygoden, ond y llygoden am y gath. Pan welodd y llyg-
oden hi, fflachiodd ei llygaid fel tameidiau o dân, rhodd-
odd sgrech loerig, ac am y gath â hi, yn geg-agored. Am

y pum munud nesaf bu'n frwydr, y peth mwyaf celfydd a
chynhyrfus a wyliais erioed.

Nid ymosodai'r gath o gwbl, dim ond ei hamddiffyn ei
hun. Fel y rhuthrai'r llygoden amdani neidiai'r gath ar
ei thraed ôl, a'i phawennau'n union fel dyrnau dyn, gan eu
defnyddio yr un fath yn union ag ymladdwr celfydd o
ddyn. Rhuthrai'r llygoden amdani drachefn a thra-
chefn, yn geg-agored dan sgrechian. Neidiai hithau ar
ei thraed ôl, a dyrnod i'r llygoden â'i phawen ar ochr ei
phen nes ei syfrdanu. Ciliai'r llygoden yn ôl wysg ei chefn
dan rythu arni, a'i llygaid yn fflamio, yna ymhen ennyd
rhuthro arni wedyn gan ysgrechian, a'r gath yn sefyll
ar ei thraed ôl, fel dyn, ar drawiad amrant. Ac fel yr
oedd y llygoden yn ei chyrraedd ei tharo drachefn â'i
phawen nes ei syfrdanu.

Ac âi'r frwydr yn wylltach bob eiliad. Ni thynnai'r
llygoden ei llygaid o gwbl oddi ar y gath, hyd yn oed pan
giliai'n ôl i gymryd hamdden cyn ail ruthro arni. A
thrwy'r cwbl yr oedd yn rhyw hanner chwyrnu, hanner
griddfan, ond pan fyddai'n sgrechian wrth ymosod. A'r
gath yn ei gwylio am ei bywyd, yn eistedd i fyny â'i phaw-
ennau'n rhydd i'w disgwyl. A phan ddeuai, ymsythu,
a'r bawen dde allan yn union fel dwrn dyn, a dyrnod
drachefn iddi ar ochr ei phen.

O dipyn i beth gwelem fod y llygoden yn dechrau llesgáu
a'i hymosodiadau'n fwy diegni, ond er hynny ni wnâi'r
gath unrhyw osgo i ymosod. Toc, safodd yn llonydd i
wylio'r gath, a'r gath yn ei gwylio hithau, y ddwy'n ddis-
taw a hollol lonydd, yn rhythu ar ei gilydd, ac angau yn
llygaid y ddwy. Meddyliodd y llygoden, efallai, mai
gwell fuasai gwneud un ymdrech arall i ffoi, a thynnodd
ei golwg oddi ar y gath am eiliad, a throi ei genau ryw
hanner modfedd, i edrych tua'r wal. Dim ond eiliad, ond
yr oedd yn ddigon. Disgynnodd y gath arni fel ergyd,
gafael yn ei gwar, ysgytwad chwyrn, a dyna ddiwedd ar
y llygoden.

Cyn pen pum munud eisteddai'r gath ar garreg y drws cefn, â chorff y llygoden rhwng ei choesau, yn bwyta'i phen yn hamddenol, fel pe na bai dim anghyffredin o gwbl wedi digwydd.

A'i phawennau'n union fel dyrnau ymladdwr celfydd o ddyn? Rhyfedd meddwl bod dyn druan yn gorfod mynd drwy ddisgyblaeth hir ac arteithiol i feistroli'r gelfyddyd sydd mewn cath yn reddfol, a'i gynnal wrth y gwaith gan ysgrechfeydd tyrfa wallgof. A'r gath yn gwneud yr un gwaith wrth ei phwysau, ar ei phen ei hun, heb neb nac yn edrych nac ymwylltio, a'r pennaf mwynhad yn eiddo iddi o'r fuddugoliaeth,—bwyta'r gorchfygedig.

Eithr druan o'r hen gath, aeth i fyw'n uwch na'i stâd, a dyna fu ei diwedd. Pan agorasom y drws ryw fore eisteddai ar garreg y drws, yn bwyta cyw iâr braf iawn, felly fore trannoeth, ac am amryw foreau. Cyfarfûm ryw ddydd â ffermwr wedi ymddeol ac wedi dyfod i fyw i dŷ ar fryncyn heb fod ymhell oddi wrthym. Yr oedd mewn tymer ofnadwy, ac yn dweud wrthyf yn wyllt a chyfrinachol, fod hen gath fawr frech yn dwyn ei gywion, ac nad oedd ond yn " ei haros hi." Agorasom y drws ryw fore, nid oedd yno na chath na chyw, ac nis gwelsom byth mwy. Yr oedd " ei haros hi " ar ben. Y mae'n debyg fod y ffermwr wedi ei chladdu, heb wybod bod hynny'r fath gymwynas â ni, canys trist iawn inni fuasai'r gwaith o'i chladdu.

BRO'R CHWARELAU

IX

" CANMOLWN YN AWR "

UN o gewri anhysbys y ffydd oedd David Prichard, Bryn
Hyfryd, Tregarth, Sir Gaernarfon, gŵr di-ysgol, a fu'n
gweithio yn Chwarel y Penrhyn o'i blentyndod hyd ddi-
wedd ei oes. Amheuaf a allai ei fath godi mewn unrhyw
wlad heblaw Cymru, a Chymru'r ganrif ddiwethaf. Ei
thri chwarter olaf hi oedd mesur ei oes. Am ei weddïau
y mynnwn sôn, ond gair yn gyntaf am ei Esboniad. Meis-
trolodd un o lyfrau dyfnaf y byd,—yr Epistol at y Rhufein-
iaid,—yn ddigon llwyr i sgrifennu Esboniad buddiol arno,
teilwng o gymeradwyaeth frwd gwŷr o safle'r Dr. Hugh
Jones, a John Evans, Eglwysbach, sydd â gair uchel i'r
Esboniad mewn llythyrau rhagarweiniol.

Dyma a ddywaid y Rhagair : " Yr oeddwn wedi fy
mhenodi'n athraw ar ddosbarth o ddynion ieuainc yn
Shiloh, Tregarth. Penderfynwyd ar yr Epistol at y Rhuf-
einiaid fel man efrydiaeth. Penderfynwyd hefyd gan y
dosbarth fod imi geisio esbonio y naill adnod ar ôl y llall,
o ddechrau'r Epistol i'w ddiwedd, a hwythau i ysgrifennu
yr hyn a ddywedwn." A'r nodiadau hynny yw'r Esbon-
iad. Dywaid ei weinidog—Owen Williams—" nad yw
y brawd Prichard ond dyn wrth ei ddiwrnod gwaith, ac
heb allu un iaith ond iaith ei fam." Dywaid y Dr. Hugh
Jones y " gall yr esboniad fod yn wasanaethgar a hylaw i
ddosbarthiadau yn yr Ysgol Sabbothol ac i ddosbarth-
iadau Beiblaidd a gynhelir ar nosweithiau dyddiau gwaith."
Dywaid hefyd : " Mae ef, gyda bod yn athraw yn yr Ysgol
Sabbothol, wedi gwasanaethu fel athraw dosbarthiadau
Diwinyddol ynghyda'r addoldy y perthyn iddo, *ac yn y*

*gloddfa lle ymgynulla dynion ieuainc perthynol i wahanol enwadau
at ei draed fel arweinydd o'r fath a garant."* (Myfi biau'r
italeiddio).

Chwi wŷr ieuainc Chwarel y Penrhyn heddiw, a
phob cloddfa arall drwy Gymru, gyda'ch holl gyfleus-
terau a manteision, a fuasai peth fel hyn yn bosibl yn eich
plith chwi,—cynnal dosbarthiadau diwinyddol yng nghwt
y chwarel ar awr ginio ? Dyna fesur diwylliant y gwŷr
di-addysg a enillodd i chwi eich etifeddiaeth a wastreffir
mor ddibris heddiw. Nid oedd bod yn uniaith yn an-
fantais i ddiwylliant, hyd yn oed i'r diwylliant uchaf.
Gwŷr fel David Prichard a gyfyd yn eich erbyn yn y farn.

Pan euthum i Dregarth yn 1911 yr oedd ef yn ei fedd
ers pedair-blynedd-ar-ddeg, ond ei weddw yn fyw, a
chanddi hi y cefais fy nghopi o'r Esboniad. (Trigai ei
chwaer, 94 oed, Betsan Pritchard, gyda hi, nain i Caradog
Pritchard y bardd). Nid yw'r Esboniad, wrth gwrs, yn
un manwl-ysgolheigaidd, ond y mae'n fuddiol a goleu-
edig. Y rhyfeddod yw ei fod o gwbl.

Eithr, fel y dywedais, at beth arall y mynnwn gyfeirio'n
arbennig. Ymysg papurau David Prichard, wedi ei farw,
daethpwyd o hyd i gyfres o weddïau, a sgrifennai ar ei ben
blwydd, ddeugain ohonynt namyn un (y mae un ar goll),
gweddi bob blwyddyn am ddeugain mlynedd. Ni wn am
neb arall y gellid ysgrifennu cofiant iddo ar bwys ei wedd-
ïau ; ond dyma hwy, yn cynnwys ei ddyheadau cudd, ei
deimladau a'i bryderon a'i lawenydd, a'i ddiolchiadau
cyson am gysgod ac ymwared. A pheth mwy, mewn
unrhyw einioes, sydd yn werth sôn amdano ond hynny ?

Ysgrifennodd y gyntaf yn y flwyddyn 1857 pan nad
oedd ond 31 mlwydd oed, a'r olaf yn 1896, ychydig fis-
oedd cyn diwedd y daith. Bywyd syml chwarelwr oedd ei
fywyd, pryderon chwarelwr, yn dymhorol ac ysbrydol.
Yr un patrwm a'r un meddyliau sydd ynddynt oll, gan
droi'n gyson o amgylch yr un pethau. Rhoddaf y gyntaf
yn llawn am ei bod yn fynegiad mor dda o'r gweddill.

Cyffelyb iddi ydynt oll, gyda chwanegiadau fel y mae ei
brofiad o fywyd yn dyfnhau ac ymhelaethu a thristâu, ei
ofalon yn amlhau, a chan hynny ei ymorffwysiad ar nerth
ac arweiniad ei Arglwydd yn trymhau. Gesyd holl achos-
ion ei fywyd ger bron yr Arglwydd, o garu merch i siomed-
igaeth ei cholli. Y mae ei Gymraeg yn groyw a chadarn,
Cymraeg cadarn cefn gwlad Cymru uniaith, ond ei sill-
afiaeth yn druenus. Rhaid bod rhywun wedi cael trafferth
fawr iawn i gywiro sillafiaeth ei Esboniad ar gyfer y wasg.
Syndod yw hyn, gan ei fod mor hyddysg yn ei Feibl, canys
camsillafa'n gyson eiriau mwyaf cyfarwydd y Beibl.
Rhaid ei fod yn dibynnu mwy ar ei glust nag ar ei lygad.

Dyma'r weddi gyntaf, Mai 20, 1857, ac ef yn 31 oed ar
y pryd :

" Arglwydd daionus, o'th ddaioni a'th drugaredd, yn
unig y goddefaist fi un flwyddyn yn rhagor ar dy ddaear,
a mawr fy rhwymau i ddiolch iti am hynny. Yr ydwyt
wedi bod yn dda iawn yn dy ragluniaeth i mi un flwyddyn
yn rhagor. Porthaist a dilladaist fi, cedwaist fi rhag
clefydau a heintiau a rhyfel (a oes cyfeiriad at Ryfel y
Crimea yma ?), ie, gwaredaist fy mywyd o ddistryw, a
choronaist fi â thrugaredd ac â thosturi. Ac wele fi heddiw
yn mwynhau iechyd a nerth gweddol wedi ei adfer imi,
o'th ddaioni yn unig, a'm synhwyrau heb ddrysu. O'th
ddaioni derbyn fy niolchgarwch am dy holl ddoniau rhag-
luniaethol i mi, er mwyn Iesu Grist, a maddau fy holl
anwireddau. Y mae fy rhwymau'n fawr i ti am dy ddon-
iau grasol y flwyddyn a basiodd. Derbyn fy niolch am dy
air, ac am y gallu i weled dy air a'i glywed, am foddion
gras, ac ordinhadau dy dŷ, ac am le yn dy winllan, a derbyn
fy niolch yn haeddedigaethau Iesu Grist am dy holl ddoniau
grasol imi, a maddau, O maddau, fy holl anwireddau er
mwyn dy Fab. O cymer fy ngofal y rhan sydd yn ôl o'm
bywyd, a chadw fi rhag drygau naturiol, a bendithia fi
yn rhagluniaethol. O na lwyr fendithid fi er mwyn Iesu
Grist. Cadw fi rhag drygau ysbrydol, rhag diafol a'i holl

ddichellion, ei rwydau a'i faglau, cadw fi rhag twyll a hunan dwyll. Dyro dy Ysbryd i'm santeiddio, i'm harwain a'm hamddiffyn, tra yn y byd y byddwyf. A dyro dy gwmni a'th gymdeithas, yn Angau. Dyro dy amddiffyniad yn y farn, dyro gael byw byth ger dy fron mewn gogoniant, a gwrando fi, a dyro im y bendithion a'r breintiau hyn. O dyro, dyro, er mwyn ac yn haeddiant Iesu Grist." Ni newidiais ddim ond y sillafiaeth yn unig.

Y mae'n gyffredin yn rhoi enw ei gartref, Bryn Hyfryd, a'r dyddiad, Mai 20, uwchben y weddi, a'i enw, David Prichard, ar y gwaelod, fel petai lythyr. Tua chanol y cyfnod ysgrifenna'i enw am rai blynyddoedd yn " David Pritchard," yna dychwelyd i'r " Prichard," ac unwaith " Daffydd Prichard," a throeon " D.P." Amlwg yw nad oedd ganddo lawer o synnwyr digrifwch, a dyna'r traddodiad amdano. Y mae awgrym yn y weddi hon ei fod ar y pryd yn gwella oddi wrth afiechyd. Ai hynny, tybed, a'i cymhellodd i sgrifennu gweddïau ar ei ben blwydd? Fel y gwelir, y mae angau yn ei flino'n gynnar, ac yn y rhan fwyaf o'r gweddïau arswyda rhag angau, a gofyn am nerth i'w wynebu pan ddaw, efallai y flwyddyn honno. Y mae'n gofyn bron ym mhob gweddi hefyd, yn enwedig yn y blynyddoedd cyntaf, am gael ei gadw rhag afiechyd, heintiau, clefydau, a damweiniau. Hawdd gweld bod cyflwr diamddiffyn y gweithiwr tlawd yn pwyso'n drwm arno, a hefyd gysgod yr hen chwarel a'i damweiniau cyson. Nid oedd ond yn rhy gyfarwydd â tholl echrydus y chwarel mewn damweiniau. Gwelir ofn tlodi hefyd yn ei ddiolch cyson am ymborth a dillad, a'r dymuniad am gael ei waredu rhag newyn a noethni. Daw'r diolchiadau a'r dymuniadau hyn i'r holl weddïau. Ei eiriau mwyaf cyffredin yw " maddau, maddau," a chyfaddef pechodau, —" pechu wnes yn ffiaidd gas," er yn diolch am nad yw wedi codi cywilydd ar yr enw da nac ar yr Eglwys. Eithr sôn am bechod yn gyffredinol y mae, ac nid dim pendant. Gair cyffredin iawn yw " yn haeddiant Iesu Grist." Daw "yn haeddiant Iesu Grist" droeon ym mhob gweddi, ac nid yn y diwedd yn unig, yn ôl y dull ystrydebol. Hawdd gweld ymh'le y mae ei obaith a'i ddiogelwch.

Yn rhyfedd iawn, nid oes awgrym yng ngweddïau 1859-60 am y Diwygiad a ysgubai drwy'r wlad, a Diwygiad '59,—Diwygiad Humphrey Jones, Tre'r Ddôl, a Dafydd Morgan, Ysbyty,—yn gymaint traddodiad gan y tadau. Syndod na buasai ei fath ef wedi ei gynhyrfu gan ddeffroad mor ysgytiol. Ni ellir dyfalu oddi wrth y gweddïau fod dim tebyg wedi bod. Yn 1862 y mae'n diolch am waredigaeth rhag peryglon a damweiniau, clefydau a heintiau, newyn a nodau, rhyfeloedd a thymhestloedd, mellt a tharanau, daeargrynfâu a phob drygau, a rhag diafol a'i holl gynllwynion. A oedd trychinebau arbennig y flwyddyn honno, tybed, neu ai tipyn o retoreg yw'r sylw?

Y mae'n diolch yn gyson hefyd am foddion gras, gweled a chlywed y gair, a chael enw yn y tŷ. Hoffaf yr ymadrodd " cael enw yn y tŷ," ymadrodd cyson ar dafodau'r hen bobl, arwydd o'r hyn a dybiai'r anrhydedd o fod yn rhan o gymdeithas y saint iddynt.

Y mae Shiloh hefyd yn agos iawn at ei galon, a gweddïa'n gyson dros ei gymdogion, yr ardal, y wlad, a'r byd, a hyfryd yw'r dymuniad hwn,—" am fendith a chael bod yn fendith." Yn 1866 gweddïa dros ryw John,—" Cadw John yn ei holl deithiau." Yn 1865 dywaid,—" Ti a wyddost, Arglwydd, fy mod wedi bod yn dymuno am bethau neilltuol, ac un peth yn benodol, oddi ar dy law yn y flwyddyn sydd o'm blaen. Gorchmynnaist ni i dreiglo ein holl ffyrdd arnat ti. Yr wyf yn rhoi fy achos eto yn dy law, Arglwydd, ac yn dymuno cael y peth gennyt, a bydded iddo fod yn fanteisiol imi." Eithr nid oes sôn yng ngweddi 1866 ei fod wedi ei dderbyn. Efallai fod goleuni ar y peth yng ngweddi 1867, ac mai chwilio am wraig yr oedd, canys deil yn ddi-briod er ei fod erbyn hyn yn ddeugain oed. Ceir y cyfeiriad hwn yng ngweddi 1867,—" Yr ydwyf wedi bod mewn cysylltiad eleni na fûm erioed o'r blaen, ond os gwneuthum ddim yn erbyn dy ewyllys yn hyn, O Arglwydd maddau imi, ac os ydwyf yn gwneud yn groes i'th ewyllys yn dal yn y cysylltiad, O dyro y golau imi a doethineb i ddyfod o'r cysylltiad." Y mae'n weddol sicr, yng ngoleuni'r weddi nesaf, mai cysylltiad â rhyw ferch ydyw. Amlwg yw nad yw'n sicr iawn o'r ferch, a'i fod yn petruso sut i gael ei draed yn rhyddion. Efallai fod cryn dipyn o siarad yn yr ardal am fod hen lanc trwsgl deugain oed mewn tipyn o fagl, yn enwedig gan ei fod yn caru am y tro cyntaf erioed. Yr wyf yn weddol sicr o'r mân siarad, canys adwaen yr ardal.

Yn ei weddi nesaf, am 1868, wedi diolch am ei fod wedi cael " y fraint o fod yn aelod o'r Eglwys Gristionogol (sef y Wesleiaid) yn Shiloh, Tregarth, er 21 o flynyddoedd a throsodd," fe ddywaid,—" Gwyddost fy mod mewn cysylltiad y flwyddyn ddiwethaf a bod hwnnw wedi ei dorri i fyny. Os pechais yn hyn, maddau imi, a chyfar- wydda fi eto sut i wneud efo yr un un, os hynny yw dy ewyllys Di, neu hefo un arall. Yr ydwyf yn barod i'm rhoddi fy hunan yn dy law yn hollol."

Diddorol yw " sef y Wesleiaid." A yw'n awgrymu nad ystyria unrhyw eglwys arall yn Gristionogol heblaw ei enwad ef, neu awgrymu y mae na bydd yr Arglwydd, heb y cyfeiriad yma, yn sicr ym mha eglwys i chwilio amdano? Ynglŷn â'r ferch, pwy, tybed, a daflodd bwy heibio ? Eithr nid yw am anobeithio, gan y dywaid,—" neu hefo un arall." Y mae'n amlwg, fodd bynnag, ei fod mewn cryn helbul, os yw'n petruso rhwng dwy. Daw i'r lan yn y man, canys yng ngweddi 1872, pan yw'n chwech-a-deu- gain oed, y mae'n diolch dros ei wraig, ac yn gofyn am amddiffyniad iddi. Credaf imi glywed mai gwraig weddw a gafodd,—fel y gellid disgwyl. Yn 1874 y mae'n gweddïo dros ei wraig a Sarah, a dyna'i wynfyd wedi ei gwblhau. Daw'r ddwy i'w weddïau'n gyson ar ôl hynny, hyd y diwedd.

Am amryw flynyddoedd, bellach, y mae'r haul yn gwenu

arno ef a'i wraig a'i ferch fach, canys yn 1880 fe ddywaid,
—" Dyma fi unwaith eto yn cael y fraint o nesu atat ar
ben un o flynyddoedd fy einioes, yn cael nesu atat o dan
amgylchiadau hynod o ffafriol." Y mae'n diolch yn 1875
" am dy diriondeb i mi fel blaenor ac Athraw Ysgol Sul.
O maddau am na buaswn yn fwy ffyddlon." Tybed
mai dyma'r adeg y penodwyd ef yn athro Ysgol Sul?
Os felly, ffrwyth y blynyddoedd nesaf yw'r Esboniad.
Dyddiad Rhagair yr Esboniad yw Mawrth 27, 1888. Yn
rhyfedd iawn, Mawrth 27 yw dyddiad marw ei awdur
hefyd.

Eithr daeth y cysgodion yn fuan, yr henaint cynnar a'r
trallod mawr. Yn 1889 cwyna fod henaint yn dechrau
pwyso arno—63 yw ei oed. Yn 1891 y mae'n dechrau
gwanychu gan henaint. Yn 1895 fe ddywaid,—" Fe
fyddai'n dda gennyf gael byw a chael iechyd i gael gweld
a mynd i'r Capel Newydd. Wel, cofia fi mewn trugaredd."
Yr oedd Shiloh wedi ei dynnu i lawr a chapel newydd yn
cael ei adeiladu ar yr hen sylfeini. Fe gafodd David
Prichard fynd i'r capel newydd—yn gorff. Ei gorff ef
oedd y cyntaf i'w gymryd iddo. Rhoddasai ei orau i'r
hen gapel. Nid oedd ganddo i'w roddi i'r newydd ond y
plisgyn.

Ber iawn a huawdl iawn yw ei weddi olaf, yn 1896, pan
yw'n 70 oed, ac o galon wedi dryllio y tynnwyd hi, canys
disgynasai arno'r storm a'i sigodd i'r bedd,—" Diolch,
Arglwydd da, am bob Bendith Rhagluniaeth ac ysbrydol
a dderbyniais i a'r teulu. Teulu bach, llai na'r llynedd,
cymeraist ohonom atat dy Hun, Wel, wel. Diolch,
Arglwydd am bob peth a gawsom gennyt Ti. Maddau,
maddau, ein diffygion, yn haeddiant Iesu Grist. Arglwydd
mawr, O Cymer ein gofal, gyrff ac eneidiau. O
gwrando fi yn haeddiant Iesu Grist. Gwrando fi a ben-
dithia fi—ni, gyrff ac eneidiau. D. Prichard." Cym-
ysglyd ei feddwl y tro hwn, ond llwyr ei ymostyngiad.

Dyna fel y mae'r Cristion mawr yn bwrw ei ofidiau

gerbron yr Arglwydd. Ei unig fynegiant o galon yn
dryllio yw " Wel, wel." Yr oedd Sarah, cannwyll ei
lygad, dlos, annwyl, a glân o galon, yn ei bedd ers tri mis,
yn ddwy-ar-hugain oed, a'r unig gri a rwygodd ei ffordd
o enaid ei thad oedd,—" Wel, wel." Dim gair o rwg-
nach yn erbyn rhyfedd droeon Rhagluniaeth. Cyn gallu
sgrifennu gweddi arall yr oedd yntau wedi ei ddilyn. Bu
farw Mawrth 27, 1897. Dyna einioes un o gewri an-
hysbys y ffydd.

Y pulpud fuasai ei le oni bai mai trymllyd a thrwsgl
oedd fel siaradwr cyhoeddus. Y pulpud, yn yr oes honno,
oedd bron yr unig ddrws agored i ŵr uwch ei ddoniau
na'r cyffredin. Eithr nid oedd ef huawdl, gan hynny
arhosodd gartref, fel eraill o'i fath, a thrwy hynny ddi-
wyllio ei gylch, a chreu pobl braff o'i amgylch. Cafodd
Cymru drwy'r gwŷr hyn werin ddiwylliedig, gadarn yn
y ffydd, a grymus ei hargyhoeddiad.

X

COFNODYDD

David Prichard y clywais alw'r esboniwr bob amser, ond *Dafydd* Ellis am y Cofnodydd, a dyna'n unig a weddai i'r hen Gymro glew. Gŵr tawel, unllygeidiog oherwydd damwain yn y chwarel, ond yn gweld llawer ac yn glir â'r llygad hwnnw. Ef oedd y gŵr mwyaf gofalus a manwl a gyfarfûm erioed. Yr oedd wedi ei ddewis i ofalu am ddiddosrwydd y capel a thŷ'r gweinidog. Nid yn unig yr oedd llechi ar do'r capel ond ar ei ochrau a'i gefn hefyd. Ar brynhawniau Sadyrnau, gwelid ef yn gyson yn rhoi tro heibio iddynt, gan chwilio a oedd llechen neu ystyllen neu hoelen yn llac, neu arwydd difrod tywyll yn rhywle, yna cywiro'r drwg a mynd adref heb ddweud gair wrth neb. Ar yr ymweliadau wythnosol hyn yr oedd ei forthwyl bob amser yn ei law.

Chwarelwr ydoedd, heb ddiwrnod o ysgol, ond yr oedd ei lawysgrif a'i gyfrifon yn batrwm o ddestlusrwydd. Yr oedd ganddo ddiddordebau rhyfedd. Dywedodd wrthyf unwaith ei fod wedi sgrifennu Gweddi'r Arglwydd ar gylch papur o faint hanner coron. Atebais nad oedd dim yn hynny, fy mod wedi ei gweld ar gylch o faint swllt. Y tro nesaf y gwelais ef yr oedd yntau wedi ei sgrifennu ar gylch o faint swllt. "Da iawn," meddwn, "ond fe'i gwelais cyn hyn ar gylch o faint chwecheiniog." Edrychodd yn siomedig, ond y tro nesaf y gwelais ef yr oedd yntau wedi ei sgrifennu ar gylch o faint chwech. "Da iawn yn wir," meddwn, "ond fe glywais am rai wedi ei sgrifennu ar gylch o faint darn tair." Yn bendifaddau, y tro nesaf y gwelais ef yr oedd yntau wedi llwyddo i'w sgrifennu ar gylch o faint darn tair, a dyna'i hoff anrheg i'w gyfeillion am rai blynyddoedd, a phob gair yn berffaith eglur drwy

chwyddwydr. Y tebyg yw mai bod yn ŵr un llygad oedd
rhan o gyfrinach ei welediad a'i benderfyniad.

Cadwai gofnodion o bopeth. Yn ddiweddar cefais
fenthyg dau lyfr ymarfer ysgol o'r eiddo gan ei fab. Cyn-
nwys y naill gofnodion o farwolaethau'r fro am 47 mlyn-
edd, gan ddechrau yn 1866, a'r llall gofnodion o holl ddam-
weiniau marwol Chwarel y Penrhyn o'r dechrau hyd ei
ddyddiau ef, sy'n dangos mai merthyron diwydiant mewn
gwirionedd oedd yr hen chwarelwyr.

Yn y naill y mae cofnodiad o 836 o farwolaethau, yn
cynnwys pob dosbarth, o Arglwydd Penrhyn i Mari
Fudur Lân. Yr enw cyntaf yw Robert Williams, Ffrwd
Galed, " priod Sian Ellis, Bryniau," a dyna ni ar ein hun-
ion yn y cyfnod pan gadwai merch ei henw morwynol ar
ôl priodi. Ceir cofnodion o'r marwolaethau hyn yn
swyddfa'r cofrestrydd, wrth gwrs, ond arbenigrwydd y
rhai hyn yw bod ffugenwau pawb a oedd yn berchen
rhai, mewn cromfachau ar ôl eu henwau, i sicrhau eu
hanfarwoldeb.

Y mae dau ddosbarth o ffugenwau,—1, ffugenwau
oherwydd hynodrwydd personol ; 2, oherwydd perthynas
â phobl enwocach na hwy eu hunain. Dyma *ddetholiad*
o'r dosbarth cyntaf, gan fod rhai ohonynt yn amhrint-
adwy. Y cyntaf yw " William Owen (Neb)." Y mae
enwau priod a merch William Owen (Neb) yma hefyd, a
hwythau'n " neb " fel yntau. Er bod y ferch yn wraig
mewn oed ac yn briod pan fu farw, y mae'n dal yn " neb "
hyd y diwedd. Y mae nodweddion " Cadi Horn " a
" John Jones (Jacan Dalog) " yn hunaneglur. Cafodd ef
amryw brofedigaethau, colli priod a phlant, ond daliodd
yn Jacan Dalog tra fu. Y mae'n debyg mai gŵr ysbon-
ciog neu bigog neu'r ddau oedd " William Evans (Wil
'Rhen Chwannen)." Gorffennodd ysboncio a phigo ganol
haf 1876. Merch braidd yn annelwig oedd " Mary,
priod Richard Jones, Braich (Mari Fudur Lân)," ond bu

fyw i oedran teg. Amlwg yw mai brawd hynafol iawn oedd " William Hughes ('Rhen Adda)", neu ŵr aml ei gwympiadau, neu efallai'n ŵr hoff o roi'r bai am ei wendidau ar ei wraig. Amlwg hefyd mai chwaer gorffol iawn oedd " Jane, priod William Jones (Siân Fawr)," a'r tebyg yw mai gŵr bach, bach iawn, o'i gymharu â hi oedd ei phriod, os dilynasant hen arfer wrth briodi.

Gŵr cadarn yn y ffydd, yn ddiau, oedd " Griffith Griffiths (Guto Wesla) " wedi ymladd llawer brwydr â John Calfin, ac y mae'n sicr mai baswr cadarn oedd "John O. Williams (Siôn Côr Mawr)," neu'n gôr ynddo'i hun. Merch i ddibynnu arni oedd "Jane Thomas (Siân Geniog yr Awr)," dim mwy na dim llai na cheiniog ; a gŵr dros ben o gyfeillgar oedd William Williams (Wil Tŷ Pawb), yn rhannu ei gyfeillgarwch yn deg, ac wrth law bob amser pan fyddai galw.

Dyma rai o'r bobl â'u henwogrwydd yn codi o'u cysyllt-iad ag arall : " Evan Twm Loli." Yn ôl y gofrestr nid oes iddo enw arall. Y mae Twm yn enwocach nag Evan, oherwydd oddi wrth Twm yr enwir Evan. Eithr nid yw enwogrwydd Twm yn dibynnu arno ef. Loli yw'r enw terfynol, ac arni hi y dibynna'r ddau am eu hadnabod. Dyna hefyd "Jane, priod John 3rd." Y mae amryw o'r teulu hwn yn y rhestr. A oedd iddynt gysylltiadau brenhinol tybed, ac mai John oedd y trydydd yn yr olyn-iaeth ? Efallai fod John yn gystadleuwr mawr, ac mai'r trydydd ydoedd ym mhob cystadleuaeth. Ar ei fodryb y dibynna rhyw Owen Williams am ei enwogrwydd, canys fel " Owen Bodo " yr adwaenid ef. Yn ôl Bodfan, ystyr " Bodo " yw " *auntie* " nid "*aunt.*" Babi anwes ei fodryb yn ddiau oedd "Owen." Eithr yr oedd iddo ei gydymgeisydd am serchiadau'r hen ferch, canys ceir hefyd " William Williams (Wil Bodo)." A dyna Thomas Williams (Twm Sara Simon), enghraifft eto'n ddiau o wraig a gŵr, yn lle gŵr a gwraig. Am " Mary priod Twm Siôn Baril,"

dibynna ei henwogrwydd hi ar ei phriod, a'i enwogrwydd
yntau ar ei gyfeillgarwch â'r Baril. Pwy oedd "Robin Saul?"
Y mae yn y rhestr,—"Robert Roberts ('R hen Robin Saul)",
a'i fab, "John Roberts (mab Robin Saul)." Da i Ann Tomos
nad yw'n fyw heddiw neu buasai wedi colli ei hynodrwydd.
Dyma fel y mae ei henw yn y rhestr,—"Ann Tomos
(Nani Twm Sais)." Peth dieithr iawn oedd i ferch o'r
ardal briodi Sais yn yr oes honno, mor hynod bron â
phriodi dyn du, ond ni buasai Nani'n hynod hyd yn oed
yn y fro honno heddiw. A dyma "Harri Miriam," dim
ond hynny, druan o Harri. A pheth am "Ann Williams,
merch William William a 'Meistres' Williams?" Hoffaf
yn fawr y teitl "Meistres" i briod gŵr syml, a hefyd ei
gyfenw ef yn "William" a hithau'n "Williams." Tipyn
o beunes yn ddiau oedd Meistres Williams, wedi priodi'n
is na'i stâd. Pa un ai gwrthrych edmygedd ai tosturi
ydoedd ef, tybed, o fod yn briod iddi?

Ceir yma hefyd enwau amryw bobl amlwg neu bobl yn
teimlo y dylent fod yn amlwg. Y mae'n rhaid mai gŵr
ieuanc gobeithiol oedd "William (Gwilym Collen), mab
Elias Griffith, 28 oed," telyn yn ddiau a dorrwyd yn gynnar.
O leiaf, yr oedd ganddo enw barddol. A dyma fam, a
adwaenir wrth ei mab,—"Betty Williams, mam John
Thomas (Eos Gochlwyd)." Y mae enwau rhieni a phriod
Ogwenydd yma hefyd, a'i enw yntau, gantwr glew, yn y
man. Bydd enw Dr. Griffiths yn annwyl yn hir yn y fro,
a dull ei droedigaeth yn rhyfeddod, ac wele gofnodiad o
farw ei rieni yntau, wedi llawer pryder yn ei gylch yn ddiau.
Deuwn yn awr at enw go fawr,—"Parch. E. Stephens
(Tanymarian)," a fu farw Mai 10, 1885, yn 59 oed. Y
nesaf ato yw "David Williams (Dafydd Deiliwr)." Dyma
Mary hefyd, priod Hugh Derfel Hughes, a fu farw Chwef-
ror 20, 1890, yn 82 oed, a Hugh Derfel Hughes ei hun yn
ei dilyn ymhen tri mis, Mai 21, yn 74 oed, wedi cael ei
ddymuniad,—ei ddwyn:

" i'r unrhyw gyfamod,
Na thorrir gan angau, na'r bedd."

A dyma un nad wyf yn sicr iawn ohoni,—" Catherine, priod Thomas Jones, Chwarel Goch, gynt, ail wraig i Abraham." Nid oes ond un Abraham y gellir ei enwi heb ddisgrifiad. Yn ôl fy Meibl i, Ceturah oedd ail wraig yr Abraham hwnnw.

Dyma enwau dau gerddor,—William Tegai Hughes, chwarelwr, a oedd yn ŵr o fri fel cerddor, ac anthemau, deuawdau, unawdau, a charolau poblogaidd ar ei enw, ac yn arweinydd côr enwog am flynyddoedd. Nid rhaid ond cyfeirio at y llall,—" R. S. Hughes, organydd Bethesda, marw Mawrth 5, 1893, 39 oed." A dyma bobl amlwg heb fod yn enwog,—" William Pritchard School-master, mab Rice 3rd, 25 oed "; a " Hannah, priod John 3rd." Yn eu hymyl y mae arglwyddi. Dyma'r naill Arglwydd Penrhyn yn marw yn 1886, yn 86 oed, a'r llall yn 1907, yn 70 oed. Yr ail oedd arglwydd cyfnod y streic fawr (1901) yn ddiau, a ysigodd y fro hyd heddiw. Syn-nais nad oedd E. A. Young, goruchwyliwr enwog y chwarel yn y cyfnod adfydus hwnnw, a gŵr didostur, ond hanner cant oed yn marw, yn 1910. Nid oedd felly ond gŵr deu-gain oed pan oedd yn gormesu'r bobl.

Y mae nifer o bregethwyr hefyd yn y rhestr, rhai'n bur amlwg. Y mae enw yr hynod Griffith Jones, Tregarth, yma, a fu farw yn 1886, yn 77 oed, ac y sydd yn gorwedd yn ymyl Huw Derfel. Dyma hefyd enw John Jones (Vulcan), a fu farw yn 63 oed, yn 1889, y gŵr a fu'n yr afael â Dr. Lewis Edwards ynglŷn ag athrawiaeth yr Iawn, ac os ydym i goelio'i bobl, a'i gosododd ar wastad ei gefn. Y mae rhyw " Parch. Moses Williams, Perthi," yma, a " John Owen, gweinidog Hermon," a dyma " John Jones, pregethwr, mab Sionyn Siôn Parc," a fu farw yn 22 oed. Yn rhyfedd iawn, nid oes enw ficer yma, onid dyna oedd Moses Williams. Rhyfeddach fyth, nid oes enw na

F

thwrnai na phlismon yma, ond y mae enw dau glochydd,—
William Jones a John Simon.   Purion.

Y mae yma hefyd ddoctoriaid o bob math.   Yr enw
cyntaf yw " Neli Morgan, doctores," a fu farw yn 1889,
yn 81 oed, yn amlwg wedi ufuddhau i'r gorchymyn,—
" Y meddyg iachâ dy hun."   Dyma feddyg nad oedd mor
ofalus ohono'i hun â Neli,—" Dic Lewis, Dr. Briwia," a
fu farw yn 57 oed.   Chwarelwr yn ddiau oedd Dr. Briwia,
yn fath o ddoctor brys, pan na fyddai ei well mewn cyr-
raedd.   Y mae pump o ddoctoriaid wrth eu swydd yn y
rhestr, yn cynnwys " Dr. Roberts, mab Mesach Roberts,
Bangor."   Bu Neli Morgan fyw'n hwy o lawer na'r un
ohonynt.   Fferyllydd oedd Mesach Roberts, a wnaeth y
fath enw iddo'i hun ag yr ystyrir hyd heddiw mai mantais
yw cadw ei enw uwchben y siop, er cymaint o newid dwylo
a fu arni er ei ddyddiau ef.   Dywedir amdano, pan
fyddai ei wasanaethwr wedi rhoi'r cyffuriau angenrheid-
iol yng ngwaelod y botel, a gofyn beth nesaf, mai ei ateb
fyddai,—" *Fill it up with Ogwen.*"   Deil meddygon y fro,
o genhedlaeth i genhedlaeth, i ddibynnu ar Ogwen yn
nydd cyfyngder.

Nid yw Dafydd Ellis yn gyffredin yn rhoi achos mar-
wolaeth, ond fe wna pan fo'n hynod.   Dyma " John Jones
(Siôn Jones Cariwr), boddi yn afon Ogwen, 61 oed."
Tybed ei fod yn gyfrifol am ei lwybr ?   Y mae'n amlwg
mai wedi blino ar fywyd yr oedd " William Roberts,
Bont Uchaf, lladd ei hun, 68 oed," yn 1889.   Dyma un
tebyg iddo,—" William Williams, priod Ellen Ann.
Boddi ei hun, 26 oed," yn 1889.   Blinodd ar Ellen Ann yn
fuan.   Efallai mai cnawes oedd Ellen Ann.   Yr oedd
yn weddw yn gynnar.   A rwydodd rywun arall, tybed,
i'w ladd ei hun ?   Yr oedd Robert J. Thomas wedi pen-
derfynu gadael yr hen fyd yma yn y modd mwyaf rhaman-
tus yn bosibl,—" syrthio o ben Pont y Borth, boddi ei
hun."   Ni chofiaf ond am un a'i gadawodd mewn modd

mwy rhamantus. Yn ymyl Llysfaen y mae craig serth iawn. Cyn y newid cymharol ddiweddar, deuai Sir Gaernarfon i ffin ei thop a Sir Ddinbych yn dechrau yn ei gwaelod. Yr oedd hefyd yn yr un modd yn derfyn rhwng plwyfi Llysfaen a Llanddulas. Bu farw merch yn y nos drwy ddisgyn o'i thop i'w gwaelod, a brawd o flaenor yn ceisio selio dychryn y peth wrth yr ieuenctid yn y seiat drwy ddweud ei bod wedi syrthio " o Blwy Llysfaen i Blwy Llanddulas ; o Sir Gaernarfon i Sir Ddinbych ; o fyd o amser i'r byd mawr tragwyddol." Cafodd ddiwedd mwy rhamantus na hyd yn oed Robert J. Thomas.

Y mae stori drist i'r ddau hyn,—" David Jones (Dafydd Dreflan), marw yn Madws Dinbych, 37 oed," a "Robert, mab Robert Thomas, marw yn Silam Dinbych, 32 oed," dau a aeth yn gynnar dan y cwmwl. Colli ei draed neu ei afael a wnaeth " Hugh Hughes, mab Alice Hughes, syrthio o ben coedan, 54 oed." Bu John Evans, Ty'n y *Walk*, yn fy hen fro, yn fwy ffodus nag ef. Aeth yntau i ben pren, i lifio cangen, gan eistedd ar y gangen a llifio'r gangen rhyngddo a'r pren. Pan ddaeth y gangen i lawr daeth yntau gyda hi, ond ni wnaeth ef ond torri ei goes, ac fel gŵr cloff y cofiaf ef, ac y cofiaf o'r herwydd os wyf am lifio cangen oddi ar bren, i beidio â dilyn esiampl John Evans Ty'n y *Walk*.

Yr oedd ieuenctid yn rhyfygu yn yr oes honno hefyd, er dychryn bro,—" Hugh Roberts, boddi yn Llyn Pont Ogwen, yn 27 oed "; " William Richard Parry, boddi yn Llyn Ogwen, 22 oed." A dyma ddychryn a ddaeth yn draddodiad cenedlaethau,—" William, bachgen Owen Evan ; John, bachgen Robert Parry, boddi yn Llyn y Mynydd, 13 oed y ddau, Ionawr 21, 1885."

Daw Dafydd Ellis yn ei dro i'm cyfnod innau,—" Robert Davies, Tan 'Ronnen, Tachwedd 18, 1913, yn 66 oed," ac " Evan Davies, Nant-y-Graean, Tachwedd 19, 1913, yn 41 oed." Cytunodd y teuluoedd i wneud un cynhebrwng, yr un gwasanaeth yn y capel, a'r un orymdaith tua'r fyn-

went, a'r teimladau'n gynhyrfus, canys un o " arwyr "
y Streic Fawr oedd Robert Davies, ac Evan Davies yn un
o'r " bradwyr," ac nid oedd yr Iddewon yn ymgyfeillach
â'r Samariaid. Daeth digon o ras Duw i galonnau'r
ddau deulu y prynhawn hwnnw i " ymgyfeillach," ac er yr
ymgyndynnu hir, "yn eu marwolaeth ni wahanwyd hwynt."
A chefais innau'r fraint o drefnu'r cytundeb. Gwyddwn
fy mod drwy hynny yn gwneuthur ewyllys fy Arglwydd,
canys iddo Ef nid oedd nac Iddew na Samariad, ond
brodyr yn unig yn ymgyndynnu, a thrôi yn eu plith i'w
tynnu ynghyd. Samariad a welodd Ef yn trwsio clwyf-
au'r truan ar fin y ffordd ; a Samariad yn unig, o ddeg a
iachawyd, a ddychwelodd i ddiolch iddo. Y mae hunan-
gyfiawnder hefyd yn frad.

XI

MERTHYRON DIWYDIANT

MARWOLAETHAU'R chwarel sydd gan Ddafydd Ellis yn ei ail restr, ac y mae yma'n fwy na chofnodydd. Y mae'n ymdeimlo â'r trychinebau, ac am hynny nid yw'n rhoi ffugenwau'r trueiniaid, gydag un eithriad, ac y mae ganddo ei reswm yn ddiau dros hwnnw. Ni wna ddim i leddfu'r trychineb iddo'i hun na'i droi'n ysgafnder i eraill. Cadwodd gofnodion o'r holl ddamweiniau yn Chwarel Cae-Braich-y-Cafn (Chwarel y Penrhyn) o'r flwyddyn 1784 i'r flwyddyn 1905,—cant-ac-un-ar-hugain o flynydd-oedd. Ei bennawd yw,—" Rhestr o'r Lladdedigion Chwarel Caebraichcafn a'r rhai a fu farw yn y Chwarel." Gwelwyd ei fod yn ei restr o farwolaethau'r fro yn rhoi ffugenwau'r bobl ar ôl yr enw priod, ac yn ddiau yn cael cryn hwyl, yn ei ffordd dawel ei hun, wrth wneud, ond cadwodd chwaeth gynhenid dyn yn wyneb trychineb ef rhag cysylltu ffugenwau â marwolaethau mor drist. Am y ddwy flynedd a deugain cyntaf, yr enw yn unig a gawn ganddo, ac eithrio un yma ac acw. O hynny ymlaen cawn ddyddiad y farwolaeth, a chyda'r blynyddoedd, fel y deuwn i'w ddyddiau ef ei hun yn y chwarel, achos y farwolaeth hefyd, canys onid oedd erbyn hyn yn llygad-dyst ?

Y mae'r gymdeithas mor Gymreig, yn ei thraddodiad a'i bywyd, ag y gallai unrhyw gymdeithas fod, ac y bu unrhyw gymdeithas Gymreig erioed. Gwelir hyn ar drawiad, oddi wrth enwau'r lladdedigion, ac yn arbennig oddi wrth enwau eu cartrefi. Y mae rhai o'r enwau cartrefi, nid yn unig yn bersain, ond yn corffori hen hanes, a rhai'n arwyddocaol anghyffredin. Wele bigion ar antur

77

o fysg llu tebyg : Llety'r Bwgan ; Bryniau Eithinog ; Bryniau Gwyddelod (y mae amryw leoedd yn y fro, megis Cors Ty'n y Caeau, a glan Llyn Cororion, ag olion " Cut-iau Gwyddelod " ynddynt,—y Goedeliaid), Pantffryd-las ; Llwynhandi ; Ty'n y Fawd ; Carn Gymro ; Bryn Dymchwel; Llidiard Gwenyn; Tan Foel Faban ; Tyddyn Gogrwn ; Tŷ Pitsh ; Bryn Dirwest, a'r rhan fwyaf o'r gweddill o'r un tras. Cymdeithas Gymreig hollol a thraddodiad cwbl Gymreig. Y mae un neu ddau o enwau Saesneg ymhlith y lladdedigion. Awgrymiadol yw enw a gwaith y gŵr hwn—John Golic, contractor, Ion. 8, 1848. Sais, yn ôl ei enw, yw'r cyntaf ar y rhestr hefyd,— " Thomas Welsh, 1784."

Daw arswyd wrth feddwl fel y cafodd ambell deulu ei ergydio. Wele ddwy enghraifft,—Robert Roberts, Llan-sadwrn, Ion. 20, 1858 ; Robert Roberts, mab yr uchod, Mai 8, 1858, y ddau o fewn llai na phedwar mis i'w gilydd. Wele enghraifft ddwys arall,—Robert Davies (Asaph Llechid), Awst 28, 1858 ; Dafydd Roberts, tad Asaph Llechid, Tach 18, 1860." Yr ydym yma yn y cyfnod pan arferid rhoi cyfenw y tad yn enw ar y mab, ac enw y tad yn gyfenw iddo. Nid oedd yr arfer ond prin wedi darfod pan euthum i'r fro yn y flwyddyn 1911, ac yr oedd pobl yn fyw ar y pryd â'u henwau'n tarddu o'r arferiad. Ad-waenwn ŵr o'r enw Griffith Evans, a'i dad yn Evan Griffiths, yna ddilyn y ffasiwn newydd o gadw cyfenw y tad ar y plant, a thrwy hynny gwneud Joneses dirifedi, gan fod yr enw " John " mor gyffredin. Y mae rhai dam-weiniau a achosodd ddychryn mawr drwy'r holl ardaloedd cylchynol, megis hon,—" William Hughes ; Robert Williams ; William Griffith ; John Jones ; William Williams, Tachwedd 24, 1836," ac yna'r nodiad hwn,— " Y pump gyda'i gilydd drwy i ddarn o'r graig ddod arnynt." Diwrnod du yn Chwarel Cae-Braich-y-Cafn oedd y diwrnod hwnnw.

Y mae un achos marwolaeth a roddir mor gyffredin nes fy mod yn ei amau ai ef oedd y gwir achos, ac wrth holi'r cyfarwydd cadarnheir fy amheuon,—" Marw mewn ffit pan yn cyfrif"; " cael ffit yn y bonc"; " cael ffit"; " cael ffit yn y Red Lion wrth wthio gwagan." (Ai rhaid dweud nad tafarn yw'r " Red Lion " yma ond un o'r bonciau ?) ; " cael ffit a marw "; " cael ffit a marw wrth fynd i lawr y Tanc "; " cael ffit tra'n disgwyl am y trên yn y bore "; " cael ffit a marw yn y fan." Tybed mai cael ffitiau a wnaeth y trueiniaid hyn, ai'r galon a ymollyngodd ? Ofnaf mai stori gudd gwŷr wedi eu llethu gan or-lafur a phrinder bwyd yw'r stori hon. Dyna'r gŵr y dywedir amdano ddarfod iddo farw " wrth wthio gwagan." Onid amlwg yw mai gormod o straen ar ei galon wrth wthio a'i lladdodd, ac yntau'n wan eisoes ?

Rhaid cael chwarelwr cyfarwydd i'n helpu yn y fan yma, gan mor ddieithr yr enwau i'r cyffredin ohonom. Y mae achosion rhai o'r damweiniau'n ddiddorol, ond yr enwau ynglŷn â hwy'n ddryswch hollol. Beth yw ystyr yr enwau hyn, er enghraifft,—" Crawen o Jolly Fawr, yn dod i lawr i Workhouse a thorri ei goes ?" Ac eto,—" Richard Jones, Caellwyngrydd. Twll yn tanio yn Jolly Fawr a syrthio i Jolly Bach, Ebrill 25, 1873." Ai enwau ar bonciau yw Jolly Fawr a Jolly Bach a Workhouse ? A yw'r enwau'n bod hyd heddiw ? Ai rhyw bonc fwy tlodaidd na'i gilydd oedd " Workhouse ?" Pam rhoi enwau fel hyn ar y bonciau ?

Cawn amryw farwolaethau " drwy syrthio." A wyf yn camgymryd drwy ddweud mai cwympiadau oddi ar wyneb y graig yw hyn ? Tybed mai gŵr tenau, ysgafn, oedd " Thomas Knowles ?" Cyfarfu ef â'i ddiwedd trist drwy " ei daflu dros y Bonc gan wynt, Ion. 20, 1874." Clywsom lawer gwaith am y gwaelod isaf, ond ni all ond chwarelwr esbonio inni beth oedd y " gwaelod uchaf " hwn,—" John W. Parry, Carneddi syrthio o'r pen yn y gwaelod ucha, Meh. 23, 1874." Dyma rai achosion eraill i'r damweiniau,—" Darn o graig yn syrthio arno, un arall ei daro yn ei ben "; " syrthio yn Bonc Lefel Dde "; " David Davies, Miner yn Jolly Bach, cael ffit, ei daro dros y bonc, Hydref 9, 1873 "; " lwmp yn ei daro yn ei ben," am un arall ; " lwmp yn mynd drosto "; " plyg yn syrthio ar ei gefn." A dyma dri a gafodd eu lladd gyda'i gilydd, dau yn marw ar drawiad a'r trydydd yn marw ymhen pedwar diwrnod,—" William Hugh Thomas ; Thomas Hugh Thomas, Cae Siri (a oeddynt yn frodyr, tybed ?) ; Owen Jones, Waen Wen," a'r nodiad hwn,— " Darn o graig yn syrthio ar gefn y tri yma, Hydref 27, 1879."

Fe laddwyd cryn nifer yn eu tro drwy danio twll. Dyna a ddigwyddodd i John Morris, Mai 10, 1882,—" anafu ei droed a bu raid torri ei fysedd ymaith, a bu farw." Ai tad Dafydd Ellis ei hun oedd hwn,—" Dafydd Ellis Bryn-iau Eithinog, Llandegai, Chwef, 7, 1882. Plyg yn dod ar ei gefn "? Gwn mai Bryniau Eithinog oedd cartref mebyd Dafydd Ellis ei hun. Fel " Dafydd Ellis y Bryn-iau " yr adwaenid ef. Cafodd un arall " ei wasgu rhwng y rhâff a'r rowler "; ac arall,—" rwb yn dod i lawr ar ei gefn yn Califfornia Sini Bach." Owen Pritchard yw ei enw, Craig y Pandy, Tregarth, a digwyddodd hyn Medi 15, 1885. Cyfrinach chwarelwr yn ddiau yw'r enw hwn hefyd. " Syrthio ym Monc Rowler a marw " a wnaeth un arall, ac arall " syrthio a disgyn i'r wagan." Dyma achos go anghyffredin,—" Pan yn mynd at ei waith gyda'r trên rhwng Ty'n Clwt a'r Felin Fawr daeth i wrthdarawiad â'r slêd oedd ar ochr y ffordd pan trawyd garage gyntaf ar ei hochr a thorwyd ei goes, torwyd hi ymaith a bu farw, a thorwyd coes John Jones, Bangor, yr un pryd, Awst 28, 1888." (Gair Dafydd Ellis yw 'garage', a hynny ymhell cyn dyddiau moduron a phetrol !). Dywedir am un arall, —"darn o graig yn disgyn o tano, ac yntau yn eu canol "; ac un arall,—" Carreg felin yn llithro drosto, a'r darnau'n

agor Douglas." Ymadrodd cudd iawn i mi yw hwn.
Chwarelwr a all ei ddehongli yntau hefyd.

Y mae rhai o'r lladdedigion â'u cartrefi yn Sir Feirion-
nydd, Sir Fôn a phellafion Sir Gaernarfon, gan ddangos
bod y Chwarel yn tynnu ati yr adeg honno weithwyr o'r
pellteroedd, a rhywun yn elwa'n fawr ar eu cyni. A
dyna'r stori drist am y gwŷr hyn oll, 368 ohonynt, yn
brwydro am eu tamaid beunyddiol drwy ddarnio'r hen
graig, a hithau bob hyn a hyn yn mynnu ei dial arnynt.
Ac nid oes air yma am y cannoedd y bu'n rhaid iddynt
gilio o'r chwarel yng nghanol eu dyddiau, oherwydd
" caethdra," i fyw ar y plwy, ac yn y diwedd cynnar fwrw
eu teuluoedd ar drugaredd y byd.

Rhad oedd bywyd o safbwynt y perchenogion, ond gwell
gan dadau a meibion oedd wynebu'r peryglon eithaf hyn,
gan rythu yn wyneb angau bob dydd, na gweld mamau a
phlant yn newynu.

Dengys hyn oll arwyddocâd cyfeiriadau cyson David
Prichard yn ei weddïau deugain mlynedd, pan yw'n diolch
mor gyson am gael ei arbed rhag damweiniau ; ac wedi
cyfnod go dawel yn hanes ei gydweithwyr, yn diolch i'r
Arglwydd am gadw damweiniau draw. Ac nid y ddam-
wain ei hun yn unig oedd y trychineb, ond yr hyn a ddeuai
gyda hi. Nid oedd ddimai o iawn am nac afiechyd na
damwain na dimai at gynhaliaeth i'r rhai a adawyd ar
ôl, yn aml deuluoedd mawr. Pan gymerid y tad rhaid
fyddai i'r fam ei hun droi allan i weithio er mwyn cynnal
ei theulu ; a rhaid fyddai i'r plant hynaf, hwythau, cyn
gorffen eu magu, droi dros y drws i ennill eu tamaid i
ysgafnhau tipyn ar y baich, a pherchen y Chwarel yn gwbl
ddidrugaredd. Tybed a yw'r to sy'n codi yn ystyried y
brwydrau echrys a ymladdwyd er mwyn iddynt hwy gael
y breintiau a ddibrisir gymaint heddiw ? Y mae gwaed
eu tadau ar bob un o'r breintiau hyn.

Pa sawl tad a gollodd ei afael yn y graig, neu " a gafodd
ffit yn y chwarel a marw," am ei fod wedi gorfod gadael
cartref y bore hwnnw heb ddigon o fwyd, a'r prinder
parhaol wedi tanseilio'i nerth ? Gwn yn dda beth yw
tad yn gorfod mynd i'r chwarel a tharo ar bridd a gorfod
symud hwnnw heb ddimai am ei lafur, a dychwelyd adref
ar ddiwedd y mis heb ddimai o gyflog ar ei elw, a thyaid
o blant i'w magu. Fe delir heddiw am symud y pridd.
Ac erys llawer heddiw ym mro Chwarel Cae-Braich-y-
Cafn a ŵyr am yr un cyni. Adwaen amryw o'r cartrefi
a enwir gan Ddafydd Ellis, ond ni wyddwn nes mynd
drwy'r rhestr am yr hen drychinebau sydd yn gysyll-
tiedig â hwynt. Prin yw'r cartrefi yn y fro nad oes hanes
diwrnod du damwain angheuol a newidiodd holl gwrs
bywyd y teulu. Trwy aberth a chyni mawr yr enillwyd
breintiau heddiw, a hynny yn wyneb gwrthwynebiad
cythreulig ar ran y perchenogion. Na fydded i ddifater-
wch gymylu gogoniant y fuddugoliaeth.

Eithr ai cymdeithas brudd oedd yr un â'r cysgodion hyn
beunydd drosti ? Nage'n wir. Cymdeithas fyw, lawen,
diddordebau eang a dwfn, a hynny ymhlith dynion na
chawsant ddiwrnod o ysgol ddyddiol. Y mae taflen ar
ddiwedd llyfr y rhestr hon, wedi ei chopïo mewn llythyren
fân a chlir iawn gan Ddafydd Ellis, ac yn rhyfeddol o
ddestlus. Cododd hi o " Greal y Corau," Hydref 1, 1862.
Hanes perfformiad yr Oratorio " Jephtha," yn Nhregarth,
yng Nghapel Shiloh, ydyw   Y mae'n dechrau fel hyn,—
" Yn sicr nid oes derfyn ar lafur bechgyn y chwarelau
gyda cherddoriaeth, canys y maent fel pe wedi ymddiof-
rydu y mynnant gael meistroli holl gampwaith prif
gerddorion y byd, gan ddechrau gyda'r tywysog Handel,
yn enwedig bechgyn Tregarth, canys braidd cyn i sŵn
mawreddog ' Teilwng yw'r Oen ' ac ' Amen ' y ' Messiah '
ddistewi yn eu clustiau, yr oeddynt o flaen y cyhoedd
drachefn gyda ' Jephtha,' gyda'r geiriau Cymraeg ar yr

Oratorio, a chawsant un galluog i ymgymryd â'r gorchwyl ym mherson yr enwog Vulcan. Ac yn lle chwilio am gerddorion a cherddoresau proffesedig i ganu unawdau o wahanol barthau o'r deyrnas, edrychasant hwy yn eu plith eu hunain, a dilynwyd eu gwaith gyda llwyddiant mawr. Miss Maria Owen a Mrs. M. Jones i ganu 'soprano solos'; J. Williams, J. Jones ac E. Pritchard i ganu 'alto solos' ; W. Williams, arweinydd y côr i ganu tenor iddo ; ac E. Morgan a J. ac E. Griffiths, i ganu 'bâs solos,' nos Sadwrn, Medi 27, 1862. Yr oedd yr addoldy eang yn llawn, a'r gerddoriaeth yn aruchel, ac E. W. Thomas, St. Ann, a J. H. Roberts (Pencerdd Gwynedd), Shiloh, ar yr harmonium."

Gweithwyr cyffredin, yn wynebu angau bob dydd o'u hoes oeddynt, a merched cyffredin, yn creu eu diwylliant eu hunain, a hynny ymhell cyn dyddiau ysgol bob dydd. Yn 1870 y daeth y ddeddf ar gyfer honno. Ac wedi diwrnod caled o waith yn y chwarel ar gyflog prin, yn cydgyfarfod i feistroli gweithiau cerddorol mawr y byd.

Yn ein balchder wrth honni ein bod o'r un genedl â hwynt, onid ydynt yn codi cywilydd arnom. Onid ydynt, yr ydym yn anobeithiol.

XII

WILLIAM

Yʀ oeddwn yn hoff iawn o William. Nid oedd gan William na phryder na blinder na phoen. Nid ofnai William na bywyd na marwolaeth. A phan ddaeth y diwedd syrthiodd i'r ddaear fel aderyn y to. Hoff oeddwn o'i gyfarfod ar y ffordd ar un o'i grwydradau bythol, a chael ymgom ag ef, er nad oedd gennyf y syniad lleiaf yn aml beth a geisiai ei ddweud. Hyfryd, er hynny, oedd cael gweld dedwyddwch William wrth iddo feddwl ei fod wedi llwyddo i egluro'i feddwl.

A chrwydro'n gyson y byddai â'i ben yn y gwynt, ac ni ryfeddech gyfarfod â William mewn unrhyw fan yn y cylch, ac weithiau'n bell o'r cylch, pan fyddech yn meddwl leiaf amdano, ac mai pawb ond ef y gallech ei ddisgwyl mewn lle felly. Amhendant iawn oedd ei oed. A oedd yn ddeg-ar-hugain, neu efallai ddeugain, pan gyfarfûm ag ef gyntaf, neu efallai blentyn dwyflwydd yn ei ddeugeiniau? Siarad plentyn blwydd yn dechrau torri geiriau oedd ei siarad, nas deellir ond gan blant o'r un oed, a'i fam. Tua hanner geiriau a ddywedai ar y gorau, a'r rhan amlaf sŵn yn unig, gan lenwi'r gofod â gwahanol fathau o ystumiau. Ac fel plentyn blwydd yr oedd ganddo ei eiriau ei hun am y rhan fwyaf o bethau. Rhaid oedd ei adnabod yn dda a dyfalbarhau'n hir cyn llwyddo i ddysgu ei eiriadaeth, a'r gwahanol fathau o sŵn a gynrychiolai eiriau. Wedi gwybod, deellid ef yn weddol, ond nid oedd ei ddeall yn bwysig iawn, dim ond i chwi lwyddo i roi argraff arno eich bod yn ei ddeall. Fel plentyn blwydd eto, nid ymagorai ar unwaith i ddieithryn. Gwgu a chadw'n ôl a wnâi am dymor. Wedi ysbaid o hynny, dynesu ac edrych yn swil arnoch. Y cam nesaf oedd
84

dangos i chwi ryw drysor tybiedig a guddiasai yn ei boced. Os cymerech sylw go fanwl o hwnnw a'i edmygu, mentrai ddweud gair, ac os gwrandawech yn amyneddgar a siriol arno'n egluro rhinweddau'r trysor, a'i werthfawrogi, pe na bai ond darn o gorcyn, byddai'ch tynged wedi ei phenderfynu dros byth, a chwithau'n gyfaill mynwesol iddo am eich oes. Arhosai amdanoch ar y ffordd, a dywedai bopeth yn ei feddwl wrthych. Ni fyddech fawr elwach, y mae'n wir, o glywed ei stori, ond yr oedd William wedi'ch anrhydeddu'n fawr, drwy ymddiried ei gyfrinachau i chwi. Ni fyddai perygl i chwi eu bradychu, canys ni fyddai gennych syniad beth oeddynt, ond caech hyfrydwch pob hyfrydwch, yr hyfrydwch o wybod bod William yn ddedwyddach dyn am i chwi wario tipyn o'ch amser prin i ddangos ei fod yn ŵr gwerth i wrando arno, ac ymchwyddai dan eich gwerthfawrogiad o'i ddoethineb. Gwelech hynny yn sioncrwydd ei gam pan fyddai yn eich gadael, a'i chwerthin rhyngddo ag ef ei hun a welech yn ei ysgwyddau. Ac wrth i chwithau fynd ymaith, nid wyf yn sicr na byddech chwithau'n ysgafnach eich cam a llonnach eich ysbryd, canys heintus oedd sirioldeb William.

Ffrindiau William oedd pobl y capel a phlant, a'i arwyr oedd gweinidogion. Ei enw ar bob gweinidog oedd "Iesu." Gwahaniaethai rhyngddynt drwy ychwanegu at yr enw enw'r lle yr oeddynt yn byw ynddo. "Iesu 'Thesda" oedd pob gweinidog a drigai ym Methesda, o bob enwad yn ddiwahaniaeth. "Iesu Fago" oedd pob gweinidog a drigai ym Mangor. Yr oedd un gweinidog ym Mangor, fodd bynnag, yn ddigon pwysig i beidio â chael ei barselu gyda'r lleill yno,—Dr. Hugh Jones, a ofalai am y Bwcrwm. Enw William arno ef oedd "Iesu Bwcw." Eithr yr oedd un gweinidog a elwid yn "Iesu," heb unrhyw ansoddair i'w wahaniaethu oddi wrth eraill. Yr "Iesu," di-ansoddair hollol, oedd ei weinidog ef ei hun yn Nhregarth, a pharhai'r anrhydedd yn eiddo pob

un o'r hen weinidogion hefyd, os digwyddai William gofio
iddynt erioed fod mewn bod.

Yr oedd ei waith yn galw pob gweinidog yn yr un ardal
ar yr un enw yn achosi tipyn o ddryswch i'w weinidog ef
ei hun weithiau.   Rhyw nos Sul yr oeddwn yn pregethu
yn ei gapel, capel Gorffwysfa, ac yr oedd William yn y
porth yn aros amdanaf   Ei ffordd o alw rhywun ato oedd
drwy weiddi,—" Weli, weli."   Pan euthum i'r porth
safai   William   mewn   congl   yn   ddisgwylgar.   " Weli,
weli," meddai wrthyf.   Digwyddwn innau fod yn siarad
â rhywun arall.   Dechreuodd William gynhyrfu rhag ofn
imi fynd i mewn heb sylwi arno, ac fe'i gosododd ei hunan
rhyngof a'r drws fel na allwn basio heb ei weld.   Pan
ddarfu'r llall â mi cododd William ei law,—" Weli, weli,
weli," meddai.   Arhosais gydag ef, a gwyrodd yntau ei
ben tuag ataf a sibrwd,—" Iesu 'Thesda malw."   " Iesu
'Thesda wedi marw ?" meddwn yn frawychus, canys yr
oedd   William bob amser yn siŵr o'i bethau.   " Iaia,
iaia," ebe William, yn falch fy mod wedi ei ddeall y tro
cyntaf.   " 'Dydech chi ddim yn deud bod (ac enwais ein
gweinidog ym Methesda) wedi marw ?" meddwn, canys
gŵr ieuanc iach a chryf ydoedd ef.   " Nana, nana,"
meddai William.   Dechreuais enwi gweinidogion yr en-
wadau eraill ym Methesda, gan gychwyn â'r mwyaf tebygol.
" Nana, nana," ebe William, ar ôl pob enw, gan fynd yn
fwy diamynedd bob gafael.   Wrth weld nad oeddwn yn
deall taflodd ei ganolbarth allan, ei rwbio'n eiddgar, ac
wrth rwbio dweud mewn llais chwerthin,—" Chy, chy,"
llais mor drwm ag y gallai un meinllais fel ef ei gynhyrchu.
Meddyliais mai cyfeirio at y rhan honno o'i gorff yr oedd
am mai gŵr â'r rhan honno y peth amlycaf ganddo a
fuasai farw, ac a arferai chwerthin â " chy, chy " trwm.
Cofiais ar drawiad am ŵr felly, gŵr trymlwythog tua'i
ganol, ac a arferai chwerthin felly, a oedd newydd farw,—
John Pierce o Ruthun, hen ŵr.   Gofynnais i un a safai
yn fy ymyl a fu'r hen frawd hwnnw rywdro'n byw ym

Methesda, ac wedi deall iddo fod troi at William a gofyn,—
" John Pierce ydio ?"   " Iaia, iaia," meddai William, yn
llawen iawn fy mod wedi ei ddeall, ac i'r capel ag ef.   Yr
oedd William yn llygad ei le fel arfer.   Ac oherwydd ei
gysylltiad unwaith â Bethesda, " Iesu 'Thesda" oedd
John Pierce byth mwy.

Plentyn gyda phlant oedd William.   Gwelid ef beunydd
ynghanol twr ohonynt yn ei fwynhau ei hun, a hwythau'n
eu mwynhau eu hunain gymaint ag yntau ac yn ei drin
fel un ohonynt hwy eu hunain.   Yn rhyfedd iawn,
fe ddeallai'r plant bopeth a ddywedai, yr holl hanner
geiriau a'r gwahanol fathau o sŵn ac ystumiau.   Gwelais
ef ar Bont Penrala ryw ganol dydd Sadwrn, a thwr o blant
gydag ef yn edrych yn frawychus iawn arno a gwrando'n
astud, ac yntau'n gwneud y sŵn rhyfeddaf a chwifio'i
freichiau fel adenydd melin wynt a rhoncian ar ei draed.
Yna trodd ar ei sawdl a'u gadael.   Wedi iddo fynd o'r
golwg gwawch o chwerthin oddi wrth y plant.   Euthum
atynt a gofyn iddynt beth oedd ei stori, hwythau'n ateb
dan chwerthin yn galonnog, mai eu rhybuddio yr oedd i
fod yn eu gwelyâu'n gynnar y noson honno, y byddai ef
yn dyfod adref o Fethesda wedi meddwi, a gwae'r sawl y
caffai afael arno ar y ffordd.   Bodlonai'r plant ef drwy
edrych yn frawychus iawn wrth wrando arno ond chwerthin
yn braf cyn gynted ag y trôi ei gefn.   Smalio edrych yn
frawychus, ie, ond smalio y byddai wedi meddwi fyddai
yntau.   Gwyddai'r plant yn dda nad oedd berygl iddo
ddyfod adref o Fethesda wedi meddwi.   Ni wyddai beth
oedd blas diod feddwol, gan fod yn anodd gennyf gredu
iddo erioed brofi diferyn, na thywyllu drws tŷ tafarn.   Nid
oedd dafarn yn Nhregarth, a buasai'n greadur rhyfedd i
ddafarnwyr Bethesda.   Eithr yr oedd gan William ryw
syniad annelwig fod dyn meddw yn rhywbeth dychrynllyd,
ac mai drwy ei actio y gallai smalio dychrynu plant.   A
gredai ei fod yn eu dychrynu mewn gwirionedd, pwy a
ŵyr, ond rhaid oedd i'r plant gymryd arnynt ei fod yn eu

dychrynu rhag difetha'r chwarae.

Fel eraill tebyg iddo, yr oedd gan William reddf i ddewinio digwyddiadau. Lle bynnag y byddai'r injian ddyrnu, yno y byddai William, a hynny'n aml gryn bellter o'i gartref. Dirgelwch oedd pa fodd y deuai William i wybod y bwriedid mynd â'r peiriant i ffern arbennig. Câi'r ffermwr gerdyn i ddweud y byddai'r injian ar ei ffern ef drannoeth, gan gyrraedd ben bore. Ni fyddai'r peiriannydd wedi dweud wrth neb y bwriadai fynd i'r ffern arbennig honno y bore hwnnw, ond yn aml, cyn i'r postmon gyrraedd yno â'r cerdyn, gwyddai'r ffermwr fod y peiriant yn dyfod y bore hwnnw, gan y gwelai William yn croesi'r caeau tuag at y tŷ, o flaen y postmon. Ni wn pa mor bell yr oedd yn ddefnyddiol, onid i wneud negesau, ond dywedir y byddai William cyn brysured â neb, ac yn llawn prysurach adeg y prydau bwyd. Y tebyg yw mai dyna'r atyniad arbennig iddo adeg ymweliad y dyrnwr mawr. Byddai ganddo stori helaeth, o'i gyfarfod ar un o'r dyddiau hynny. Byddai ei holl eiriadaeth a'r chwifio breichiau ar waith i ddisgrifio rhyfeddod ymweliad y dyrnwr mawr â'r fan-a'r-fan, yn cynnwys disgrifiad o'i ru a chwyrnelliad ei olwynion.

Yr oedd ganddo reddf ryfedd hefyd i ddyfalu marwolaethau. Fe glywai amdanynt yn llawn cynt na neb. Yr oedd iddo ddiddordeb mewn marwolaethau, gan y byddai'n helpu'r torrwr beddau. Y tebyg yw na fyddai o fwy o help na phlentyn dwyflwydd, a gais helpu ei dad i arddu, ond byddai William yn brysur iawn er hynny. Ei waith arbennig fyddai estyn yr ysgol i'r torrwr fynd i waelod y bedd a dyfod oddi yno, ond er mwyn hynny byddai wedi gwylio'r torrwr beddau'n amyneddgar am oriau'n torri'r bedd yn ddigon dwfn i wneud ysgol yn angenrheidiol. Oherwydd ei allu i ddyfalu marwolaethau, ef fyddai'r cyntaf yn aml i hysbysu'r torrwr beddau o'r farwolaeth. Caffai dipyn o gildwrn ganddo am ei gymorth ; credaf mai grôt oedd y tâl cydnabyddedig. Gyrrodd y peth deulu unwaith i brofedigaeth. Clywsai William fod gwraig yn wael iawn yng Ngwaun y Pandy, ac âi heibio i'w chartref bob dydd i edrych a oedd y llenni i lawr, er mwyn hysbysu'r torrwr beddau o'i marwolaeth. Daliai i fynd heibio bob dydd yn amyneddgar, ond dal i fyw a wnâi'r wraig a dal i fyny a wnâi'r llenni. Rhyw fore deallodd William fod y wraig wedi troi ar wella, ac nad oedd obaith iddi farw. Chwerwodd William, ac aeth yno ar ei union, a churo'r drws, a phan agorwyd ef gwneud pob math o sŵn ac ystumiau i geisio argyhoeddi'r bobl fod y wraig, drwy wrthod marw, wedi ei dwyllo o rôt, ac ni symudodd oddi ar garreg y drws nes cael ei rôt gan un o'r teulu. Gwellhaodd y wraig, ond yr oedd wedi talu am ei chladdu i William. Ni allai neb dwyllo William o'i foddion cynhaliaeth.

Hynodrwydd mawr William yn ei wasanaeth i'r Eglwys oedd ei waith yn casglu at y Genhadaeth Dramor. Plentyn ydoedd yn y peth hwn, ond plentyn hŷn nag yn ei siarad, plentyn tua'r pedair oed. Gwelid ef ar ddechrau'r tymor gyda'r plant yn disgwyl am ei gerdyn neu ei flwch casglu. Ni chyfyngai ef ei hun i'w ardal, fel y plant, ond crwydrai filltiroedd ar filltiroedd, gan fynd i ardaloedd cyfagos hefyd, ac ni fynnai ei wrthod. O ran hynny, ni fynnai neb wrthod William, er y cymerai ambell un arno wneud hynny, er mwyn gweld William yn ei blannu ei hun yn ddisyflyd yno nes i'r gwrthodiad feirioli. Tra fyddai eraill yn fodlon ar un cerdyn, llanwai William gerdyn ar ôl cerdyn, neu os blwch a fyddai ganddo, gorlenwid y blwch yn fuan iawn. Ac âi â'r pres i'r trysorydd yn union fel y cawsai hwynt. Er bod yn llwythog o geiniogau a dimeiau, ni newidiai ddim ohonynt am ddarn o arian i ysgafnhau'r baich ar unrhyw gyfrif. Ni chymerai swllt mewn arian yn lle ceiniog, canys nid y lliw a oedd yn bwysig gan William ond y maint. Ac ni allai amgyffred bod swllt gwyn a deuddeg ceiniog yn gyfwerth. Plentyn hollol ydoedd yn hyn eto. Cofiaf fod unwaith yn bwrw Sul

mewn tŷ, a bachgen tua'r pump oed yno. Wrth fynd
oddi yno meddyliais y buaswn yn rhoddi chwechyn iddo.
Digwyddai fod gennyf ddwsin o ddimeiau. Rhoddais
ddimai iddo a diolchodd yn foneddigaidd amdani ;
rhoddais ddimai arall a diolchodd yn gynnes iawn ; yna
ddimai arall a diolchodd yn eiddgar dros ben ; yna
ddimai arall, a dechreuodd rythu'n anesmwyth arnaf.
Yr oedd wedi methu dal ymhell cyn i'r dwsin fynd i'w
ddwylo,—" Ddyn !" meddai, " lle cawsoch chi'r arian yma
i gyd ?" Ni fuasai'n gweld fawr mewn chwech gwyn, am
ei fod gymaint llai na dimai. Felly William yn union.

Byddai William yn yfed canmoliaeth fel cath lefrith.
Ni wn pa un ai'r plentyn ai'r dyn ynddo a alwai am hynny.
Ni fynnai William i'w wasanaeth fynd yn ddi-ddiolch.
Yr oedd Cymanfa Ganu cylch Caernarfon, Tregarth a
Bangor, a chapel mwyaf y fro wedi ei fenthyca i'r pwrpas
ac yn orlawn yng nghyfarfod yr hwyr. Eisteddai William
yn y gwaelod, ym mhendraw'r capel. Adeg y casgliad
cododd gan ymlwybro'n anesmwyth i lawr llwybr y capel,
megis o lech i lwyn, ac at weinidog a eisteddai yng nghongl
y sêt fawr, a sisial wrtho a churo'i ddwylo'n isel, a hwnnw'n
ysgwyd ei ben, eithr ni fynnai William gymryd ei droi'n
ôl, ac yr oedd y casglu ar fin terfynu. Digwyddwn fod yn
arwain y gweithrediadau. Cododd y gweinidog yn an-
foddog, daeth ataf a sibrwd wrthyf fod William yn gofyn
am " cheers " gan y gynulleidfa am gasglu at y Gen-
hadaeth. Gan na wyddai hanner y gynulleidfa pwy oedd
William na pha fath un oedd, rhaid oedd imi ragymad-
roddi tipyn mewn disgrifiad bywgraffyddol ohono cyn
gofyn y gymwynas hon oddi ar ei llaw, gan bwysleisio mai
William ei hun a ofynnai am yr wrogaeth. Cafodd
William " cheers " byddarol, a gwelwn ef yn ei sêt yn
crebachu fel consertina ac yn wên o glust i glust. Aeth
William adref yn ŵr llawen neu efallai y dylwn ddweud
" plentyn."

Ac eto mor debyg i'r gweddill ohonom ydoedd, wedi'r

cwbl. Y ffordd y rhagorwn ni arno yw ein bod wedi dysgu'r gelfyddyd o gadw o'r golwg wrth bysgota " cheers." Fe'u cawn, fel yntau, ond nid mor rhadlon, am fod William yn onestach. Eithr un ydym.

Chwith iawn oedd dychwelyd i'r hen fro a William wedi mynd. Tlotach oedd o ddiniweidrwydd ac unplygrwydd, ac o'r herwydd yn llwytach a mwy hydrefol.

YN Y DDINAS

XIII

PWY OEDD Y DOCTOR ?

DYWEDWYD wrthyf dro'n ôl nad yw'r gweinidog yn gweld
pobl ond ar eu gorau, a'r twrnai ar eu salaf. Dywedwyd
wrthyf hefyd gan arall mai gŵr yw'r gweinidog sy'n treulio'i
oes mewn câs cloc. Efallai'n wir. Eithr credaf y cyd-
welir yn y man fy mod, er yn byw mewn câs cloc, wedi
gweld defaid brithion iawn yn fy nhro, lawn cyn frithed
â'r rhai a welir gan y bobl sy'n troi beunydd yn eu mysg,
ac yn eu plith ambell ddafad go ddu, a honno'n ddafad
Gymreig.

Euthum yn weinidog i ddinas Leeds ym Medi 1906, a
bûm yno flwyddyn, ac oed aelodau'r eglwys ar gyfartaledd
tua f'oed innau, tua chanol yr ugeiniau. Yr oeddynt yn
ffyddlon ac unol anghyffredin ac yn gwasgu'n dyn at yr
eglwys. Eithr yr oedd eraill, a ddeuai ar eu tro, gan
wneud addewidion mawr o ffyddlondeb, ond mewn ysbaid
byr yn diflannu. Yr oedd un ferch, fodd bynnag, gallaswn
feddwl ei bod yn ei deugeiniau, a ddeuai'n bur gyson ar
nos Suliau, ond ni chafwyd cyfle gymaint ag unwaith i
gael gair â hi. Llithrai i mewn i'r cefn bum munud yn hwyr,
a llithro allan rhwng diwedd y bregeth a'r emyn olaf. Ni
feddai neb y syniad lleiaf pwy oedd ond ei bod yn amlwg
yn Gymraes, a dangosai ei gwisg mai nyrs oedd. Cymerem
yn ganiataol mai oriau penodedig ei galwedigaeth oedd yr
achos dros ei dyfod i mewn yn hwyr a'i mynd allan yn
gynnar. Aeth hyn ymlaen am fisoedd, a'r chwilfrydedd
yn ei chylch yn cynyddu beunydd, ond er pob ymchwil
methwyd dyfod i wybod dim amdani. Ni welwyd mohoni
gymaint ag unwaith gan neb ond yn y capel.

Rhyw fin nos yr oedd y ddinas yn ferw, bechgyn y papurau newydd yn gweiddi ar draws ei gilydd wrth ruthro oddi amgylch,—"*Nursing Home scandal, nurse arrested.*" Prynais bapur newydd yn ddidaro a'i ddarllen yn ddigyffro, heb ddychmygu y gallai'r peth byth gyffwrdd yn y modd lleiaf â mi fy hun. Dyma'r stori. Cadwai merch o'r enw Nurse Miller Gartref Mamaethu (*Nursing Home*), a haerid bod merched dibriod cyfoethog a lithrodd yn mynd yno, a'r nyrs a meddyg nas daliwyd, yn cyflawni gweithredoedd llawfeddygol anghyfreithlon arnynt er sicrhau erthyliad, a lladd y babanod a llosgi eu cyrff. Y cyhuddiad oedd llofruddiaeth, a dywedid bod y nyrs wedi ei chymryd i garchar a'r meddyg wedi dianc. Yr oedd yn stori arswydus, yn dangos pydredd ofnadwy'r bywyd moethus. Yr oedd y ddinas mewn cyffro mawr, a rhyw ffeithiau newydd am yr achos ffiaidd oedd diddordeb y papurau min nos am wythnosau. Wedi ei darllen am ddiwrnod neu ddau diflasais ar y stori, ac yr oedd y math o stori na thriniem hi yn ein cyfarfyddiadau â'n gilydd yn y capel, gan mai meibion a merched ieuainc oedd bron bawb yno.

Dychmyger fy syndod pan dderbyniais lythyr ryw fore o Garchar Armley, carchar y ddinas, y carchar y crogwyd un o lofruddion enwocaf y ganrif ynddo, Charles Peace, gŵr a lofruddiai y nos ac a âi oddi amgylch yn ystod y dydd i wneuthur gweithredoedd o drugaredd, ac yn fawr ei barch, gŵr a oedd yn gyfuniad perffaith o Dr. Jekyll a Mr. Hyde. Aeth iasau o arswyd drwof, lanc dibrofiad o gefn gwlad, pan welais enw'r carchar. Galwai'r llythyr fy sylw at stori'r papur newydd, gan ofyn a oeddwn yn cofio nyrs yn dyfod ar ei thro i oedfaon nos Sul y Capel Cymraeg, mai'r nyrs honno oedd ysgrifennydd y llythyr, ac mai hi a gyhuddid o'r anfadwaith ynglŷn â'r llosgi babanod. Âi ar ei llw ei bod yn berffaith ddiniwed, a gofynnai a fyddem gystal, yn y Capel Cymraeg, â gwneud casgliad iddi, i'w helpu yn ei hamddiffyniad, mai Cymraes

wedi priodi Sais ydoedd. Deuai o un o'r pentrefi mwyaf
rhamantus yng Nghymru, bryniog a phrydferth, a'i gysyllt-
iad ag un o ddraddodiadau cyfoethocaf y genedl. Pa
bryd bynnag, mewn cinio Gŵyl Ddewi, y bydd ymfflam-
ychu ynghylch brwydrau mawr ein hannibyniaeth, gan
enwi'n harwyr amlycaf, y mae'r pentref hwn yn sicr o gael
ei enwi. Fe arwyddodd anfonydd y llythyr ei henw,—
" Nurse Miller," enw'r nyrs gyhuddedig. Amlwg ydoedd
nad oedd yn byw gyda Mr. Miller. Cyfenw Cymraeg
cyffredin oedd iddi cyn priodi, a hawdd oedd credu'r
stori mai'r pentref y soniais amdano oedd ei chartref.
Pa bentref ydoedd ? Wel, y mae pawb yr oedd a wnelo
â'r achos, heblaw mi fy hun, wedi mynd erbyn hyn, ac am
hynny, 'waeth i minnau gadw'r gyfrinach i mi fy hun, fel
y gwnaeth y nyrs hithau, chwarae teg iddi, oddi wrth
bawb ond myfi fy hun ac un arall.

Beth a wnawn â'r llythyr ? Euthum ar fy union i ym-
gynghori â'n harweinydd yn yr Eglwys, y gŵr a fu'n fodd-
ion i'w sylfaenu,—William Williams (Medo). Yr oedd
yntau wedi derbyn llythyr yr un fath yn union oddi wrthi,
yn dangos y gwyddai hi fwy am yr eglwys nag a wyddai'r
Eglwys amdani hi ; llythyr, fel fy un innau, bratiog ei
sillafiaeth a'i eiriadaeth Saesneg, yn ein cadarnhau mai
Cymraes ydoedd hi drwodd a thro. Ni wyddai, ac ni
ddychmygai, neb o'r Eglwys ond ni ein dau, mai Cymraes
oedd y nyrs yn y ddalfa ar gyhuddiad mor ofnadwy o
ffiaidd, a'r cwestiwn mawr oedd beth a wnaem â'r llythyr.
Eglwys o bobl ieuainc oedd yr Eglwys, a phe cyhoeddid
mai Cymraes oedd y nyrs, buasai ar bob un o'r aelodau
gywilydd i arddel ei Gymreigrwydd, a dyna hi ar ben ar
yr Eglwys. Gwir fod yr ieuenctid yn ffyddlon, ond yr
oedd ambell gorsen ysig yn eu plith, a allai wreiddio'n
ddwfn a thyfu'n gref o gael cysgod rhag y storm, ond ar y
pryd mai ychydig a'i cadwai rhag ymollwng. A'r cwestiwn
oedd beth oedd fy nyletswydd,—ai amddiffyn y corsen-
nau gweiniaid nad oeddynt hyd yn hyn wedi ymollwng,

ai codi corsen o'r baw, a dynnwyd o'r gwraidd ac a oedd yn pydru. Nid amddiffyn y defaid yn y gorlan ar draul gadael i'r ddafad golledig fynd i ddifancoll oedd achos fy ngwewyr, ond mai ŵyn a oedd dan fy ngofal, gan mwyaf, a phe bawn yn mynd ar ôl y ddafad golledig, beth a ddeuai o'r ŵyn yn eu simsanrwydd. Penderfynu gadael i'r ddafad fynd a chysgodi'r ŵyn a wnaethom, a chadw'r gyfrinach i ni ein hunain, er mwyn y Cymry ieuainc glân eu calon, na fynnai Williams na minnau i'r parddu hwn eu cyffwrdd. Cafodd y nyrs wybod hynny. A wnaethom yn iawn? Y mae hanner can mlynedd er hynny, a hyd heddiw y mae'r cwestiwn yn fy mlino, ac ystyriaf fwyfwy ei fod yn gwestiwn go fawr i lanc chwech-ar-hugain ei setlo. Eithr cadwyd cyfrinach Cymreigrwydd Nurse Miller, ac ni lychwinwyd plant yr hen genedl ym mannau eu gweith-garwch, gan Saeson digydymdeimlad a difrïol.

Suddodd fy nghalon ryw fin nos pan glywn fechgyn y papurau'n gweiddi,—" *Doctor arrested!* *Doctor arrested*," canys gwyddwn erbyn hyn mai Cymro oedd yntau. A ddatguddiai ef, tybed, gyfrinach ei Gymreigrwydd? Pan oedd y nyrs o flaen yr ustusiaid, tystiai'r merched a fu gyda hi fod y meddyg a hithau'n siarad â'i gilydd mewn iaith ddieithr. Yr oeddynt oll yn ferched diwylliedig, a rhyngddynt yn gwybod amryw ieithoedd, ond ni allai'r un ohonynt ddyfalu pa iaith a siaradai'r nyrs a'r meddyg â'i gilydd. Holid hwy'n fanwl pa iaith ydoedd ond nid oedd gan yr un ohonynt unrhyw ddirnadaeth, a gwrth-thodai'r nyrs roi gair o eglurhad, gan wadu'n bendant nad oedd y meddyg a hithau'n siarad dim ond Saesneg. Cwynwn lawer am Gymry'n gwadu eu hiaith, ond pwy na ddiolcha i'r nyrs hon am wneud hynny? Yng ngoleuni'r llythyr Saesneg hanner anllythrennog a dderbyniais oddi wrthi, ni allai siarad ond Saesneg a Chymraeg, ac ni allai'r iaith a siaradai hi a'r meddyg wrth ei gilydd fod yn ddim ond Cymraeg. Eithr beth am y meddyg, a ellid tynnu oddi arno ef pa iaith oedd yr iaith ddieithr? A allai ef,

fel y nyrs, fod yn ddigon ffyddlon i'r hen iaith i'w gwadu ?
Chwyswn wrth feddwl am y difrïad ar y Cymry pan ddeellid
mai Cymraeg oedd yr iaith, ac effaith hynny ar yr Eglwys
fach.   Prin y llawenychais gymaint yn fy oes, gan hynny,
â phan glywais y bechgyn yn gweiddi ymhen yr awr,—
" *Doctor commits suicide, doctor commits suicide.*"   Rhoddais
ochenaid ddofn o ryddhad, rhuthrais am bapur newydd i
gael yr hanes.   Wedi ei ddarllen,—" Wel," meddwn,
" dyna un genau peryglus wedi ei gau."   Daliesid y medd-
yg a mynd ag ef i'r carchar mewn cerbyd.   Ar y daith
rhoddodd ei law ym mhoced ei wasgod, tynnodd ddau
dabled allan a'u llyncu dan drwynau'r plismyn, ac yr oedd
yn farw cyn cyrraedd y carchar.   Ni bu neb erioed yn
falchach o hunanladdiad na mi wrth ddarllen yr hanes.
Os gallai'r nyrs ddal i gadw'n ddistaw, dyna enw da'r
Cymry wedi ei arbed.   Taflodd yr ustusiaid yr achos i'r
frawdlys.

Euthum i'r frawdlys, yr unig un y bûm ynddi erioed.
Gwelaf yr olygfa y funud hon,—y Barnwr Horridge ar ei
orsedd draw ;   y twrneiod a'r bargyfreithwyr yn eu hys-
blander deddfol yn codi ac eistedd bob yn ail ;   y plismyn
yn gwibio'n ôl a blaen ;   gwaelod ac oriel y llys wedi eu
gorlenwi.   Tawelwch, a Nyrs Miller, fach, denau, welw
a churiedig, mewn mantell a bonnet duon, yn dyfod i'r
golwg fel trwy'r llawr i'r frawdle ;   yn sefyll a syllu ar y
barnwr, yntau'n peri iddi eistedd.   Eisteddwn i ar flaen
y galeri'n rhythu ar ferch o Gymraes o gefn gwlad Cymru
wedi ei themtio,—ai gan hoedennod goludog, ai gan
feddyg cyfeiliorn o'i chenedl ei hun ?   Minnau, cyn
belled ag y gwyddwn, yr unig Gymro yn yr holl le.
Dyma'r merched ymlaen, y naill ar ôl y llall, i roi eu
tystiolaeth, yn mynegi'r holl fanylion, a'r bargyfreithwyr
yn gwasgu arnynt ddweud pa iaith oedd yr iaith ddieithr.
Ni allai'r un ohonynt ddyfalu.   Gwawdid hwynt am eu
hanwybodaeth a hwythau wedi cael addysg mor dda, ac
ambell un yn honni gwybodaeth o amryw ieithoedd.   Dau

yn unig, mi dybygwn, yn y dyrfa enfawr, a wyddai beth
oedd yr iaith honno. Eisteddai un ohonynt ar flaen yr
oriel, yn anesmwyth ei fyd, a'r llall yn welw fel delw
farmor i lawr acw yn y frawdle. Rhoddai ambell ferch
ei thystiolaeth yn swil a mursennaidd. Trodd y barnwr
at un ohonynt a dweud yn chwerw,—" Yr ydych yn
edrych yn swil a diniwed iawn heddiw, gresyn na fuasech
wedi bod felly cyn hyn."

Daeth y plismyn ymlaen i dystiolaethu ynghylch dar-
ganfod esgyrn llosgedig plant newydd eni yng ngwaelod
grât ac mewn tomen ludw yng ngwaelod yr ardd. Meth-
odd yr erlyniad brofi bod cymaint ag un o'r plant wedi ei
eni'n fyw, gan hynny ni ellid profi llofruddiaeth, eithr
profwyd hi'n euog o weithredoedd llawfeddygol anghyf-
reithlon. Dedfryd o bum mlynedd o lafur caled am helpu
merched cyfoethog i guddio'u puteindra. Wedi'r dded-
fryd trodd Nyrs Miller ar ei sawdl, a gwelaf hi'n cychwyn
i lawr yn ei mantell a'i bonnet duon, a'i hwyneb fel y
galchen, yng ngafael plismon.

Y mae hanner can mlynedd er hynny, ac o'r dydd
hwnnw hyd heddiw ni chlywais air amdani. Bûm yn
pregethu droeon yn ei phentref genedigol, a chyfeirio ati
" ar ddiarth " wrth hwn a'r llall, wrth ei chyfenw Saesneg,
ond ni chyfarfûm ag un a wyddai ddim nac amdani hi ei
hun na'i hachos, heb imi fod yn llawer mwy pendant nag
y dymunwn fod. Y mae'n sicr ei bod erbyn hyn wedi
mynd i ffordd yr holl ddaear, onid yw'n tynnu at ei chant
oed. Diolchaf iddi am gadw cyfrinach ei hiaith, a chan
hynny na fydd blotyn o'i herwydd ar ei hen fro.

Aeth blynyddoedd heibio. Yr oeddwn mewn lle
gwledig yng Nghymru erbyn hyn, pell iawn o fro Nyrs
Miller. Gwahoddwyd fy mhriod a minnau a'n dau
blentyn i ffermdy i de. Yn ystod yr ymddiddan ar ôl te
adroddais stori Nyrs Miller, fel y gwnawn ar dro ar
adegau felly i geisio diddori'r cwmni. Eithr ni chefais
erioed wrandawiad tebyg i'r hyn a gefais gan wraig y tŷ

hwnnw. Gwrandawai â'i chlustiau, â'i llygaid, â'i genau,
gan rythu'n wylltach, wylltach, arnaf fel yr awn ymlaen,
nes fy ngyrru i deimlo'n annifyr ac ofni fy mod yn troedio
tir gwaharddedig. Wedi imi orffen, rhoddodd ochen-
aid drom, a ffrwydrodd y geiriau allan,—" O diar, mi
garwn wybod pwy oedd y doctor." Pan lwyddodd i'w
llywodraethu ei hun, dywedodd fod ganddi frawd disglair
iawn, a gychwynnodd fel meddyg, gan fynd i'r coleg yng
Nghaeredin, ond a gollodd ei ffordd a mynd i grafangau
usurwyr. Dihangodd i Awstralia, gan ymarfer fel meddyg
yno am dymor, ond colli'r ffordd yno hefyd. Dianc yn
ôl i Brydain a chrwydro yma ac acw, gan gymryd
unrhyw waith meddyg y gallai ei gael. Yr olaf a glywsai
amdano oedd ei fod ar grwydr yn Swydd Efrog. Yn
Swydd Efrog y mae Leeds. Ni chlywsai air amdano
bellach ers blynyddoedd. Sicr yw nad yw Swydd Efrog
yn heidio o feddygon o Gymry wedi colli'r ffordd, ac na
bu felly erioed. Gan hynny, a ffeindiais y doctor ?

XIV

YN Y MERDDWR

Y MAE fy nghalon yn gwaedu bob tro y meddyliaf am Idris, canys yr oeddwn yn hoff iawn o Idris. Ni allaf chwaith ei ystyried fel cnaf, er maint ei bechod. Mynnaf feddwl amdano fel bachgen meddal ac nid drwg, ac yr oedd fy nghysylltiad ag Idris yn agos a chynhesol iawn. Ef oedd y bachgen tlysaf a welais erioed, nid hardd ond tlws, a dyna oedd y ddolen gydiol rhyngddo ef a'i ddamnedigaeth, y ffieiddiaf o ddamnedigaethau. Yr oedd ei gartref mewn stryd gefn yn y dref gastellog y trigwn ynddi ar y pryd yng Ngogledd Cymru, ac yng Nghymdeithas Ddiwylliadol y bobl ieuainc y cyfarfûm ag ef gyntaf. Yr oedd llanc yn aelod yn ein capel a alwem oll yn Tomos, credaf mai Hughes oedd ei gyfenw, bachgen da a ffyddlon iawn. Y mae dros ddeng-mlynedd-ar-hugain er hynny, a chyda'r blynyddoedd y mae'n sicr gennyf fod Tomos wedi cynyddu yn ei ymroddiad, a'i fod erbyn hyn yn golofn gadarn ynglŷn â'r Achos yn rhywle, os ydyw'n fyw.

Yr oedd gennym Gymdeithas Ddiwylliadol bobl ieuainc bur lewyrchus, a'r ieuenctid yn ffyddlon iddi a brwdfrydig yn ei chylch. Daeth Tomos i'r Gymdeithas ryw noson â llanc ieuanc deniadol gydag ef, tua'r un oed ag ef ei hun. Ar y diwedd daeth ag ef ataf gan ei gyflwyno imi fel ei gyfaill Idris, a gofyn a oedd rhyddid i Idris fynychu'r Gymdeithas, gan mai mewn capel arall lle nad oedd Gymdeithas Bobl Ieuainc yr oedd yn aelod, ac mai dyna pam y dymunai Idris ddyfod gyda'i gyfaill i'n Cymdeithas ni. Cafodd groeso calon. Bob yn dipyn cymerai ran yn y cyfarfodydd, ac yr oedd ei gyfraniad bob amser yn dderbyniol iawn, ac yntau ei hun yn dderbyniol dros ben. Ffodus, efallai, yw'r math hwn o ddyn. A rhai eraill yn gorfod llafurio'n galed a dadlau eu hachos yn chwyslyd cyn ennill gwrandawiad, y mae swyn personol y math hwn yn toddi pob gwrthwynebiad, heb nac ymdrech na dadl, ac fe'ch cewch eich hunain yn ymostwng iddynt hwy a'u harweiniad. Yr oedd y swyn hwn yn Idris. Yr oedd gallu rhyfedd ganddo i ddenu ato, a hawdd tybio yr âi drwy fywyd yn bur rhwydd, yr ufuddheid iddo a'i ddilyn ef ei hun, ac nid oherwydd unrhyw argyhoeddiad mai ef a oedd yn iawn. Byddai'r ieuenctid yn ymostwng i arweiniad Idris, cyn cael amser i gasglu eu meddyliau at ei gilydd i benderfynu a oedd y safle a gymerai'n ddiogel ai peidio. Un felly oedd Idris, a thybiwn y byddai'n arweinydd campus drwy ei fywyd yn ei bwysau. Eithr llanc tlws oedd Idris, nid hardd, ac nid oeddwn ar y pryd wedi mesur a phwyso arwyddocâd hynny mewn byd fel hwn. Yn araf deg y deuthum i weld yr agwedd arall ar ei gymeriad, fod rhyw feddalwch ynddo na allai wrthwynebu dylanwadau eraill arno yntau. Dyma'r unig beth a wnâi imi bryderu, efallai braidd yn anniffiniol, yn ei gylch. O dipyn i beth deuthum i ddiolch am Tomos. Swyn Idris a ddenodd Tomos ato. Gobaith Idris oedd cadernid Tomos. Bachgen cyffredin oedd Tomos, heb fawr o atyniad ynddo, ond bod rhyw gadernid tawel ynglŷn ag ef y byddai angen corwyntoedd i'w siglo, ac a allai fod yn amddiffyniad disigl i rai gwannach nag ef ei hun. Nid oedd fy mhryder am Idris fawr mwy nag anesmwythyd annelwig, heb fod yn ddigon pendant i droi'n unrhyw fath o argyhoeddiad ynof, canys gwyddwn fod Idris yn ddiogel tra pharhai ef a Tomos yn gyfeillion. Eithr nid oedd fy malchder oherwydd ei gysylltiad â Tomos yn ddim pendant, dim ond rhyw dawelwch meddwl pan ddigwyddwn eu gweld gyda'i gilydd.

Heb fod nepell o'r dref yr oedd plasty yn y wlad, ar lawr y dyffryn, a masnachwr cotwm mawr, a'i fasnach yn ninas Manchester, yn trigo ynddo. Clerc personol iddo ef yn y plasty oedd Idris, ac o'r herwydd o fewn cyrraedd ei gartref, a minnau'n taro arno'n bur aml. Deuai tymor y Gymdeithas Ddiwylliadol i ben tua diwedd Mawrth, ac ni ddeuwn ar draws Idris mor aml yn ystod misoedd yr haf, ond pan ddigwyddwn daro arno ym min yr hwyr byddai ef a Tomos yn gyson gyda'i gilydd. Daeth fy nhymor yn y dref honno i ben, a symudwyd fi i ddinas Manchester lle'r oedd prif swyddfa meistr Idris. Gyda fy symudiad yno collais bob golwg ar Idris, ond deuwn ar draws Tomos pan ymwelwn â'r hen dref, gan ei fod yn aelod yn y capel yno, ac Idris yn aelod mewn capel arall. O'r herwydd ni ddeuwn ar draws Idris yn yr ymweliadau hyn, ond cawn eirda amdano gan Tomos, a bod eu cyfeillgarwch yn dal yn gadarn. Gyda threigliad amser ofnaf imi anghofio am Idris, ond yr oeddwn yn dawel fy meddwl, ac y mae'n debyg mai dyma a barodd yr angof.

Daeth yr amser imi i adael Manchester am Lerpwl. Rhyw brynhawn yn ystod dyddiau prysur y paratoadau at symud, prynhawn ofnadwy wlyb a budr-niwlog na all ond Manchester gynhyrchu ei fath, canodd y gloch ac euthum i'r drws. Safai gŵr ieuanc o'm blaen, lluniaidd, dymunol anghyffredin, a threfnus iawn. Gofynnodd imi'n garuaidd, wrth fy enw, sut yr oeddwn, mewn Cymraeg glân gloyw. Nid oedd gennyf y syniad lleiaf pwy ydoedd, ond gwahoddais ef i mewn. Ni fynnai am dipyn fy hysbysu pwy oedd, gan fy nghadw i ddyfalu, gan wybod yn ddiau pan ddeuwn i wybod y byddwn yn falch ohono ef a'i hanes. Gan na allwn ddyfalu bu'n rhaid iddo ddweud wrthyf, " 'Dydech chi ddim yn cofio Idris," meddai, " a ddeuai i'r Gymdeithas gyda Tomos ?" Yr oedd wedi newid yn anghyffredin, wedi graenuso a mynd yn fwy dyn, a hawdd oedd gweld, beth bynnag oedd ei hanes, ei fod yn dyfod ymlaen yn y byd. Gelwais fy mhriod yno, ac yr oedd hithau cyn falched o'i weld â minnau, ac aeth ar unwaith i baratoi cwpanaid o de iddo. Wrth y bwrdd te fe gawsom ei hanes, hanes ymroddiad a

dyrchafiad a rhagolygon campus. Ymddengys ei fod
wedi gadael cartref ers tro, ei feistr wedi ei anfon i ddinas
Derby i ennill profiad ; ei fod wedi gorffen yno fath o
brentisiaeth, ac aros yno wedyn am dymor i berffeithio
mwy arno'i hun, ac yn awr yr oedd yn dyfod i'r brif
swyddfa ym Manchester, yn brif glerc, a dwsin o glercod
yn gweithio iddo.   Clywsai mai ym Manchester yr oeddwn
innau, a chawsai fy nghyfeiriad, a'i neges oedd gofyn imi
a wyddwn am le cyfaddas yn llety iddo.   Wedi rhoi'n
pennau ynghyd am ychydig, meddyliodd fy mhriod a
minnau am le campus iddo, y gellid dibynnu arno ym
mhob ystyr, os gellid ei dderbyn iddo.   Yr oedd gwraig
weddw famol a gofalus, ac yn Gymraes o gefn gwlad
Cymru, yn cadw llety i wŷr ieuainc.   Adwaenwn rai
ohonynt, a mawr oedd eu canmoliaeth i'w llety.   Aeth
fy ngwraig ag Idris yno ar ôl te, a dychwelodd ar ei phen
ei hun, wedi ei adael yno.   Bore Sul yr oedd Idris yn y
capel gyda'i letywraig, ac ef a hithau'n fodlon iawn ar ei
gilydd.   Teimlai ef ei fod wedi cael gwir gartref oddi
cartref, a dywedai hithau na bu yn ei thŷ ŵr ieuanc mwy
dymunol.   Yr oedd Idris yn ddedwydd iawn yn ei waith
hefyd, a'i ragolygon yn ddisglair ;   a gwelwn innau nad
oedd dim i'w rwystro, gydag amser, i fod yn un o'r Cymry
grymusaf a mwyaf dylanwadol yn yr holl ddinas.   Dyna
ragolygon Idris ddiwedd Gorffennaf y flwyddyn honno,
eithr pa angel, neu'n hytrach pa gythraul, a allai ddyfalu
ei hanes cyn diwedd y flwyddyn ?

Pan ddaeth diwedd Awst, daeth yr amser imi fynd o
Manchester i Lerpwl.   Ychydig cyn fy ymadawiad yr
oeddym wedi gwerthu hen gapel Dewi Sant, yng nghanol
y ddinas, a fuasai ar ei draed am gant ac un-ar-ddeg o
flynyddoedd, ac yr oeddym yn paratoi at godi capel newydd
yn Pendleton, gan mai yno yr oedd y bobl erbyn hyn.
Dychwelais i'm hen gylch ymhen deufis wedyn i wasanaeth
gosod sylfeini'r capel newydd, tri mis ar ôl i Idris ddyfod
i'r ddinas â'i ragolygon yn ddisglair.   Gwelais ei lety-

wraig, a drwg oedd gennyf ddeall nad oedd pethau mor
ddisglair ag y buont. Ymhlith ei lletywyr yr oedd gŵr
ieuanc, gŵr ieuanc dymunol iawn, ond yn ymhela tipyn
â diod, a dywedai fod Idris ac yntau wedi mynd yn gyfeill-
gar iawn, a'i bod yn sicr fod Idris ag aroglau diod arno pan
ddaethant o'u tro ryw fin nos, ond nad oedd wedi sylwi ar
ddim o'r fath arno yn ystod yr wythnosau cyntaf, cyn
dyfod i afael y llanc hwn, a phryderai ynghylch colli enw
da ei thŷ. Wedi iddo ddechrau cyfeillachu â'r llanc
hwnnw y dechreuodd y drwg, a bod y llanciau eraill yn
dechrau mynd yn anfoddog. Trewais arni wedyn ymhen
ychydig wythnosau, ac yr oedd ganddi stori drist iawn i'w
hadrodd. Yr oedd y ddiod â'i gafael yn dynnach o lawer
ar Idris erbyn hyn nag ar y bachgen arall. Ni wn ddim
am ei deulu, a oedd rhyw wanc gudd ynddo nas deffro-
asid hyd yn hyn ai peidio, ac fel â'r darfodedigaeth, na
wyddai yntau fod y duedd ynddo nes dyfod i gyffyrddiad
uniongyrchol â'r drwg, ac yna cwympo. Cyfarfod â'r
lletywraig wedyn, a deall bod Idris ar y goriwaered, erbyn
hyn wedi colli ei le yn y swyddfa, ac yn berygl i'r llety-
wyr eraill, ac yr ofnai y byddai'n rhaid iddi ei droi
ymaith, gan ei fod hefyd mewn cryn ddyled am ei lety.

Eithr nid oedd y drwg hwn ond diniwed o'i gymharu
â'r drwg a oedd i ddyfod i'r llanc glân a dymunol a ddeuai
gynt i'r Gymdeithas Ddiwylliadol yn y dref honno yng
Nghymru. Collodd Idris ei le, collodd ei lety, ac am
ysbaid ni wyddai ei hen letywraig ddim amdano. Yn
ystod fy mis Ionawr cyntaf yn Lerpwl derbyniais lythyr
oddi wrth wraig a drigai yn y dref honno yng Nghymru,
yn dweud bod ei mab yn dechrau ar waith yn Lerpwl, ac
a allwn ddyfod o hyd i lety cyfaddas iddo. Ar ddiwedd ei
llythyr dywedai,—" Y mae'n debyg eich bod wedi clywed
am ddiwedd trist Idris." Eithr nid oeddwn wedi clywed
gair amdano ar ôl yr hyn a glywswn gan ei letywraig, ac
nid oedd neb yn y cylch y gallwn ei holi. Ymhen deuddydd,
fodd bynnag, yr oeddwn yn mynd i Gymru, ac ar stesion

Lime Street cyfarfûm â hen ffrind o dref cartref Idris.
Soniais wrtho am y llythyr gan ofyn am oleuni ar y dir-
gelwch. " Y cwbl a wyddom," meddai, " yw eu bod
wedi dyfod o hyd i'w gorff yn y *Manchester Ship Canal*, ac
olion arno mai diwedd drwy drais a gafodd, a bod olion
paent a phowdr ar ei wyneb, a'r crwner wedi dweud ei
bod yn amlwg fod y gŵr ieuanc hwn wedi byw bywyd
ofer iawn." Dyna'r cwbl, ond ni fynegwyd y gwaethaf
o lawer iawn. Ni chlywais air wedyn amdano ef a'i
ddiwedd am ugain mlynedd. Yn ystod yr haf y flwyddyn
honno gwelais ei hen letywraig, erbyn hyn yn trigo mewn
pentref diarffordd yng Nghymru ac yn llawn dyddiau.
Euthum i sôn am hen amseroedd, a daeth enw Idris i'r
ymddiddan. Tosturiai'n ddwys dros Idris druan, bachgen
dymunol ond hawdd ei ddenu, ac na buasai wedi mynd
fel yr aeth oni bai am " y dyn ofnadwy hwnnw," er
gwaethaf gafael y ddiod arno. Nid y llanc a'i denodd i
ddiota oedd " y dyn ofnadwy hwnnw." Yr oedd y llanc
hwnnw yn dal i ymhela â'r ddiod, dyna'r cwbl. Un arall
oedd y cythraul a ddaeth o hyd iddo pan oedd ar lawr,
gan ei ddefnyddio i'r pwrpas mwyaf dieflig y gall dyn
ddefnyddio'i gyd-ddyn, na, y gall cythraul ddefnyddio
bod dynol erddo. Bachgen tlws oedd Idris, a gwelodd y
cythraul hwnnw y gallai ddefnyddio wyneb tlws Idris i'w
bwrpas uffernol ei hun. Cymerodd ef i'w gartref a phryn-
odd ddillad merch iddo a gwallt gosod. A gwaith Idris
oedd eu gwisgo bob min nos, a'i baentio a'i bowdro'i hun,
a chrwydro'r strydoedd i ddenu i dŷ ei gyflogwr y godin-
ebwyr a'r trythyllwyr, y gwŷr "wedi gadael yr arfer natur-
iol," chwedl Paul, " a ymlosgent yn eu hawydd i'w
gilydd." Rhyw noson daeth Idris i'r ddalfa ac nid oedd
yn ddiogel i'r gŵr hwnnw ei gyflogi mwy. Y peth nesaf
oedd dyfod o hyd i'w gorff ym merddwr Camlas Longau
Manchester ac ôl cam-drin enbyd arno. Idris druan,
nid oedd ganddo unrhyw siawns wedi i gythraul gael gafael
arno. A ddeuai atgof am nosweithiau dedwydd y Gym-

deithas Ddiwylliadol ato tybed, ambell waith, ac atgof am
gadernid ei gyfaill Tomos a hiraeth am fod dan ei gysgod,
wrth grwydro'r stryd i wneud gwaith butraf dynolryw?
Ac a feddyliai am y gŵr a oedd â'i obeithion mor uchel
amdano bedwar mis ynghynt?

XV

STORI YMGANGHENNOG

O'R holl gnafon a gyfarfûm erioed, merched oedd y mwyaf sarffaidd. Am ddichell dieflig, yr oedd y cnafon o feibion yn fabanod blwydd o'u cymharu â hwy. A'r waethaf oll oedd Ida Smithers. Y mae'r stori hon, yn ei henwau a phopeth, yn llythrennol wir, ac eithrio enw y gnawes ei hun. Credais mai buddiol oedd newid hwnnw.

Nos Fercher ydoedd, Hydref 28, 1925, a minnau newydd ddychwelyd adref o fod yn pregethu yng Nghapel Dewi Sant, Manchester, ac yn y ddinas er diwedd Awst. Eisteddwn wrth y tân yn y naill ystafell a'm priod yn paratoi swper yn y gegin.

Canodd cloch y drws ffrynt a chlywn fy mhriod yn mynd i agor y drws. Clywn lais merch yn gofyn yn Saesneg a oeddwn i mewn. Gwahoddwyd hi i'r tŷ, agorwyd drws yr ystafell yr oeddwn ynddi a'm priod yn ei harwain i mewn gan ddweud bod merch ieuanc eisiau fy ngweld, a'i gadael gyda mi a mynd yn ôl i'r gegin. Merch ieuanc o'r pedair i'r chwech-ar-hugain oed, drwsiadus a thlos anghyffredin, a boneddigaidd. Gofynnais iddi eistedd. Eisteddodd y naill ochr i'r tân a minnau'r ochr arall, a dechreuodd ar ei stori. " Yr ydych yn synnu," meddai, gan fy annerch wrth fy enw, " fy ngweld yn galw yr amser yma ar y nos, ond yr wyf mewn tipyn o anhawster. O Fostyn y deuaf—." Torrais ar ei thraws gan ddweud yn Gymraeg,—" O Fostyn, 'rydwi'n 'nabod Mostyn, pwy ydych yno ?" Edrychodd braidd yn hurt, a gwelwn na wyddai air o Gymraeg nac am Fostyn, a gwelais ar unwaith mai ar berwyl drwg yr oedd hi. Ni chymerais arnaf wrthi hyn o gwbl, ond troi i Saesneg a dweud wrthi am fynd ymlaen â'i stori. Dywedodd fod ganddi chwaer yn gweithio ym Manchester, a'i bod hithau wedi cymryd yn ei phen yn sydyn i roi " *surprise visit* " iddi, a chododd docyn diwrnod i'r perwyl. Pan alwodd heibio i'r lle y gweithiai, fodd bynnag, dywedwyd wrthi fod ei chwaer yn rhydd am y diwrnod, ei bod wedi mynd i Urmston i edrych am gyfeillion ac na fwriadai ddychwelyd tan drannoeth. Carai hithau aros yn y ddinas tan drannoeth er mwyn gweld ei chwaer, ond nad oedd ganddi ddigon o arian i dalu am lety. Tybiai y gallai gael llety yn un o gartrefi Byddin yr Iachawdwriaeth am dri a chwech, llety cysurus, glanwaith, a diogel i un fel hi. Stori daclus, ond amheuwn hi'n fawr a dechreuais ei holi am fanylion pellach. Dywedodd ei bod yn gyfarwydd â Manchester, mai cantores oedd, ac iddi fod droeon yn canu yng ngwasanaethau'r *Central Hall*. Dechreuais ei holi am y gwasanaethau yno, ond torrodd ar fy nhraws yn y modd mwyaf medrus, a gofyn a wyddwn am Gonwy. " Gwn," meddwn, " yr oeddwn yn pregethu yno wythnos i heddiw." Teimlai ei safle'n cadarnhau. " A ydych yn adnabod Mr. Harker ? " meddai. " Ydwyf," meddwn, " ef a'm hebryngodd i'r stesion ar ddiwedd y cyfarfod." " Dyn neis ydi Mr. Harker," meddai, " a ydych yn adnabod ysgrifennydd yr Eglwys ? " " Ydwyf," meddwn, " ef oedd yn ysgrifennu ataf." " Y mae ef a minnau'n ffrindiau," meddai, " mae gen i lythyr oddi wrtho." Gŵr ieuanc oedd ysgrifennydd yr Eglwys. Tynnodd y llythyr o'i bag a'i ddangos imi. Llythyr caru ydoedd, yn gofidio iddo fethu ei chyfarfod y noson a'r noson ac yn ceisio trefnu noson arall. Ac yr oedd y llythyr yn gwbl ddilys, canys yr un llawysgrif yn union oedd ynddo â'r llawysgrif yn fy llythyr innau a gefais ganddo'n fy ngwahodd yno. Rhoddais ef yn ôl iddi gan edrych yn syn. Yr oedd y cwbl yn glir ei bod yn dweud y gwir, ond gwyddwn ei bod yn fy nhwyllo. " A ydych yn adnabod y Parchedig J. Lloyd Hughes ? " meddai. " Ydwyf," meddwn, " ef a'm dilynodd i'r lle yr oeddwn ynddo cyn dyfod yma." " Yr oedd-

wn i'n canu yng nghyfarfod ymadawol Mr. Lloyd Hughes,"
meddai, a thynnodd o'i bag gopi o bapur lleol Conwy yn
cynnwys hanes y cyfarfod ymadawol, a dywedid ynddo,—
" *Songs were sung by Miss Ida Smithers.*"   Yr oedd ei stori'n
mynd yn gadarnach bob gafael, a'm dryswch innau'n
mynd yn fwy, canys gwyddwn ei bod yn fy nhwyllo er ei
bod yn dweud y gwir.

Sylwodd ar fy nryswch yn dyfnhau wrth imi fodio'r
papur.   Yn ymyl fy nghadair yr oedd cadair arall.   Cod-
odd yn sydyn a daeth ac eistedd yn y gadair honno.
Rhoddodd ei phenelinoedd ar fraich fy nghadair ac edrych-
odd i fyw fy llygaid, a gwên hyfryd ar ei hwyneb ond gwên
gwbl ddieflig, a dywedodd yn garuaidd,—"'Dydych chi
ddim yn fy nghoelio, Mr. Davies ?" a rhoddodd y fath
osodiad ar ei chorff ag y gwyddwn fy mod wedi fy nhrapio.
Os gwrthodwn ei chais, gwaedd, a disgwyliai weld fy
mhriod yn rhuthro i mewn a'n perthynas â'n gilydd yn
edrych yn amheus iawn.   Fy nghysur oedd nad oedd hi'n
adnabod fy mhriod, ac y tybiai mai un debyg i'r merched
yr oedd hi'n gyfarwydd â hwy yn ei byd hi ydoedd.
Ceisiais ymddangos yn gwbl ddigyffro, gan gymryd arnaf
nad oeddwn yn gweld drwy'r dichell, ac euthum dros ei
stori'n hamddenol.   " Dyna'r safle onid e ?" meddwn.
" Os felly," meddwn, " yr wyf yn fodlon i'ch helpu."
Tybiwn hefyd y gallai hynny, efallai, oedi ei chwymp
terfynol am un noson, o leiaf, er na welwn ond dinistr a
dinistr terfynol yn ei haros cyn bo hir.   Rhoddais iddi'r
tri-a-chwech.   Diolchodd yn gynnes gan ddweud y
galwai drannoeth i'w talu'n ôl wedi iddi weld ei chwaer.
Wrth gwrs, ni welais hi o'r dydd hwnnw hyd heddiw, ond
daeth goleuni buan imi ar ei stori,—stori wir ac eto gwbl
gelwyddog, yn ei holl arwyddocâd.

Yr oeddwn i bregethu y Sul wedyn a nos Lun yn Llan-
elli, ac i ddarlithio i'r Cymrodorion nos Fercher, ac i
Gymrodorion Llandeilo nos Iau.   Arhoswn dros yr amser
yn Llanelli ar aelwyd fy hen gyfaill W. D. Jones, y post-

feistr. Pan gyrhaeddais nos Sadwrn adroddais stori Ida Smithers. Dywedodd yntau fod gŵr ieuanc o Gonwy yn aelod o'u heglwys yn Llanelli ac yn gweithio yn y banc yno, ac y gwahoddai ef yno nos Sul i swper er mwyn imi ei holi. Daeth y gŵr ieuanc, ac adroddais y stori wrtho. Atebodd na wyddai ddim am y peth, ond yr anfonai lythyr drannoeth at ei chwiorydd ac y cawn ateb cyn ymadael â Llanelli. Daeth ateb yn dweud bod merch o'r enw yn canu yng nghyfarfod ymadawol y Parch. J. Lloyd Hughes; ei bod yn gyfeillgar ag ysgrifennydd yr Eglwys; na wyddent ddim mwy na hynny ar y pryd, ond yr holent ymhellach ac y caffai eu brawd air ar unwaith.

Daeth y gair fore Iau. Daeth merch ieuanc i Gonwy gan gymryd llety yno am wythnos a dweud mai cantores ydoedd. Trawodd hi ac ysgrifennydd yr Eglwys ar ei gilydd ac aethant yn gyfeillgar, a bu am dro gyda hi fwy nag unwaith, ac mai ef a'i cafodd i ganu yn y cyfarfod ymadawol. Eithr mai'r gair olaf a glywsant yn ei chylch oedd ei bod yn y ddalfa yn Llandudno am ddianc o Gonwy heb dalu am ei llety, a drygau eraill.

Y mae stori fy ymweliad â'r De yn ymganghennu yma. Ysgrifennydd Cymrodorion Llandeilo oedd Mr. Stephen J. Williams, athro ieuanc yn yr Ysgol Sir, newydd briodi ac yn aros ar aelwyd ei dad-yng-nghyfraith. Erbyn hyn —Dr. Stephen J. Williams, Abertawe. Cawswn air ganddo y byddwn yn aros dros y noson gyda fy hen gyfaill coleg, y Parch. W. J. Arter. Euthum yno gan gyrraedd tua chwech, a Mr. Williams yn fy nghyfarfod a dweud na allai Mr. Arter ddyfod, ei fod yn Llandebïe mewn gwasanaeth dadorchuddio cofgolofn filwyr, ac y deuwn gydag ef i aros yr amser. Pan ddaeth yr amser cychwynasom. Wrth ddynesu at dŷ Mr. Arter, gwelem olau yn yr ystafell ffrynt, mewn ffenestr fwa. Gelwais i adael fy mag yno a churo'r drws ond nid oedd ateb. Curo wedyn ond dim ateb. Pan oeddym ar gychwyn oddi yno agorwyd drws yn yr ochr a daeth Mr. Arter drwyddo â'i facintosh ar ei

fraich. Croeso mawr gan ddweud ei fod newydd gyr-
raedd ond yn methu mynd i mewn, na allai ei wraig fod
ymhell gan fod golau yn y ffenestr. Dywedais nad oedd-
wn yn bwriadu galw, dim ond gadael fy mag. "Dos yn
dy flaen," meddai, "mi gymera i'r bag." Ceisiodd agor
panel i'r ffenestr a llwyddodd, rhoddodd y bag i mewn a
neidio i mewn drwy'r ffenestr ar ei ôl, tynnu'r panel i
lawr, a'r llenni, a dyna'r olwg olaf a gafodd neb ar Mr.
Arter yn fyw,—gŵr tew, rhadlon, chwech-a-deugain oed.
Aethom i'r ddarlith, a Mr. Williams yn derbyn tocynnau
wrth y drws. Wedi imi fod wrthi beth amser daeth
geneth i'r golwg wrth y drws mewn slip ysgol, a galw rhyw-
un allan. Ymhen ysbaid daeth geneth arall i mewn â
slip debyg amdani, a galw rhywun arall allan. Ymhen
ysbaid wedyn daeth gwraig mewn ffedog i'r drws a galw
rhywun arall allan. Ar y diwedd cododd y cadeirydd i
siarad a daeth Mr. Williams i lawr ataf.

"Beth oedd yr helynt o hyd wrth y drws?" meddwn.

"Peth ofnadwy sydd wedi digwydd, Mr. Arter wedi
marw," meddai.

Aeth fy wyneb fel y galchen, a dyna'r arwydd cyntaf
a gafodd y gynulleidfa fod dim o'i le.

Galwasom heibio i dŷ Mr. Arter. Yr oedd y tŷ yn llawn
o gymdogion, a'm bag dan y ffenestr yn union lle y gadaw-
sid ef ganddo. Ymddengys ei fod wedi mynd i fyny'r
grisiau i ymdacluso cyn dyfod i'r ddarlith. Daeth ei wraig
i mewn a chlywed griddfan. Rhuthrodd i fyny a dyna
lle'r oedd ei phriod yn gorwedd yn anymwybodol ar wely.
'Phonio am y meddyg, ond cyn iddo gyrraedd yr oedd Mr.
Arter wedi mynd. Dywedodd Mr. Williams wrthyf y
cawn aros y noson yn eu tŷ hwy. Eithr creadur dychryn-
edig a geisiai ymdawelu yn y gwely y noson honno. Pob
tro y nesâi cwsg—hunllef ar ôl hunllef a gwaedd, a hynny
tan y bore. Ymhen blynyddoedd y dywedodd Mr.
Williams wrthyf mai ei wely ef a gawswn ac yntau'n ym-
daro gorau y gallai ar y soffa.

Yn ôl at Ida Smithers.   Gŵr gwelw, ysig, brawychus a gyrhaeddodd Manchester brynhawn drannoeth, a gwelodd ei briod ar drawiad fod rhywbeth ofnadwy o'i le arno, ac ni ddaeth ato'i hun nes bod dan driniaeth meddyg. Cyrraedd adref a throi i'r ystafell at y tân a'r wraig i'r gegin i baratoi bwyd.   Aeth cloch y drws ffrynt ac euthum i agor. Safai merch ieuanc ar garreg y drws,—"Os gwelwch yn dda," meddai, "a yw Miss Ida Smithers yn aros yma?" "Nac ydyw," meddwn, "a wyddoch chwi rywbeth amdani?" "Gwn," meddai. "Dowch i mewn," meddwn, a'i harwain i'r ystafell ac i eistedd yn y gadair y cefais yr hyfrydwch o weld Miss Smithers ynddi naw noson ynghynt.

Aeth y ferch ymlaen i ddweud ei stori.   " Yr wyf yn gweithio ym Manchester," meddai, " ac yn lletya yn Rhif 120 yn y stryd hon. Gwraig weddw sydd yn byw yno ac yn lletya pobl ieuainc ac y mae nifer dda ohonom. Galwodd merch ieuanc o'r enw Miss Smithers heibio ryw dair wythnos yn ôl gan ofyn am lety a derbyniwyd hi. Talodd am ei lle bob dydd am wythnos.   Yr oedd yn ferch swynol iawn ac aeth yn boblogaidd iawn yn ein plith. Canai'n gampus a diddorai ni'n aml â'i chanu. Ymhen yr wythnos peidiodd â'i thalu cyson am ei llety, gan wneud gwahanol esgusion.   Aeth y lletywraig yn anesmwyth gan fygwth ei throi ymaith, ond yr oeddym oll wedi ymserchu cymaint ynddi nes eiriol drosti a chafodd aros wythnos yn hwy.   Ar ginio wythnos i ddydd Mercher diwethaf dywedodd yn ddidaro fod ganddi ewythr o gapten llong yn byw yn Rhif 18 (sef y tŷ yr oeddym ynddo ar y pryd, a chan hynny myfi oedd y capten llong), na byddai gyda ni i de gan ei bod wedi addo ymweled ag ef a'i deulu. Ar ôl cinio aeth allan, a dyna'r olaf a welsom ohoni." Hysbysais hi ei bod yn debyg mai dyna'r olaf a welsent ohoni byth, gan fynd ymlaen i adrodd fy mhrofiad innau ohoni wrthi, a bod Miss Smithers erbyn hynny'n ddiau yn rhwydo rhywun â stori ramantus arall.   O'r dydd hwnnw hyd heddiw ni chlywais air amdani.

Ac y mae'r stori'n ymganghennu unwaith yn rhagor. Tai mawr iawn oedd tai'r stryd honno, a fu'n stryd y mawrion unwaith, ond a oedd wedi colli eu cotwm erbyn hyn. Arwydd o hynny oedd bod Iddewon a phobl dduon yn dechrau dyfod iddi, a phobl gyffredin yn eu rhentu yn lletyau, megis y wraig weddw yn Rhif 120. Yr oeddynt yn gampus i wŷr mil y flwyddyn, a mil oedd mil yn yr oes honno, pan ellid fforddio tair a phedair o forynion, ond yr oeddynt yn lladdfa i wraig gweinidog na allai fforddio morwyn o gwbl. Bu'r tŷ y trigwn ynddo yn enwog iawn unwaith yn nhraddodiadau Methodistiaeth Galfinaidd. Yno y trigai am flynyddoedd Mr. Frimstone, ysgrifennydd Eglwys Moss Side a mab-yng-nghyfraith William Roberts, Amlwch. Cefais gan gyfaill olwg ar lu o ohebiaethau Mr. Frimstone, ac yn eu plith restr o'r gwŷr mawr a fu'n bwrw Sul yn y tŷ hwnnw. Yn eu plith yr oedd Henry Rees, Gwilym Hiraethog, Dr. Lewis Edwards, Dr. Owen Thomas ac Islwyn. Y mae'r rhestr gennyf heddiw. Yr oedd gohebiaeth yn eu plith hefyd rhwng Mr. Frimstone a Roger Edwards yr Wyddgrug gyda golwg ar wahodd Roger Edwards yn weinidog i Moss Side. Y cyflog oedd achos y gohebu mawr. Yn y diwedd gwrthod a wnaeth Roger Edwards, am y caffai fwy drwy ei gyflog yn yr Wyddgrug, a'r hyn a gaffai oddi wrth y *Traethodydd* a'r *Drysorfa*, nag a gynigid iddo gan Eglwys Moss Side. Y tebyg yw y credai y buasai'n rhaid iddo ymwadu â'r cyhoeddiadau hyn os deuai i Manchester, ac yr oedd arian yn ystyriaeth hyd yn oed gan y Tadau ymroddedig gynt.

Yn ôl unwaith eto at Miss Ida Smithers. Fy nryswch oedd sut yr oedd wedi gallu fy ngalw wrth fy enw pan alwodd heibio inni. Pan ddeuthum i Goleg Didsbury, ar gwr Manchester, yr oedd plismon ieuanc yn y ddinas o'r enw William Price, o Lanrhaeadr ym Mochnant. Deuthum i a'm hen gyfaill Evan Roberts yn gryn ffrindiau ag ef, a llawer y cydgerddasom ag ef ar nosweithiau gaeaf pan oedd ar ei rawd, a ninnau wedi llithro allan o'r coleg, ac yntau'n adrodd i lanciau genau-agored o'r wlad ddichellion pechaduriaid dinas fawr. Pan euthum i Manchester yn weinidog, William Price oedd arolygydd Adran Belle Vue o'r plismyn, ac yr oedd yn swyddog gwerthfawr yn Eglwys Beulah, Openshaw. Adroddais stori Miss Smithers, gan ofyn, yn enw pob rheswm, sut yr oedd wedi dyfod o hyd i'm henw. Atebodd y gallai fod wedi dyfod o hyd iddo mewn *Directory*. Atebais fod hynny'n amhosibl, gan nad oedd gennyf deliffon, a phe bai gennyf un, na bûm yno'n ddigon hir i gael fy enw i mewn. " Gallai fod wedi prynu'ch enw," meddai, " os oedd eich rhagflaenydd yn ŵr hael iawn." Fy rhagflaenydd oedd y Parchedig Arthur W. Davies, gŵr hynod o hael. Aeth William Price ymlaen i egluro, fod masnach helaeth ar enwau ymhlith cardotwyr. Rhoddodd enghraifft,—fod gŵr goludog yn byw mewn plasty ar gyrion y ddinas, ac yn hael iawn, yn rhoi chweugain i bob un â stori drist ganddo. Wedi cael ei chweugain âi'r cardotyn i lety cardotwyr a gwerthu'r enw i gardotyn anghyfarwydd â'r plasty am bumswllt, ac y gallai Miss Smithers fod wedi prynu enw A. W. Davies mewn modd felly. Damwain ffodus iddi oedd fy mod i ac yntau â'r un cyfenw inni. Petai'n wahanol buasem wedi dal ei thwyll ar garreg y drws. Gallasai hefyd, wrth gwrs, fod wedi cael enw Mr. Davies mewn rhestr etholwyr etholiad seneddol. Eglurhad William Price hefyd ar leied y swm y gofynnai amdano oedd bod rhai cardotwyr felly, yn gofyn am ychydig er mwyn bwrw heibio amheuaeth,—fod yn haws cael ychydig yn aml na swm mawr ar dro.

Wel, ymganghennodd stori Miss Smithers yn hanes marwolaeth gweinidog yn anterth ei ddyddiau ; hanes enwogion Methodistaidd a nodweddion un ohonynt ; a hanes triciau cardotwyr yn gyffredinol. Eithr drwy'r cwbl, beth a ddaeth ohoni druan, merch hawddgar, dalentog, ar y goriwaered mor gynnar ?

XVI

YN ÔL I'R HAFAN

MERCH o brif ddinas ei sir oedd Annie, a ddaeth dan fy ngofal pan oeddwn yn Leeds. Erbyn hyn y mae pob un a wyddai ei chyfrinach wedi mynd ond mi fy hun, ac am hynny y mae'n gwbl ddiogel. Yr oedd hen ferch yn forwyn yn un o dai mawr Hunslet, tai a fu'n fawr eu bri ond yr uchelwyr erbyn hyn wedi eu gadael, ac yn ffyddlon i bob moddion. Y sylw trugarocaf yn bosibl am ei golwg yw ei bod yn blaen, a hynny o'i thraed, na allent gyd-ddeall ynghylch pa gyfeiriad i fynd, hyd ei llygaid, na allent gyd-ddeall ynghylch pa gyfeiriad i edrych. Yr oedd ei chroen hefyd yn grebachlyd a garw. Gwraig fer, bron yr un hyd a'r un lled,—Miss Willias.

Daeth Miss Willias i'r seiat ryw nos Fercher, a merch arall gyda hi, a aeth ag anadl hyd yn oed y saint pan welsant hi, gan ei hardded. Yr oedd fel petai wedi camu ar ei hunion o un o gywyddau Dafydd ap Gwilym, yn dal a lluniaidd a gosgeiddig, ei chroen fel ifori, ei gruddiau fel rhosynnau cochion, ei gwefusau fel ceirios a'r lliw'n naturiol, ei gwallt gwinau'n dorchau crych, cyfoethog, a'i llygaid yn pefrio. Oni bai am liw ei gwallt gellid tybio bod Olwen y Mabinogion wedi rhoi tro yn ein plith. Tua deunaw oed ydoedd, a chyflawnder bywyd ei deunawmlwydd yn ffrydio allan ym mhob symudiad. Eisteddodd yr hen ferch a gwyrodd ei phen yn ddefosiynol fel arfer, a gwnaeth y ferch ieuanc yr un fath. Ar ddiwedd y cyfarfod yr oedd goleuni na fu erioed ynddynt o'r blaen, yn llygaid yr hen ferch wrth ei chyflwyno i ni oll fel ei nith, Annie, fel petai ei llygaid yn dweud,—" Medr ein teulu ni gynhyrchu rhai fel hyn hefyd.'' Ac yr oedd goleuni na fu ynddynt o'r blaen yn llygaid y llanciau fel

pe baent yn dweud y byddent yn falch o gymryd yr hen
ferch yn fodryb-yng-nghyfraith ond iddynt gael y ferch
hon ar eu henw.   Cafodd Annie groeso mawr gan bawb
ohonom, ac ymddangosai'n gartrefol iawn yn ein plith.
Dywedai'r hen ferch fod Annie wedi dyfod yn forwyn i'r
un tŷ â hithau, ac yr oedd Annie yn ei lle ym mhob modd-
ion yn y capel—am dymor.

Cefais achos droeon i ddweud mai Williams, Meadow
Lane (Medo), sefydlydd yr Eglwys, oedd ein harweinydd,
gŵr â'i holl fryd yn y dyddiau hynny ar ofalu am yr ieu-
ainc, rhag iddynt ddisgyn i bechodau ei ieuenctid ef.
Deuai o hyd beunydd i ryw Gymro neu Gymraes ieuanc a
ddaethai i'r ddinas, gan eu dwyn i'r capel, a'i gartref ef
oedd eu cartref hwythau.   Byddai ei dŷ yn llawn bob nos
Sul o wŷr ieuainc, a Duw'n unig a ŵyr pa nifer a achub-
wyd ganddo rhag mynd ar gyfeiliorn.   Wedi i Annie fod
yn y ddinas am rai wythnosau, a phob amser yn ei lle yn
y capel—ystafell helaeth a rentwyd gan Fyddin yr Iachaw-
dwriaeth wedi iddynt symud i le mwy—hi a'i modryb
gyda'i gilydd, ryw fore daeth yr hen ferch i siop Williams,
yn wyllt a thorcalonnus, i ddweud bod Annie ar goll, ei
bod wedi diflannu o'i lle y noson gynt pan oedd ei mod-
ryb allan ar neges, â'i chist ddillad gyda hi.   Daeth
Williams â'i wynt yn ei ddwrn i'm hysbysu innau, ond er
trafod a meddwl am bopeth ni allem ddyfalu i b'le y gallai
fod wedi mynd.   Aethom gyda'n gilydd i weld yr hen
ferch.   Nid oedd ganddi lewyrch o oleuni i'w daflu ar y
dryswch, ond cydnabu nad oedd Annie yn gwbl fodlon
ar ei lle, a'i bod wedi dweud droeon y carai gael lle ag
amgenach bywyd ynddo na Hunslet a'r cylch, fod y
cylchyniadau'n dechrau mynd yn fwrn arni.   Goruch-
wyliwr siop Crane, y gwerthwyr offerynnau cerdd, oedd
Williams, a nifer o ddynion ganddo yn mynd o dŷ i dŷ i
hel ordors, am bianos yn enwedig.   Daeth un o'r dynion
hynny, hen Gymro diddorol o'r enw Tom Jones, yn ôl ryw
brynhawn gan ddweud ei fod yn croesi Woodhouse Crescent

ac wedi gweld un debyg i Annie yn mynd i un o'r tai.
Gwelwodd Williams gan ddychryn, canys tŷ aflendid
oedd pob un o dai yr heol hir honno yn y dyddiau hynny.
Aeth Williams ar ei union i'r tŷ, a gofynnodd i'r ferch a
ddaeth i'r drws, merch amryliw, a'i pheraroglau'n ddrew-
dod, yn ôl arfer ei chrefft, a oedd Annie Rawlinson yno.
Enw Saesneg, ond Cymraes lân oedd Annie mewn anian
ac iaith. Meddyliodd y beunes i ddechrau mai neges
gyffredin meibion a ddeuai i le felly oedd ei neges, a
dywedodd yn groesawgar ei bod, gan ei wahodd i mewn.
Atebodd yntau'n chwyrn, oni fyddai Annie a'i chist ddillad
ar garreg y drws cyn pen pum munud ei fod am alw
plismon. Aeth y ferch yn drahaus, ond pan welodd nad
oedd syflyd arno trodd ar ei sawdl, ac yr oedd Annie a'i
chist ar garreg y drws, a'r drws wedi ei gau'n ergydiol yn
wyneb Williams, o fewn y pum munud. Beth nesaf i'w
wneud, ni allai ddirnad, canys nid oedd ei modryb am-
dani'n ôl.

Daeth Williams â hi i'm lletty i, a dyna lle buom yn hir
yn trafod a phetruso, ac Annie'n eistedd mewn congl yn
wylo'n ddistaw. Nid diolch inni am ei gwaredu a wnâi,
ond cwyno yn ein herbyn am ei hamddifadu o le campus.
Yr oedd y wraig a ddaeth i'r drws wedi ei gweld ar y stryd
a dechrau siarad â hi, a dweud wrthi fod arni angen
morwyn, fod amryw forynion ganddi ond bod un ohonynt
ar ymadael, a derbyniodd Annie y lle. Nid oedd y gwaith
meddai, hanner mor galed ag yn y lle arall, ac y deuai
gŵr dymunol iawn â brecwest iddi i'w gwely bob dydd o'r
pum niwrnod y bu yno. Gwelem ninnau mai â chroen
ein dannedd y llwyddasom i'w thynnu o'r ffau mewn pryd.
Eithr beth a oedd i'w wneud â hi ? Nid oedd dim ond i
mi geisio perswadio fy lletywraig i'w chymryd i'w gwasan-
aeth, er nad oedd ganddi angen amdani, yna gallwn innau
gadw fy llygaid arni. Yn wir, nid yn unig nad oedd gan
fy lletywraig ei hangen ond prin yr oedd lle iddi yn y tŷ.
Un o'r tai mewn rhes gefn-gefn ydoedd, a gondemnir gym-

aint am nad oes ddrws cefn iddynt, tŷ bychan. Enw'r rhes
oedd Conway Place, ac yn rhyfedd iawn, Mrs. Conway
oedd enw fy lletywraig. Dywedai na allai fforddio cyflog
i Annie, er mai hanner coron yr wythnos a'i chadw oedd
cyflog cyffredin merch o'i hoed a'i phrofiad hi yr adeg
honno. Trefnwyd ar i'r cyflog ddisgyn ar ysgwyddau
eraill, a chadwyd Annie yno'n forwyn. Yr oedd yn hoffus
ac ewyllysgar, ac aeth yn boblogaidd ar yr aelwyd ar
unwaith. Deuai gyda mi'n ffyddlon i'r capel ar y Sul ac
i'r moddion canol wythnos. Rhyw nos Fercher, pan
oeddym ein dau'n mynd ynghŷd i'r seiat, a phan oeddym
ar gyrraedd y drws, dywedodd Annie,—"Dacw ffrind imi
yn y fan acw, rhaid imi gael gair â hi am eiliad, ac mi ddof
ar eich ôl i'r capel." A chroesodd y stryd. Ni ddaeth
Annie i'r seiat. Daeth deg o'r gloch, un-ar-ddeg, hanner
nos, heb sôn am Annie. Pan oeddym ar fin mynd i'n
gwelyâu, wedi anobeithio, clywem ymbalfalu wrth y drws.
Agorodd fy lletywraig y drws ac ymlusgodd Annie i mewn,
a chwympodd ar ei hyd ar yr aelwyd. Amlwg oedd ei
bod wedi ei chyffurio, canys yr oedd rhyw eglurhad yn
angenrheidiol heblaw diod feddwol ar y llygaid gwydraidd
hynny. Soniodd yn floesg am gyfarfod â rhyw lanc, a
mynd am lymaid o lemonêd gydag ef, ac ni chofiai mwy
am ddim ond ei chael ei hun wrth y drws yn ymbalfalu
am y glicied. Yr oedd yn edifeiriol iawn fore drannoeth,
er mai niwlog iawn oedd ei hatgof am yr hyn a ddigwydd-
odd.

Petruster mawr ynghylch beth i'w wneud â hi. Eithr
ymddangosai fel pe wedi llwyr ddiwygio. Yr oedd mor
siriol a byw ag erioed, yn ufudd a pharod, nes ein taflu
braidd oddi ar ein gwyliadwriaeth. Dywedodd ryw
brynhawn Sadwrn fod arni eisiau picio i'r dref ar neges.
Aeth, ond nid oedd wedi dychwelyd am hanner nos. Gan
ei bod yn Sul drannoeth euthum i'm gwely ac addawodd
fy lletywraig aros amdani. Codais fore drannoeth ond
nid oedd sôn am Annie. Holais fy lletywraig yn ei chylch,

a dywedodd i Annie ddychwelyd rhwng hanner ac un a
syrthio ar yr aelwyd fel y tro o'r blaen, a bod hithau wedi
gafael ynddi a'i chodi a'i throi dros y drws. Teimlwn y
gallwn ei thagu. Nid oedd sôn am Annie. Er pob ym-
drech ar ran y blaenor, William Williams, a minnau, yr
oedd fel pe bai'r ddaear wedi ei llyncu. Ymhen rhyw fis
awn i lawr yr heol a elwir Briggate, a phwy a welwn yn
ymwthio drwy'r dyrfa ar y palmant yr ochr arall ond
Annie, yn bluog ac amryliw. Croesais ati, ond y mae'n
amlwg ei bod hithau wedi fy ngweld innau, a phan gyr-
haeddais yr ochr arall yr oedd wedi ymgolli yn y dorf.
Aeth wythnos ar ôl wythnos heibio heb sôn amdani, er
holi a stilio ar ddiarth ym mhob cyfeiriad, canys ni fyn-
nem i neb wybod ein hynt a'n helynt. Cadwai'r hen
ferch, Miss Willias, ei chyfrinach hefyd, a thybiai'r Eglwys
mai wedi dychwelyd i Gymru yr oedd.

Ymhen rhyw dri mis, ar ddiwrnod niwlog ac oer, agor-
wyd drws siop Williams, a phwy a safai o'i flaen, a'r olwg
fwyaf truanllyd arni, ond Annie. Yr oedd yn wlyb at ei
chroen, yn guriedig a llwyd ei gwedd, a dillad tlodaidd a
budron amdani. Aeth Williams â hi i'r tŷ, ac wedi ym-
geledd a thamaid iddi, gwrando arni'n dweud ei chyffes yn
doredig. Yr oedd Annie wedi colli'r ffordd. Am ychydig
tybiai fod ei byd yn wyn, ond buan y bwrir ei bath hi ar y
domen. Ac yn wrthodedig a diymgeledd a newynog a
heb ddimai ar ei helw yr agorodd ddrws y siop y pryn-
hawn hwnnw. Cyffesodd iddi fod yn cysgodi'r nos mewn
tai gweigion o ddiffyg lloches, a bod am ddyddiau heb
damaid, ac Annie edifeiriol iawn a adroddai'r stori.
Galwyd arnaf innau i lawr yno. Addawai Annie bopeth
inni ond inni gael cartref a gwaith iddi. Wedi petruso
cryn dipyn, penderfynasom geisio'i chael i mewn i gartref
anffodusion fel hi, ac yr oedd Annie yn fwy na bodlon i
fynd i le felly. Llwyddasom, ac ymwelem â hi'n gyson, a
buan y dechreuodd ennill yn ôl ei hen raen a'i phrydferth-
wch. Canmolid hi'n fawr gan y rhai a oedd yn gyfrifol

amdani, ei bod yn lanwaith a diwyd a deheuig ei llaw,
a gobeithiem weld Annie eto ar ei thraed, a chwiliem am
le cyfaddas iddi erbyn yr adeg y dywedai "matron" y Car-
tref fod yn ddiogel iddi adael yno. Ymddangosai Annie
yn ddedwydd iawn yno. Dechreuodd ddyfod i'r capel, a
chafodd groeso un yn dychwelyd yn ôl o Gymru.

Daeth gair inni ryw fore fod Annie wedi dianc o'r Car-
tref. Ni allai'r "matron" ddyfalu sut y llwyddodd i fynd
oddi yno, ond yr oedd wedi mynd, a phopeth a oedd gan-
ddi gyda hi. Diflanasai Annie ac nid oedd trywydd iddi o
gwbl. Ni wyddai'r hen ferch ddim amdani a dywedai
na wyddai neb o'i theulu ddim amdani chwaith. Anodd
oedd cadw ei gwir gyfrinach oddi wrth ei theulu ond fe
lwyddwyd. Y cwbl a wyddent hwy oedd ei bod wedi
dianc o'i lle ac ar goll. Âi mis ar ôl mis heibio ond heb
air am Annie. Dychwelais i Gymru. Ymhen rhai
blynyddoedd yr oeddwn yn pregethu yn ei thref enedigol.
Wedi cyrraedd yno deuthum o'r trên a chychwyn o'r
stesion. Clywn lais siriol yn galw arnaf o'r tu ôl imi.
Pan drois fy wyneb pwy a wenai'n braf arnaf ond Annie.
Cydgerddodd â mi gan ddweud ei bod yn dyfod adref i
fwrw Sul. Ni holais ddim arni ac ni chefais ddim o'i
hanes. Colli golwg arni am rai blynyddoedd wedyn, ei
modryb yn ogystal â Williams a minnau, ac yr oedd ei
modryb mewn cysylltiad â'i chartref. Er holi'r hen ferch
ni cheid dim gwybodaeth ganddi. Rhyw fore cefais
lythyr oddi wrth Williams yn dweud ei fod wedi derbyn
llythyr oddi wrth Annie, o gyfeiriad ym Manchester, yn
gofyn am ei phapur aelodaeth i ymaelodi yng Nghapel y
Methodistiaid Calfinaidd, Moss Side. Cwestiwn Williams
oedd pa driciau a oedd gan Annie ar waith erbyn hyn.
Anfonodd lythyr ati a dweud,—" Annie bach, dos yno ar
dy edifeirwch, gan gyfaddef dy bechodau, ac y maent yn
sicr o'th dderbyn yn aelod wedi rhoi tipyn o brawf arnat."
A daeth distawrwydd mawr i amgylchu Annie drachefn.
Holi llawer ond heb air o wybodaeth.

Daliai Williams a minnau i lythyru at ein gilydd yn weddol gyson. Cawn hanes yr Eglwys ganddo,—sôn am y rhai a aeth oddi yno a'r bobl newydd a ddaethai yno. Mewn un llythyr soniai am lanc o Sir Feirionnydd a ddaethai yno, wedi bod mewn amryw drefi yn Lloegr ynglŷn â'i waith cyn dyfod i Leeds, a'i fod ef a'i briod yn ffyddlon iawn ac wedi ymfwrw i fywyd yr Eglwys, a bod rhagolygon y buasai ef yn un o golofnau cadarnaf yr Eglwys bob yn dipyn. Hyfryd i mi oedd clywed newyddion fel hyn o'r hen eglwys. Dywedai Williams hefyd yn y llythyr eu bod wedi llwyddo i gael adeilad mwy hwylus a chanolog i addoli ynddo na'r hen adeilad a rentid gan Fyddin yr Iachawdwriaeth, eu bod yn mynd i'r adeilad newydd ar y dyddiad-a'r-dyddiad, gan fy ngwahodd yno i wasanaeth agoriadol yr adeilad newydd. Addewais, ac euthum yno,—darlith nos Sadwrn a phregethu'r Sul, ac aros i fwrw Sul dan gronglwyd Williams. Ar ddiwedd y ddarlith nos Sadwrn, cyflwynwyd fi i'r bobl newydd a ddaethai yno, a'r gŵr ieuanc y soniai amdano yn ei lythyr yn eu plith, gŵr byw ac eiddgar. Dywedodd y dymunai ei wraig hefyd fy nghyfarfod, na allai ddyfod yno y nos honno am fod ganddynt blentyn bach, ond ei bod yn fy ngwahodd i de brynhawn drannoeth. Codais fy llygaid ac edrych yn ymofyngar ar Williams a chytunodd imi fynd, ond nid oeddwn yn sicr o'r olwg yn ei lygaid. Daeth prynhawn Sul ac wedi'r oedfa euthum gyda'r gŵr ieuanc i'w gartref. Wedi cyrraedd, curodd y drws, ac agorwyd ef, a phwy a'm croesawai yn y drws, yn wên i gyd, a golwg yn ei llygaid yn awgrymu " peidiwch â deud," ond Annie, a'r babi bach tlysaf ar ei braich, a hi a'r babi yn bictiwr o lendid, a'i thŷ hefyd. *Ni ddywedais.* Amlwg oedd na wyddai ei phriod ddim am ei gorffennol ond a ddywedasai hi ei hun. Yr oedd Annie wedi ei stwffio â stori ramantus iawn. Ar de clywais sut y cyfarfuasant gyntaf, ar ddamwain pan oedd ef yn gweithio ym Manchester. Pan ddeallodd y ddau mai Cymry oeddynt aethant i ddweud eu hanes

wrth ei gilydd. Pan ddywedodd ef ei fod yn aelod yng
Nghapel Moss Side dywedodd hithau ei bod yn aelod yno
hefyd. Yn y capel y cyfarfuasant y tro nesaf. Pa bryd y
buasai Annie yn y capel cyn hynny, tybed? O dipyn i
beth aethant yn gariadon a phriodi, ond yr oedd Annie'n
ddiau wedi taenu ei rhwyd pan welodd ef gyntaf erioed.
Cafodd ef waith yn Leeds, a da oedd ganddo ddyfod, canys
dywedasai hi wrtho iddi fod yn gwasanaethu yn Leeds yn
ei dyddiau cynnar, pan oeddwn i yno'n weinidog, a'r fath
eglwys ddedwydd a oedd yno. *Cytunais.* Eithr *ar ôl* ei
gyfarfod yr aeth Annie i chwilio am bapur aelodaeth i fynd
yn aelod ym Moss Side. Ei gwrthod a wnaeth Williams,
ond amheuaf a wnâi hynny pe gwyddai gyfrinach y
" cariad." Llwyddodd Annie rywfodd i gael papur
aelodaeth, sut, pa ddewin a allai ddyfalu? Ond Annie
oedd Annie. Â phapurau aelodaeth o Moss Side y daeth
hi a'i phriod yn aelodau yn Leeds. Eithr gan fod y tŷ fe'
pin mewn papur, ac Annie yn amlwg yn wraig ragorol,
a'r ddau'n ddedwydd iawn, pwy oeddwn i i ddadrithio'i
gŵr? Llanc llwydaidd ei olwg ydoedd. Yn fuan wedyn
dirywiodd ei iechyd a bu farw cyn cyrraedd canol ei ddydd-
iau, ac aeth i'w fedd heb wybod cyfrinach ei briod.

Daeth yr alwad iddi hithau yn ei thro, ond ciliodd yn
fawr ei pharch gan bawb. Codasai ei serch at y llanc
hwnnw hi o'r pridd tomlyd, a gosod ei thraed ar graig a
hwylio'i cherddediad tua thir y bywyd. Pa fodd, tybed,
y cafodd ei phapur aelodaeth? A ddaeth drwy'r drws i
gorlan y defaid, ai dringo ffordd arall a wnaeth?

I

DARGANFYDDIADAU

XVII

Y WRAIG O'R WYDDGRUG

Mrs. Williams, Chatsworth Street, y gelwid hi, a thrigai
mewn stryd o'r enw, yn ardal Gorton, adran o ddinas Man-
chester, ardal fyglyd a'i strydoedd yn hir, undonog, a
huddyglyd. Euthum i Manchester ddiwedd Awst, 1925,
a'r gwaith mawr cyntaf a'm harhosai oedd dyfod o hyd i
gartrefi pobl fy adran i o'r gylchdaith. Yr oedd gennyf
dair eglwys dan fy ngofal bugeiliol, ac Eglwys Openshaw
yn un ohonynt—Eglwys Beulah. Wrth grwydro ardal
Gorton gyda'm harweinydd daethom at Chatsworth
Street. Dywedodd wrthyf fod gŵr a gwraig, aelodau o
Eglwys Beulah, yn byw yn y stryd—Mr. a Mrs. Osborn
Williams—a bod ei fam ef, hen wraig heb fod ymhell o'r
deg-a-phedwar-ugain, yn byw gyda hwynt. Ni freuddwyd-
iais fod yn y sylw syml hwn ddefnydd un o'r profiadau
mwyaf ysgytiol a gefais erioed, a daflai oleuni newydd
sbon ar un o awduron mwyaf oll yr Hen Wlad, ac o bob-
man, mai yn y tŷ hwnnw y llechai'r gyfrinach, yn un o'r
conglau mwyaf Lloegraidd o Loegr. Curo wrth y drws.
Agorwyd ef gan y wraig a'n gwahodd i mewn. Holais eu
hynt, a dywedodd fod ei mam-yng-nghyfraith yn or-
weiddiog, nid yn wael, ond wedi cael damwain fach ac
anafu ei choes. Euthum i fyny'r grisiau. Gwelais ddrws
agored, ac o'm blaen yn fy wynebu, yn eistedd mewn
gwely, yn gwenu'n groesawgar arnaf, hen wraig iach yr
olwg, gadarn, dal a chyhyrog, yn fywyd i gyd. Wedi
mynd i'r llofft a'i chyfarch, dechrau ei holi am ei hiechyd
a pha bryd y gadawsai'r Hen Wlad am le felly, dywed-
odd ei bod ym Manchester ers tua hanner can mlynedd,

a'i bod yn ddeugain yn dyfod yno. Eithr nid oedd dim
o ôl yr hanner can mlynedd ar ei lleferydd. Yr oedd ei
meddwl mor glir, a siaradai mor hoyw, â llawer merch
hanner ei hoed. Mynegais fy syndod o weld un o'i hoed
hi felly, gan ofyn o b'le yng Nghymru y daethai.

" O'r Wyddgrug," meddai.

" Dyna dref Daniel Owen," meddwn. " Mae'n siŵr
eich bod yn cofio Daniel Owen."

" Cofio Daniel ?" meddai, a'i llygaid yn gloywi, " debyg
iawn fy mod i'n cofio Daniel. 'R oedd Daniel a minnau'r
un oed. Mi fydda i'n naw-a-phedwar-ugain y mis nesaf
(Hydref), a buasai Daniel yn hynny hefyd, ac yr oeddym
yn byw yn yr un rhes ac yn ffrindiau mawr, ac ym mhob
drwg efo'n gilydd."

Wedi mynd adref chwiliais Gofiant Daniel Owen, a
gwelwn fod yr hen wraig yn iawn. Buasai Daniel Owen
hefyd, fel hithau, yn naw-a-phedwar-ugain ymhen y mis.
Ganed ef Hydref 20, 1836.

Aeth ymlaen â'i hatgofion amdano. Pan ddechreuodd
chwiliais am bob tamaid o bapur a allasai fod yn fy mhoc-
edi, i daro nodion arnynt. Nid oedd hamdden y prynhawn
hwnnw i wrando ond un neu ddau, ond gan yr awn ar ôl
hynny i edrych amdani'n weddol aml, manteisiwn ar bob
cyfle i dynnu atgofion am Daniel Owen ohoni—pwysig a
dibwys.

Cofio Daniel Owen ? Dechreuodd yr atgofion lifo o'i
genau. Hi oedd ei bartneres ym mhob chwarae ac ystryw.

Sut un oedd Daniel Owen pan oedd yn blentyn ? Un
garw oedd Daniel. Ac yn fath ar fyrdwn i bob stori
deuai'r geiriau " Un garw oedd Daniel," a melyster
rhyfedd yn y wên a oreurai atgof pedwar ugain mlynedd.

Yr oedd Daniel Owen, ebe'r hen chwaer, yn ddylanwad
mawr ar y plant. Ffurfiodd gôr ohonynt un prynhawn ac
aeth ag ef i Ben y Beili, bryncyn uwchlaw'r dref, ef yn
arweinydd y côr ac yn canu bâs, a'r gweddill yn canu'r
lleisiau a'u ffitiai orau. Wedi bod wrthi'n hir yn dis-

gyblu'r côr i berffeithrwydd, dywedodd y credai mai gwell
fyddai pregethu tipyn iddynt er mwyn newid.   Yr emyn
cyntaf a roddodd i'w ganu oedd :   " Mae'r iachawdwr-
iaeth fel y môr." Yna adroddodd ran o'r bennod gyntaf
o Efengyl Ioan oddi ar ei gof.   Rhoddodd emyn arall
i'w ganu : " Dyma Geidwad i'r colledig." Fel gweddi
adroddodd ei bader, ac yna arweiniodd hwy mewn canu :

> Diolch i Ti, yr hollalluog Dduw,
> Am yr efengyl sanctaidd.

Ac aeth pawb i'w dŷ ei hun.   Ie, un garw oedd Daniel.
    Un diwrnod, a'r eneth ac yntau'n chwarae, daeth hen
wr heibio â mul ganddo.   Gadawodd y mul yn y ffordd
ac aeth i mewn i dŷ.   Aeth Daniel at y mul, neidiodd ar ei
gefn â'i wyneb at ei gynffon, cymerodd afael yn y gyn-
ffon a'i defnyddio fel chwip, ac i ffwrdd â'r ddau fel tân
gwyllt i fyny rhyw ffordd gul tua'r wlad.   Pan ddaeth yr
hen wr allan nid oedd sôn am y mul, a holodd yr eneth
ddiniwed a safai yn ymyl yn ei gylch.   Toc gwelid Daniel
yn dyfod yn ôl yn arwain y mul gerfydd ei fwng.   Aeth
yr hen wr i'w gyfarfod gan ddiolch yn gynnes iddo am
edfryd y ffoadur, a rhoddi ceiniog iddo.
    Yr oedd direidi a dichell fel pe ym mlaenau ei fysedd.
Pan oeddynt yn chwarae un diwrnod gwelent hwch a
pherchyll yn dyfod yn hamddenol i'w cyfarfod.   Safodd
Daniel yn syn, yna aeth i'w cyfarfod heb ddweud gair,
agorodd ddrws gardd flodau un o'r tai gwychaf yn y lle,
arweiniodd yr hwch a'r perchyll i mewn yn ofalus, caeodd
y drws ac aeth yn ôl at ei chwarae.   Wedi chwarae ychydig
aeth at y tŷ, curodd y drws, daeth gwraig y tŷ i'r drws, a
hysbysodd yntau hi fod hwch a pherchyll yn yr ardd, gan
gydymdeimlo'n ddwfn â hi.   Pan erlidid hwy â phob math
ar offer cosb a oedd yn yr ardd, Daniel oedd yr uchaf ei
lais yn gweiddi " safio nhw reit." Ie, un garw oedd
Daniel.

Daeth o hyd i geiniog ar lawr ryw ddiwrnod, a dig-
wyddodd fod gan ei gydymaith hithau ddwy geiniog.   Cyn
bo hir yr oedd saith yn y fintai.   Daeth i ben Daniel eu
hanrhegu oll â wigsen ddimai.   Eithr sut i ddyfod dros yr
anhawster—chwe wigsen ddimai ar gyfer saith ? Gofyn-
nodd Daniel iddynt adael y peth iddo ef.   Aeth i siop rhyw
hen wreigan a gofynnodd pe prynai ef werth tair o wigs
dimai a roddai hi un dros ben yn y fargen.   Felly y caf-
odd saith am dair.   Dyna'r " shew," ebe'r hen chwaer,
a baratôdd Daniel gynt i'w gyfeillion.

Yr oedd hen chwaer yn yr Wyddgrug yn y dyddiau
hynny o'r enw Nansi Dafis, yn berchen mwnci.   Bu farw'r
mwnci, ac aeth Daniel a bachgen arall o gydymaith i gyd-
ymdeimlo â'r hen chwaer.

" Colled fawr am y mwnci druan, Ann Davies," ebe
Daniel.

" Ia, colled fawr, 'machgen i."

" Cymaint o golled ag am yr hen ŵr, Ann Davies."

" Ia, bob tipyn, 'machgen i.   'R oedd y mwnci bach
efo fi drwy'r dydd pan fydde'r hen ŵr yn y gwaith.   A
garech chi weld y mwnci bach, 'mhlant i ?"

Aethpwyd i'w weld.   Dyna lle'r oedd, wedi ei ddiweddu
a'i osod fel petai'n fod dynol. Gair Powys yw
" diweddu " am baratoi'r corff ar gyfer ei gladdu.

" Yn tydio'n bropor, 'mhlant i ?" ebe Nansi Dafis.

" Ydi'n wir, Ann Davies," ebe Daniel, " mae o'r un
ffunud â chi."

" 'R un ffunud, 'mechgyn i."

" Ymh'le y claddwch chi o, Ann Davies ?"

" Yng ngwaelod yr ardd, 'mhlant i, a gwasanaeth uwch
ei ben o hefyd."

" Dylech weddïo drosto bob dydd."   Daniel oedd yr
ymadroddwr bob tro.

" I be', 'mhlant i ?"

" Er mwyn ei dynnu o o'r purdan."

" Bedi hwnnw, deudwch ?"

" Lle rhwng nefoedd ac uffern."

" 'R argen fawr, 'd oes dim posib fod y mwnci bach mewn lle felly."

" Dene'r peryg, Ann Davies."

" Wel, gweddïo amdani 'te."

A gadawsant Nansi Dafis yn penderfynu'n eiddgar weddïo dros y mwnci bach.

Oedd, yr oedd Daniel yn llawn castiau. Rhyw ddiwrnod yr oedd ef a'r eneth yn chwarae yn ymyl tŷ fferm. Yr oedd tarw ieuanc yn un o'r caeau. Neidiodd Daniel i ben y clawdd a dechreuodd ruo. Dyma'r tarw yn dechrau puo'r ddaear, a Daniel yn dal i ruo. Dyma'r tarw yn cychwyn, dan buo a rhuo, i lawr i'r buarth, ac ni allai neb wneud dim iddo i'w symud oddi yno. Toc, dyma Daniel heibio, yn ddiniwed ddigon, i holi beth oedd y drwg, a'r gweision yn esbonio cynddaredd ac ystyfnigrwydd y tarw. Syllai'r tarw'n fygythiol ar y gweision. Llithrodd Daniel y tu ôl iddo'n ddistaw bach, gan afael yn ei gynffon. Am yr ychydig eiliadau cynhyrfus nesaf, trôi'r tarw oddi amgylch fel chwrligwgan, a Daniel yn dyn wrth ei gynffon. Ymhen ennyd cafodd Daniel afael praffach ynddi a rhoi tro ffyrnig arni. Dyna ru a naid gan y tarw, ac i ffwrdd ag ef fel mellten yn ôl i'r cae, gan adael Daniel ar y buarth yn chwerthin. Ie, un garw oedd Daniel—mor wahanol, gyda llaw, i'r Daniel a ddisgrifir yn fachgen gan ei gofianwyr.

Wrth sôn am darw, yr oedd gan Daniel dric arall. Enillai ef a'r eneth chwecheiniog yr wythnos am gario dwfr i ryw ddwy hen chwaer. Yr oedd hynny'n dreth drom arnynt yn yr haf ar adeg casglu caws llyffaint (*mushrooms*), canys gwelent lu o blant yn mynd tua'r caeau yn y bore bach pan fyddent hwy'n cario dwfr. Eithr nid oedd Daniel yn ddiymadferth hyd yn oed yn wyneb hyn. Wedi gorffen eu gwaith aent gyda'r cloddiau tua'r caeau yr oedd y caws llyffaint fwyaf toreithiog ynddynt, ac yno y byddai'r fintai blant. Âi Daniel, yntau, yn llechwraidd i fan cyfleus, gan ddechrau rhuo fel tarw, a gallai wneuthur hynny'n berffaith. Dechreuai'n isel fel sŵn tarw yn y pellter, gan chwyddo'r sŵn fel y deuai'r tarw tybiedig yn nes. Ymhen ennyd ni welid ond cefnau'r plant yn ffoi am eu bywyd. Yna âi Daniel a'r eneth i'r cae am eu gwala a'u gweddill o gaws llyffaint.

Enillai Daniel a'r eneth ddwy geiniog yr wythnos am fynd i fferm dros hen wraig i gyrchu llaeth ac ymenyn unwaith yn yr wythnos. A hen wraig ryfedd oedd honno. Bob hyn a hyn ffraeai'n enbyd â'i gŵr, ac yr oedd ganddi ddull gwreiddiol i ddial arno—gwisgo Daniel yn nillad gorau'r hen ŵr i fynd i nôl llaeth. A Daniel yn mwynhau'r peth yn ddirfawr—het silc yr hen ŵr am ei ben, ei goler anferthol a'i ffunen am ei wddf, ei gôt gynffon wennol, a'i drywsus at ei draed ac wedi ei dorchi rhag llusgo'r llawr. Eithr nid oedd Daniel yn fodlon i hyn, a'r eneth a oedd gydag ef mewn dillad cyffredin. Pan awgrymodd hyn i'r hen wraig daeth chwilen arall i'w phen—gwisgo'r eneth yn ei dillad gorau hi ei hun, o'i bonnet i'w gŵn llaes a lusgai'r llawr. A throeon y bu'r ddau'n mynd i gyrchu llaeth ac ymenyn yn nillad gorau'r hen ŵr a'r hen wraig, a gorymdaith o blant afieithus yn eu dilyn. Nid oedd dim mwy poblogaidd na chyrchu llaeth ac ymenyn dan amgylchiadau felly. Onid dyma gnewyllyn Thomas a Barbara Bartley?

Ymysg y danteithion a hoffai ef yr oedd bara sinsir. Eithr bachgen tlawd, prin ei ddimeiau, ydoedd, a'r bara sinsir yn ddrud. Yr oedd un siop yn demtasiwn fawr iddo, a'r bara sinsir bob amser yn rhythu arno drwy'r ffenestr. Trawodd ar ffordd effeithiol i gael y bara—lluchio carreg drwy'r ffenestr pan nad oedd y siopwr yn digwydd bod ar gael. Nid oedd dim haws wedyn na rhoi ei law drwy'r twll a'i helpu ei hun a'i bartneres.

Ie, un garw oedd Daniel, ond caffai yntau hi yn ei dro. Gwelodd gyfleustra ystryw mewn rhyw dŷ, ac aeth at y drws i ymofyn llymaid o laeth enwyn er mwyn chwilio'r

cyfleustra ymhellach. Y mae'n debyg fod y wraig wedi
ei amau, canys wedi iddo ddechrau llowcio'r llaeth, canfu,
er ei anhunedd hir, mai gwydraid o drochion golchi a
gawsai.

A Rhyddfrydwr eiddgar oedd Daniel o'r bru. Rhyw
adeg etholiad yr oedd yn ferw gwyllt yn yr Wyddgrug,
ac yntau a'r gweddill o'r plant gymaint eu brwdfrydedd
â neb. Rhoddasant nifer o raffau uwchben y ffordd o
ffenestri llofftydd eu tai i'r ochr arall, a gwahanol fathau
o faneri yn crogi wrthynt. Daeth sibrwd i'r lle fod ym
mryd y gelyn dorri'r baneri i lawr. Ni chysgodd Daniel
fawr y noswaith honno. Rhywbryd rhwng tri a phedwar
y bore clywodd sŵn ceffyl yn nesu, ac aeth i'r ffenestr.
Pwy oedd yno ond stiward gwaith yn ymyl yn dechrau ar y
gorchwyl o dorri'r rhaffau. Rhuthrodd Daniel i'r ffenestr,
a'i ben drwyddi, a gwaeddodd nes codi'r stryd mewn
ychydig eiliadau. Wedi ei amgylchynu gan dyrfa, esgus
y stiward oedd bod y rhaffau'n rhy isel, ac mai eu symud
yr oedd er mwyn gallu mynd ymlaen. Erbyn hyn yr oedd
yr eneth wedi gwisgo amdani ac ymuno â'r dyrfa. Pan
oedd y stiward yn ymresymu felly cymerodd hi wialen,
yn ei heiddgarwch rhyddfrydol, a rhoddodd ddyrnod ffyr-
nig i'r ceffyl ar draws ei goesau nes rhuthro ohono ymaith
ar un sgruth, a'r stiward ar ei gefn yn gwyro'i ben â phob
ystumiau, i'w wared ei hun rhag y rhaffau y rhuthrai'r
ceffyl danynt, a Daniel yn y ffenestr yn chwifio'i freichiau
a gweiddi : " Mi wnest o'r gore â fo, yr hen Dori."

Yr oedd gan yr hen chwaer ei hatgofion eraill, atgofion
chwerw rai ohonynt nad oedd a wnelai Daniel ei hun
ddim â hwy, ond bod eu hôl yn drwm ar ei deulu, ac ar ei
nofel *Rhys Lewis* yn arbennig. Cofiai hi yn dda y glowyr
yn ymlid stiward o Sais a'u gormesai, gan ei ddarn ladd.
Yna nifer ohonynt yn cael eu dal a chael pum mlynedd o
garchar yr un, a'r glowyr a'u gwragedd yn mynd yn
lloerig, ac yn stormio'r carchar. Yna galw'r milwyr, a'r
gwragedd yn enwedig yn troi ar y milwyr ac yn eu lluchio

â cherrig oni fu farw un milwr. Ac ustus heddwch yn
gorchymyn i'r milwyr danio cyn darllen ohono y Ddeddf
Derfysg, a nifer yn cael eu lladd a'u clwyfo, a'r merched
yn dal yr ustus wedyn ac yn ei guro o fewn dim i farwol-
aeth. Cofiai'r hen chwaer yn dda amdani hi ei hun yn
rhedeg i weld y cynnwrf, a rhyw ddyn yn dywedyd wrthi
am droi yn ei hôl, nad oedd yn lle iddi hi. Trodd hithau'n
ôl rhwng bodd ac anfodd, a chlywodd wedyn fod y gŵr a'i
cynghorodd wedi ei saethu trwy ei ysgwydd. Mewn
awyrgylch fel hyn y cafodd y bachgen Daniel rai o ddefn-
yddiau mwyaf ysgytiol ei nofelau.

Cefais atgofion un arall hefyd am Ddaniel Owen. Pan
oeddwn yn y coleg, pregethwn ym Mhendref, yr Wydd-
grug—Sul myfyriwr, gan fwrw'r Sul mewn ffermdy ar
gwr y dref. Dechreuais holi gŵr y tŷ amdano, a'i unig
ateb oedd—" Fo oedd 'y nheiliwr i. Mae nhw'n deud ei
fod o wedi sgwennu llyfre. 'D wn i ddim am hynny,
ond mi ddeuda hyn—un da oedd o am siwt o ddillad."
Pawb at y peth y bo.

XVIII

A THITHAU ISLWYN?

Y MAE pethau annisgwyl yn digwydd yn yr hen fyd yma. Yr olaf y buaswn yn credu amdano a fyddai'n foddion i daflu cath i ganol colomennod llenyddol Cymru fuasai Philip Price. Gweinidog oedd Philip Price a gododd o'r un eglwys a minnau, ond genhedlaeth o'm blaen. Aeth i'r weinidogaeth yn y flwyddyn 1889. Gŵr syml, cywir, addfwyn ei anian a'i lais, yn ei gyfyngu ei hun yn hollol i waith y weinidogaeth, ac o'r herwydd yn weinidog derbyniol iawn ar hyd ei oes. Ni ddarllenai ddim ond i bwrpas pregethu. Ni wyddai fawr am lenyddiaeth Saesneg, a llai am lenyddiaeth Gymraeg. Bron ei unig ddiddordeb mewn llenyddiaeth Gymraeg oedd emyn y gallai ei ddyfynnu i roi clo graenus ar ei bregeth, neu sylwadau o ryddiaith i'r un pwrpas. Bu'n hir yn cael ei draed dano ar ddechrau'r daith, oherwydd yr oedd yn rhaid iddo ddysgu pob gair o'i bregeth ar ei gof. Fel yr ymarferai â'i bregethau, o'u haml draddodi, dechreuodd ennill clust y bobl, ond yr oedd dysgu pregeth newydd yn artaith iddo. Daeth Diwygiad 1904-5, a chodwyd ef i'r entrych, fel y gellid disgwyl â gŵr o'i dymheredd. Â'r hen bregethau cyfarwydd aeth yn anghyffredin o boblogaidd, a bu ar flaen y llanw nes i'r pregethau cyfarwydd orffen eu taith ac i dân y Diwygiad gilio. Clywais ef yn cael adegau gwefreiddiol yn yr amser hyfryd hwnnw iddo, yn enwedig os gallai gael emyn adnabyddus Ehedydd Iâl i mewn. Ar wahân i'w gof yr oedd popeth o'i blaid,—corff tal, lluniaidd, wyneb a llais mwyn, llygaid mawr gleision yn edrych ymhell, ac wyneb tenau a llwyd. A hoffa'r saint lygaid mawr gleision yn edrych ymhell, i bregethwr, ac wyneb llwyd. Y mae'n awgrymu iddynt fod ei lygaid

ar y pethau tragwyddol ac nad yw'n malio llawer am
iechyd a bwyd. Y mae'r pethau hyn yn cydweddu i'r
dim â'u cyfraniadau at y weinidogaeth. Syndod i mi
oedd clywed Philip Price, wedi iddo ymneilltuo, yn dweud
na chollodd Sul erioed drwy afiechyd, a minnau dan yr
argraff, oherwydd llwydni ei wedd, mai gŵr simsan ei
iechyd ydoedd. A thrwy ddamwain, o lithro a thorri ei
goes, y bu farw yn 82 mlwydd oed. Gweinidog llwydd-
iannus iawn, oherwydd ei ymroddiad, ei addfwynder a'i
ddoethineb, a phregethu'n bopeth ac yn costio'n ddrud
iddo. Bu'r dreth ar ei gof, fel y cynyddai'r drafferth o
ddysgu pregethau newydd ar ei gof, yn ormod iddo. Fel
y trymhai'r angen am hynny oherwydd gorfod troi cefn ar
hen bregethau, ciliodd ei boblogrwydd, a chan na allai
hepgor dysgu ei bregethau air am air, pallodd ei gof, a
bu'n rhaid iddo ymneilltuo o'r herwydd yn ei drigeiniau
cynnar.

Pan euthum i Fangor yn weinidog yn 1931 yr oeddwn
yn gymydog iddo, ef wedi ymneilltuo yno ers blwyddyn.
Galwai heibio am ymgom, ond wedi sôn am helyntion
a rhagolygon yr enwad, a thrafod pregethu, a sôn tipyn
am yr hen ardal, deuai i ben ei dennyn, yna llusgo fydd-
ai'r ymgom i'w diwedd di-bwynt. A dyna'r gŵr a fu'n
foddion i W. J. Gruffydd, E. Morgan Humphreys, D.
Gwenallt Jones a Thomas Parry synnu ac agor eu llygaid
yn bur llydain, yn wyneb rhywbeth tebyg i ladrad llenydd-
ol, gan ŵr difrycheulyd.

Yn haf 1936, a minnau ar fin symud o Fangor i Man-
chester, a'r gyfrol fach o Weithiau Islwyn yng nghyfres
Y Ford Gron newydd ei chyhoeddi, galwodd Philip Price
heibio imi â stori ddiddorol ganddo. Buasai ganddo
gyfaill o Sais er dyddiau coleg, o'r enw W. H. Holmes, a
drigai ar y pryd yn Llantarnam, ger Abergafenni, a chaf-
odd Philip Price ef i ymddiddori yn yr iaith Gymraeg a'i
dysgu. Dysgodd hi'n ddigon trwyadl i'w sgrifennu'n
rhugl a chywir, ac yn Gymraeg yr ysgrifennai Philip Price

ac yntau at ei gilydd ar hyd y maith flynyddoedd. Bu
W. H. Holmes fyw'n hwy na Philip Price. Cawsai Philip
Price lythyr oddi wrth W. H. Holmes y bore hwnnw, yn
ei holi am gân fach dlos Islwyn, " Seren Heddwch." Ni
wyddai Philip Price fod y fath gân. Yr oedd y stori ei
hun yn fwy diddorol na hyd yn oed mai Philip Price, o
bawb, a holai ynghylch y dryswch yn y llythyr. Dywedai
Holmes ei fod newydd brynu'r llyfryn o Weithiau Islwyn a
darllen y gân " Seren Heddwch," a'i bod wedi ei fwrw i
ddryswch. Cofiodd wrth ei ddarllen fod yn yr Alban chwe
blynedd-ar-hugain cyn hynny (1910) ar ei wyliau, a throi
i mewn i addoldy yn Dunoon ar fore Sul, a chlywed canu
emyn i blant yn yr addoliad,—" Star of Peace," gan Jane
Simpson. Pan ddarllenodd gân Islwyn yn 1936 daeth yr
amgylchiadau i'w gof, a gwelai fod y ddwy gân yr un
ffunud. Ei gwestiwn i Philip Price oedd pa un ai Islwyn
a gyfieithasai gân Jane Simpson, ai hi ei gân ef. Yr oedd
Philip Price mewn penbleth. Nid oedd dim diddordeb
ganddo ef yn y peth, ond sut y gallai oleuo'i gyfaill heb ei
fradychu ei hun na wyddai ddim am yr un o'r ddwy gân ?
Yr oeddwn wedi fy syfrdanu. Gwyddwn am gân Islwyn,
ond gan ei bod yn y *Flodeugerdd Gymraeg*, gan W. J. Gruffydd,
nid oeddwn wedi dychmygu ei hamau. Islwyn, o bawb,
yn lleidr ? Dywedais wrth Philip Price nad oedd am-
heuaeth ynglŷn â'r gwreiddiol, ac na buasai neb ond Sais
wedi dysgu Cymraeg, ac yn meddwl bod Saeson eraill cyn
galled ag yntau, yn dychmygu am ofyn y fath gwestiwn.
Eithr onid oedd y safle'n ddiddorol ? Sais yn dal bardd o
Gymro, a hynny yn yr Alban bell, neu o leiaf, ar bwys
cof am yr hyn a ddigwyddasai yn yr Alban, dros chwarter
canrif cyn hynny. Cof eithriadol.

  " Y mae Rhagluniaeth Fawr yn llywodraethu dros
bopeth," yn fawr a mân, chwedl John Morris-Jones yn
Eisteddfod Caernarfon, yn 1921. Yr oeddwn yn un o'r
gynulleidfa a ymwthiasai i ysgoldy capel, ryw fore yn
ystod yr Eisteddfod honno, i wrando ar John Morris-

Jones yn traddodi ei feirniadaeth enwog ar draethawd myfyriwr prifysgol o'r enw G. J. Williams, yn dinoethi'n ddidrugaredd ffugiadau Iolo Morganwg mewn gwahanol gyfeiriadau, a hynny ar ôl can mlynedd o gredu ynddo gan ysgolheigion a gorseddogion. Yr oedd y traethawd wrth fodd John Morris-Jones ac wedi ei gynhyrfu'n fawr, ac ymhell cyn y diwedd yr oedd mewn hwyl bregethu sasiwn, gan ddweud,—" Wedi'r cwbwl, y mae Rhagluniaeth Fawr yn llywodraethu dros bopeth, ac yn hwyr neu hwyrach, y mae pob celwydd a ffug yn sicr o ddyfod i'r golau." Yr oedd Llewelyn Williams, y gwleidydd a'r llenor, yno, ac yn cael ei gorddi gan gynddaredd, o wrando ar ddinoethi ei eilun Iolo. Digwyddwn eistedd yn nesaf ato, ac yntau ym mhen y fainc, ar fin y llwybr o'r drws i blatfform yr ysgoldy. Wedi'r feirniadaeth tyrrai'r dyrfa allan, ond eisteddai Llewelyn Williams i aros John Morris-Jones, a chan hynny rwystro'r rhai a eisteddai ar yr un fainc rhag mynd heibio iddo. Yn y man daeth John Morris-Jones a dechreuodd Llewelyn Williams ymosod arno. Unig ateb John Morris-Jones oedd,—" Be ddiawl wyddost ti am yr *evidence*?" ac allan ag ef. Ac wele'r un Rhagluniaeth Fawr wedi dyfod o hyd i Islwyn, gan ddatguddio lladrad arall, efallai.

Aeth Philip Price i sgrifennu at ei gyfaill, a gadewais innau'r peth heb wneud dim mwy ag ef,—yn ddistaw bach, rhag ofn gwneud ynfytyn ohonof fy hun. Beth pe bai'r wybodaeth eisoes yn hen beth gan y cyfarwydd, canys yr oedd mor anhygoel nad oedd neb o'r chwilotwyr wedi dyfod o hyd i'r gyfrinach? Yna symudais o Fangor i Manchester.

Fel alltudion yn gyffredinol, manteisiwn ar bob cyfle i wrando ar raglenni Cymraeg y radio. Un tymor, yr oedd gan Mr. Thomas Parry (Dr. Thomas Parry erbyn hyn) gyfres o sgyrsiau yn y prynhawniau i blant ysgol ar lenyddiaeth Gymraeg. Deliai ag Islwyn ryw brynhawn, ac fel enghraifft nodweddiadol o'i waith darllenodd ei " Seren

Heddwch." " Wel," meddwn, " y mae un o'r gwybod-
usion, o leiaf, yn yr un cwch â minnau, heb wybod am y
gân gan Jane Simpson, a mentrais anfon gair ato yn ei
chylch, a gofyn onid cyfieithiad ydoedd " Seren Heddwch,"
Islwyn. Cefais air yn ôl yn dweud mai o'r *Flodeugerdd
Gymraeg*, W. J. Gruffydd, y cawsai hi, ac y gwyddai fod W.
J. Gruffydd wedi addunedu na chawsai dim ymddangos
yn y *Flodeugerdd* ond gwaith gwreiddiol. Wel, dyma un
arall o'r mawrion yn yr un cwch â minnau. Cynghorai Mr.
Parry fi i sgrifennu at W. J. Gruffydd, a chan ofyn yn
chwareus,—" Beth sydd arnoch chwi'r Wesleaid yn
aflonyddu ar y meirwon? Dyna David Thomas newydd
ddweud nad Alun biau ' Abaty Tintern ' ond mai cyf-
eithiad yw." Gwyddwn fod Alun yn bechadur, canys
oni ddywedodd W. J. Gruffydd mai cyfieithiad o gân
Wyddeleg yw cân adnabyddus Alun,—" Doli "? Dyma
sylw fy nghyfaill David Thomas, a gyhoeddodd yn *Lleufer*,
Gwanwyn, 1956 :

ABATY TINTERN ALUN,—Cyhoeddwyd y penillion hyn
yn *Nicholson's Travellers' Guide* (arg. cyntaf, 1808), ynglŷn
â'r sylwadau a geir yn y llyfr hwnnw ar Abaty Tintern,
pan oedd Alun oddeutu deng mlwydd oed. Diau mai'r
penillion hyn a fu'n sail i gân Alun, *Abaty Tintern*. O
golofn " Sylwedydd " yn *Y Genedl Gymreig*, Chwef 16,
1931, y copïais i hwynt.

> *How many hearts have here grown cold,*
> *That sleep these mouldering stones among ?*
> *How many beads have here been told?*
> *How many matins have been sung ?*
>
> *On this rude stone, by time, long broke,*
> *I think I see some pilgrim kneel,*
> *I think I see the censer smoke,*
> *I think I hear the solemn peal.*

But here no more soft music floats,
No holy anthems chaunted now,
All hush'd, except the ringdove's notes,
Low murmuring from yon beechen bough.

Dyma gân Alun :

Pa sawl bron a oerodd yma?   Pa sawl llygad ga'dd
    ei gloi ?
Pa sawl un sydd yn y gladdfa, a'r cof ohonynt wedi
    ffoi ?
Pa sawl gwaith, ar wawr a gosber, swniai'r gloch ar
    hyd y glyn ?
Pa sawl *Ave*, cred a phader, dd'wedwyd rhwng y
    muriau hyn ?

Ar y garreg sydd gyferbyn a faluriwyd gan yr hin,
Tybiaf weld, o flaen ei eilun, ryw bererin ar ei
    lin ;
Tybiaf fod y mwg o'r thuser eto'n codi'n golofn wen,
A bod sŵn yr organ seinber eto yn dadseinio'r nen.

Ond distawrwydd wnaeth ei phabell lle cartrefai'r
    anthem gynt ;
Nid oes yma, o gôr i gangell, un erddygan ond y
    gwynt,—
Felly darffo pob coel-grefydd, crymed byd gerbron
    y Gwir ;
Hedd a Chariad, ar eu cynnydd, fo'n teyrnasu
    tros y tir.

Gwelir mai rhan olaf y gân, y rhan salaf ohoni, sy'n
wreiddiol i Alun.

Ymddengys nad oedd peth fel hyn yn ddieithr yn y
ganrif ddiwethaf. Deuai'r beirdd o hyd i gyfnodolion
Saesneg diarffordd a chyfieithu caneuon ohonynt a'u
cyhoeddi fel gwaith gwreiddiol.   A thithau Islwyn ?

Ysgrifennais at yr Athro Gruffydd. Mynegai yntau'r un syndod am nad oedd " Seren Heddwch " yn waith gwreiddiol gan ddweud mai yn *Caniadau Cymru* (W. Lewis Jones) y cawsai ef hi, a'i fod wedi methu dyfod o hyd iddi yn unman arall, gan awgrymu y gallai fod mewn hen gopi o'r *Traethodydd*, oherwydd mai yno yr anfonai Islwyn y darnau y byddai falchaf ohonynt. Nid oedd am fynegi barn ar foesoldeb y cyfieithiad nes gweld ym mha ffurf yr anfonwyd y gân i'r wasg yn wreiddiol, a holi am Jane Simpson, y byddai'n falch o wybod amdani, nad oedd gair amdani yn y *Biographical Dictionary* a oedd ganddo.

Dyna'r chwaer, Jane Simpson hithau, wedi ei chodi i amlygrwydd yng Nghymru, o ddinodedd cyhoeddiad Ysgotaidd. Ni bu a wnelwn i cyn hyn ddim â W. H. Holmes, ac ni wyddwn ddim amdano ond yr hyn a glywswn gan Philip Price, a mentrais anfon ato gan egluro'r holl amgylchiadau, a'r ymchwiliadau methiannus hyn. Daeth gair yn ôl, a synnwn at berffeithrwydd a rhwyddineb ei Gymraeg. Ein hawdurdodau mawr ni fel Cyfundeb yr adeg honno ar emynyddiaeth oedd Dr. F. L. Wiseman a Dr. Henry Bett. Anfonodd W. H. Holmes at Dr. Wiseman, ond y mae'n amlwg nad oedd y peth yn werth ei sylw, canys nid atebodd. Gŵr oedd Henry Bett a oedd yn awdurdod ar bron bopeth,—diwinyddiaeth, Methodistiaeth, emynyddiaeth, hwiangerddi, a llu o bethau cymysgryw eraill. Nid adwaenwn ef, ond cawswn gerdyn post ganddo unwaith, heb na chyfarchiad na chofion, dim ond dweud iddo ddarllen yn rhywle mai ystyr y gair " Tachwedd " oedd "lladd " ac a allwn gadarnhau hynny. Ni allwn wneud dim o'r fath, ond anfonais y cwestiwn at y mwyaf cyfarwydd o bawb,—Syr Ifor Williams. Daeth ateb bron ar y troad o amryw dudalennau *foolscap*, yn cynnwys pob cyfeiriad at y gair mewn llenyddiaeth Gymraeg, gan gadarnhau dyfaliad Dr. Bett. Anfonais hwy yn eu crynswth iddo, ac yr oedd wedi ei syfrdanu fod y fath ysgolheictod i'w gael yng Nghymru, er mai ar gerdyn

mewn gair byr iawn y mynegodd ei feddwl. Gan iddo ef
anfon i'm holi i mentrais innau anfon i'w holi yntau am
Jane Simpson, ac ar y troad daeth yr ateb hwn :
    Jane Cross Simpson. Merch i James Bell o Glasgow.
Fe'i ganed yn y flwyddyn 1811. Priododd â J. B. Simpson
ei chefnder yn y flwyddyn 1837, a bu farw yn y flwyddyn
1886. Cyhoeddwyd nifer o'i chaneuon yn yr *Edinburgh
Literary Journal* a olygid gan ei brawd Henry G. Bell.
Cyhoeddwyd ei chaneuon diweddarach yn y *Scottish Christ-
ian Herald*. Dyma'i llyfrau : *The Piety of Daily Life*
(1836) ; *April Hours* (1838) ; *Woman's History* (1848) ;
Linda in Beauty and Genius (1859) ; *Picture Poems* (1879) ;
Linda and Other Poems (1879). Dyddiad " *Star of Peace* "
oedd 1830.
    Rhaid bod *Star of Peace* yn gynharach na'r un o'i
llyfrau. Cyfansoddwyd hi pan oedd Jane yn bedair-ar-
bymtheg oed, ddwy flynedd cyn geni Islwyn. Yr oedd hi
yn un-ar-hugain oed pan aned Islwyn, a bu fyw wyth
mlynedd ar ei ôl. Os bwriadwyd i " Seren Heddwch "
fod yn lladrad, onid oedd Islwyn yntau, fel ci lladd defaid,
yn lladd ymhell ?
    Pwy a feddyliasai y buasai ymweliad damweiniol Sais
ar ei wyliau, ag eglwys yn yr Alban bell, yn foddion i
ddatguddio awduraeth cân Gymraeg, na wyddai ef ddim
amdani ar y pryd nac am ei hawdur, nac am y ferch a
gyfansoddodd y gân wreiddiol nac am ei chân ? Ynglŷn
a moesoldeb y peth, a gyhoeddodd Islwyn ei hun y gân
dan ei enw fel ei waith gwreiddiol, ai ei chyfieithu i'w
ddiddori ei hun a wnaeth, ac i rywun ddyfod o hyd iddi
ymysg ei bapurau wedi ei farw, ac yn ei anwybodaeth ei
chyhoeddi fel gwaith gwreiddiol Islwyn ? Awgrymiadol
yw na wyddai O. M. Edwards ddim amdani, canys nid
ydyw yn ei gyfrol fawr,—*Gwaith Islwyn* (1897), nac yn y
gyfrol fach yng Nghyfres y Fil (1903). Nid wyf fi chwilot-
wr o gwbl, ond dyma ddwy ffaith a all fod o help i chwilot-
wr ag enw da Islwyn yn gysegredig iddo. Pan ddechreuais

K

ddarllen *Star of Peace* i'm priod o'r copi a dderbyniais
gan Holmes, er fy syndod cipiodd y geiriau o'm genau,
gan eu hadrodd o'm blaen. Ganed a magwyd hi ym
Mwlch Gwyn, ger Wrecsam, a dysgasai'r gân yn yr ysgol
yno, a daeth i'w chof o glywed ei llinellau cyntaf. Gwyddai
am " Seren Heddwch " Islwyn, o'i darllen yn y *Flodeu-
gerdd Gymraeg*, ond ni ddaeth i'w meddwl eu cysylltu. Pan
soniais am y pethau hyn wrth David Thomas dywedodd
ei fod yntau wedi ei dysgu yn ysgol Llanfechain, ond nid
oedd yntau wedi meddwl cysylltu'r gân a ddysgasai'n
blentyn â chân Islwyn, pan ddaeth ar ei thraws mewn
blynyddoedd diweddarach. Y mae'r Bwlch Gwyn a
Llanfechain gryn bellter oddi wrth ei gilydd, ond y ddeule
ym Mhowys. Dysgwyd y gân gan fy mhriod a David
Thomas tua'r flwyddyn 1890. A oedd hi'n weddol gyff-
redin, tybed, yn ysgolion Cymru tua'r adeg honno, ac a
oes rhyw hen lyfr ysgol ar gael o'r cyfnod yn ei chyn-
nwys ?

　　Yn awr at W. Lewis Jones. Dyma ddau sylw o'i " At
y Darllennydd," yn *Caniadau Cymru* : " Dylwn fod wedi
dweud hefyd yn y Rhagdraeth na roddir lle yn y casgliad i
gyfieithiadau "; " Yr wyf yn ddyledus i Mr. Edwards
(O.M.) am gael golwg ar brawf-lenni ei argraffiad hardd
o waith Islwyn, ac am ryddid i ddethol a fynnwn ohonynt."
Dywaid O. M. Edwards yn y "Rhagymadrodd" i'w lyfr
yntau : " Fy nyledswydd i oedd rhoddi i'r cyhoedd holl
waith barddonol Islwyn allwn gael." Dyddiad " At y
Darllennydd " yw Chwefror 10, 1897. Dyddiad "Rhag-
ymadrodd " *Islwyn*, O. M. Edwards, yw Chwefror 1, 1897.
Gan hynny, oni wyddai W. Lewis Jones pan oedd yn lloffa
ym mhroflenni llyfr O. M. Edwards, am " Seren Hedd-
wch," gan gredu mai gwaith gwreiddiol ydoedd ? Ni
wyddai O. M. Edwards amdani. Pe dywedasai W. Lewis
Jones amdani wrth O. M. Edwards oni chynhwysai yntau
hi yn ei lyfr ? Hawdd fuasai ei gwthio i mewn i'r broflen.
Tybed fod W. Lewis Jones am ei chadw i fyny ei lawes er

mwyn cael y clod o fod y cyntaf i'w rhoi i'r byd ? Os
felly, a oedd hyn yn dâl teilwng i gymwynaswr am gael
gweld proflenni ei lyfr ? Daeth dydd pan ymyrrodd
y Rhagluniaeth Fawr ag yntau !

Dyma'r safle felly : Tua'r flwyddyn 1890 dysgid y gân
Saesneg mewn ysgolion yng Nghymru. Ymhen saith
mlynedd cyhoeddwyd cyfieithiad ohoni fel gwaith gwreidd-
iol Islwyn, heb i neb feddwl am gysylltu'r ddwy â'i gilydd.
Onid oedd ysgolfeistri'r cyfnod yn darllen Cymraeg ?
Rhaid oedd aros am eu cysylltu nes i Sais, a oedd i glywed
y gân Saesneg am y tro cyntaf yn yr Alban, ar ddamwain,
ymhen tair-blynedd-ar-ddeg wedi hynny, a darllen y gân
Gymraeg ymhen chwe-blynedd-ar-hugain ar ôl clywed
y gân Saesneg, ac a oedd yn ddigon bachog ei gof i gysyll-
tu'r ddwy â'i gilydd ar drawiad, ddyfod ymlaen yn betrus
i wneud y gwaith drosom.

A wyddai Islwyn, pan gyfieithodd hi, ei bod yn weddol
boblogaidd yn ysgolion Cymru, a'i chyfieithu heb feddwl
ei fod yn gwneud dim ond cyfieithu cân weddol adnab-
yddus, neu ai dyfod o hyd iddi a wnaeth mewn cyhoedd-
iad Ysgotaidd dieithr i Gymru a'i chyfieithu fel ei waith
gwreiddiol ei hun ? Beth a ddywaid y Rhagluniaeth
Fawr ?

Rhoddaf gân Jane Simpson a chyfieithiad Islwyn ohoni
ochr yn ochr :

Star of Peace, to wand'rers
   weary.
  Bright the beams that
   smile on me ;
Cheer the pilot's vision
   dreary,
  Far, far at sea.

Seren Heddwch, i'r crwyd-
   redig
  Hyfryd yw goleuni hon :
  O, siriola'r morwr unig
  Draw ar y don.

Star of Faith, when winds
  are mocking
  All his toils he flies to
    Thee ;
Save him on the billows
  rocking,
  Far, far at sea.

Star Divine, O safely guide
  him,
  Bring the wand'rer home
    to Thee ;
Sore temptations long have
  tried him
  Far, far at sea.

Star of Hope, gleam on the
  billow,
  Bless the soul that sighs
    for Thee ;
  Bless the sailor's lonely
    pillow
  Far, far at sea.

Seren Ffydd, pan ballo'i
  hyder,
  Pan y llwyr ddiffygia'i
    fron,
Dod i'w fynwes nefol gryf-
  der
  Draw ar y don.

Seren Ddwyfol, arwain bell-
  ach,
  Dwg y crwydryn adre'n
    llon,
Profwyd ef yn gyflawn
  mwyach
  Draw ar y don.

Seren Gobaith, O llewyrcha
  Ar y noson olaf hon,
  Nes y try'n dragwyddol
    hindda
  Draw ar y don.

A dyna'r Rhagluniaeth Fawr yn dangos ei bod yn
llywodraethu'r manion hefyd, gan eu tynnu hwythau allan,
yn hwyr neu hwyrach, o'u lloches i lygad haul.

HEN GYDNABOD

XIX

HEN GYFAILL

O Faentwrog yr hanoedd fy hen gyfaill Evan Roberts.
Fe'i ganed ym Mron Turnor, hen gartref yr hynod William
Ellis, Rhagfyr 1, 1882. Mab ydoedd i William a Grace
Roberts. Symudodd y teulu i Fron y Wern, yn gynnar
ar ei oes ef, a dyna'r cartref a wybu bron ar hyd ei oes.
William Roberts, ei dad, oedd un o'r pregethwyr cynorth-
wyol mwyaf poblogaidd yn holl hanes Wesleaeth yng
Nghymru. Gŵr addfwyn, cadarn o gymeriad, diwyll-
iedig. Chwarelwr oedd wrth ei alwedigaeth, nes dyfod y
dewis rhwng bod yn ffyddlon i gydwybod a chael par-
hau'n chwarelwr. Yna dewisodd ymadael â'r chwarel a
chymryd ei siawns, er bod teulu mawr i'w gynnal ganddo.
Ac yr oedd Evan o'r un rhuddin â'i dad.

Syml oedd ei yrfa. Ysgol Maentwrog ; ysgol sir
Blaenau Ffestiniog ; dechrau pregethu, a'i dderbyn i'r
weinidogaeth ; Coleg Didsbury ; yna i'r weinidogaeth,
yn nwy Dalaith y Gogledd, er y bu am dymor byr yng
Nghaersws, Talaith y De. Bu am dymor, yn ŵr ieuanc,
ym Manchester, a threuliodd naw mlynedd yng nghylch
Lerpwl, ond y gweddill yng Ngogledd Cymru.

Buom yn gyfeillion, fel dau lygad ar yr un llinyn, am
dros ddeugain mlynedd. Nid oedd cyfrinach y gallem ei
chadw rhag ein gilydd. Ni allem gadw rhag ein gilydd
hyd yn oed gyfrinachau a ymddiriedwyd inni gan eraill
gyda'r gorchymyn pendant nad oeddym i ddweud wrth
neb. A'r ffordd y tawelem ein cydwybodau oedd drwy
ddweud y naill wrth y llall nad oedd ef yn neb. Gwyddem
yn o dda, fodd bynnag, na buasai neb yn ymddiried cyf-

rinach i'r naill ohonom y mynnai ei chadw oddi wrth y
llall.

Tua diwedd Gorffennaf, 1903, y cyfarfûm ag ef gyntaf.
Yr oeddwn ar fy ngwyliau haf gyda pherthynas ym
Mlaenau Ffestiniog, wedi blwyddyn o goleg, ac euthum
ryw brynhawn am dro i edrych am weinidog Llan Ffes-
tiniog—Rhys Jones. Daeth llencyn main tuag ugain oed
i mewn, llencyn llygatddu, pefriog, gwallt du a hwnnw ar
draws ac ar led, ac ni allai ymgynnal rhag chwerthin, a
hynny am bob dim, hyd yn oed yr ysmaldod teneuaf. Yr
oedd newydd mawr ganddo i'r gweinidog, a dyna ddir-
gelwch yr holl ymnyddu llawen,—ei fod wedi pasio i'r
weinidogaeth ac y byddai'n mynd i Goleg Didsbury ym
Medi. Teimlais fy urddas yn llawn pan ddywedodd
Rhys Jones wrtho fy mod i eisoes yno ac wedi gorffen
blwyddyn yno. Edrychodd yntau'n addolgar arnaf, a
chyda'r pellter hwnnw rhyngom yr ymadawsom â'n
gilydd y prynhawn hwnnw.

Daeth i'r Coleg yn llanc syml a diniwed, ond wedi deall
ei symlrwydd a'i ddiniweidrwydd ni cheisiodd neb ei am-
ddifadu ohonynt, canys yr oedd yr eiddo ef yn symlrwydd
a diniweidrwydd yn wir,—" O bydd dy lygad yn syml dy
holl gorff fydd yn olau." Perthynent i'r drindod gain,
" diniwed, difrycheulyd, diargyhoedd." Daeth yn bobl-
ogaidd ar unwaith yn y Coleg, ymhlith yr ychydig Gymry
a'r llu Saeson, a hynny heb iddo wadu ei ddechreuad. Os
clywid torri ar dawelwch min yr hwyr, yn ystod wythnos
drymllyd yr arholiadau, gan rywun yn dyfod i lawr y
coridor dan ganu nerth ei ben,—

" Gwyn eu byd yr adar gwylltion,
Hwy gânt fynd i'r fan a fynnon."

a'u tebyg, gwyddai pawb na allai fod yn neb ond Evan.
Deuai ar ei sgruth drwy'r drws at gwmni pryderus ohonom
a gofyn,—" Glywsoch chi gân y ceiliog mud ?" Na, nid

oeddym wedi ei chlywed er wedi ei chlywed ganddo gan-
waith, ond yr oedd bob tro yn newydd. Neidiai ar ben y
bwrdd, gwnâi holl ystumiau ceiliog ar fin canu,—fflapio
adenydd, estyn ei wddf ac agor ei enau'n llydan ond mewn
distawrwydd perffaith, nes ein bod yn deilchion. Yna
diflannu mor ddisymwth ag y daeth.

A fu rhywun erioed yn ein gweinidogaeth yn lanach ei
galon nag ef? Rhywbeth pell, annelwig, oedd pechod
iddo pan ddaeth i'r Coleg, fel ysbryd i blentyn, i arswydo
rhagddo heb brofiad ohono. Yn hyn fe'i ganed yn
freiniol. Eithr dadrithiwyd yntau yn ei dro. Yr oedd tri
ohonom yn gyfeillion mawr. Bachgen diddan, direidus,
hoffus, oedd y trydydd, ond ofnai rhai amdano, gan ar-
swydo rhag digwydd trychineb, ond ni allai Evan gredu
dim o'r fath. Gadawsom y Coleg oll yn ein tro. Rhyw
fore derbyniais lythyr oddi wrth y cyfaill hwnnw, yn
gofidio am iddo godi cywilydd ar ei hen gyfeillion, a'i fod
yn gadael y weinidogaeth yr un bore ag yr anfonai'r llythyr.
Derbyniodd Evan hefyd lythyr oddi wrtho yr un bore.
Daeth tristwch mawr yn naturiol drosof o wirio fy ofnau.
Trigai Evan ym Mhenisa'rwaun a minnau ym Mhorth-
aethwy. Daeth Evan i edrych amdanaf, torrodd i wylo
fel petai ei enaid yn rhwygo'n glywadwy, ac un prin ei
ddagrau ydoedd, a daeth caledrwydd i'w enaid tuag at y
pechod hwnnw, ac anfaddeugarwch tuag at rai o honiadau
gwell a ymhelai ag ef, a ddyfnhaodd yn gyson tra fu.
Teimlai ei fod ef ei hun wedi ei bardduo, a daeth cywilydd
ei gyfaill yn fwy na chywilydd iddo ef.

Eithr natur siriol oedd ei natur, a'r olwg fwyaf gob-
eithiol a gymerai bob amser ar bob amgylchiad. Pwy
na wyddai am chwerthin heintus ei lygaid? A thorrai'r
chwerthin hwnnw weithiau dros bob argae. Atgof am
ffrwydrad felly yw'r atgof sy'n glynu wrthyf am ein cyfnod
ar Gylchdaith Caernarfon. Trigai yn y dref ar y pryd
weddw ariannog i un o'n gweinidogion mwyaf darllen-
gar, a phur ysgolheigaidd, ond hi ei hun yn bur anllyth-

rennog. Ei hanrheg i bob gweinidog ar ei ymadawiad â'r gylchdaith oedd parsel bach o lyfrau ei diweddar briod. Ymadawai Evan a minnau gyda'n gilydd, a galwyd ni yno. Aethom, gwahoddwyd ni i mewn, ac eisteddasom yn ddefosiynol iawn. Sylwasom fod dau barsel ar y bwrdd wedi eu lapio mewn papur llwyd, yn union yr un faint a'r un fath, a damwain hollol oedd ddarfod inni eistedd lle gwnaethom. Wedi peth ymgomio beichus cododd y wraig, a rhoddodd iddo ef y parsel agosaf ato, ac i minnau y parsel agosaf ataf finnau, ac iddi hi yr oeddynt yn gyfwerth. Ymadawsom, a chyn gynted ag y cawsom gongl gudd agor y parseli. Yr hyn a gefais i oedd tair cyfrol *Pennant's Tours in Wales*, dan olygiaeth John Rhys, 14/6 yr un, mewn cyflwr campus. Y llyfr cyntaf a ddaeth i'r golwg ym mharsel Evan oedd *Spelling Book*, yna llyfr i ddysgu sut i sgrifennu llythyrau,—mab ieuanc i ferch ieuanc yn ei gynnig ei hun iddi, ac felly ymlaen. Dechreuais gydymdeimlo, ond torrodd ef i chwerthin a chwerthin nes pallu o'i anadl, a minnau'n tosturio wrthyf fy hun na buasai moddion llawenydd felly yn fy mharsel. Cafodd ef lawer mwy o ddifyrrwch o fynd drwy ei lyfrau na mi.

Llanc o Faentwrog ydoedd ar hyd ei oes. Ni bu erioed oddi yno neu'n hytrach âi â Maentwrog gydag ef i bobman. Yn nhrefi Lloegr, ym Maentwrog y trigai. Ni byddwn byth yn mynd i'w gylchdeithiau heb aros gydag ef, a theimlwn mai mynd am dro i Faentwrog y byddwn bob amser. Yr oedd pawb ym Maentwrog yn arwyr iddo, saint a phechaduriaid, call a gwirion. Clywais ddegau o weithiau am Now'r Allt ; Robin Owen, a ymhyfrydai yn ei Saesneg ac a ganai ran o'r Ysgrythur i bob pregethwr, yr unig ran a wyddai. Now'r Allt yn medru cosi eog nes ei dynnu i'w fynwes i lechu yno fel baban ; Jac Fawr, ei gymar, yn mynd i'r Blaenau am dwrnai i'w amddiffyn, a'r twrnai'n gofyn iddo : " Wel, Jac, oes gen ti garictor ?" " Mae gen i ofn nad oes gen i'r un," ebe Jac. " Wel," ebe'r twrnai, " rhaid inni

neud un iti." A'r cymeriad diniwed a âi ar hyd y stryd
ac ysgwïer Tan y Bwlch yn ei gyfarfod a gofyn,—" And
how are *you* to-day ?" " Thank you for asking, sir," ebr
yntau.

Chwiliai Robin Owen am bob pregethwr, i ganu rhan
o'r Ysgrythur iddo, a alwai yn " Address Robin Owen,"
gan fynegi'n fanwl o flaen pob brawddeg sut yr oedd yn
mynd i'w chanu :

" (Cofiwch rydwi'n dechre'n ddistaw). Er i'r ffigys-
bren na flodeuo ac na byddo ffrwyth ar y gwinwydd,
gwaith yr olewydd ('rydwi am floeddio yn y fan yma), *a
balla* (distaw 'rwan) a'r meysydd ni roddant fwyd ; torrir
ymaith y praidd o'r gorlan ac ni bydd eidion yn y beudai ;
(tendiwch y'ch hunen 'rwan—bloedd fawr yma) *Eto mi a
orfoleddaf yn yr Arglwydd*, byddaf (tendiwch y'ch hunen eto)
Byddaf hyfryd yn Nuw fy iachawdwriaeth."

A chipid Evan ei hun nes gorffen â hanner gorfoledd
wrth adrodd gwrhydri arwyr syml Maentwrog. Ni
flinai chwaith ar adrodd englynion beirdd Maentwrog
a'r cylch,—Iestyn, Gerallt, Ioan Brothen, Gwilym Deu-
draeth, a'u bath. Yr oedd ganddo ugeiniau o'u henglyn-
ion ar ei gof. Y mae llun gennyf o Evan a Gwilym Deu-
draeth a minnau wrth gofgolofn Daniel Owen, a dynnwyd
ddydd dathliad ei ganmlwyddiant. Rhyfedd meddwl,
wrth edrych ar ddireidi llygaid y ddau, eu bod heddiw mor
llonydd. Fel un a oedd mor ffyddlon i ddraddodiadau'r
hen ardal, hawdd credu ei fod yn ymhyfrydu yn y delyn a
chanu penillion. Dyna fy nghof amlycaf amdano pan
oeddym ynghyd ar Gylchdaith Llanrhaeadr,—y nos-
weithiau ar aelwyd Telynores Maldwyn pan oedd hi gar-
tref ym Mhen y Bont Fawr. Pan fyddai Evan yn pregethu
yn Llanrhaeadr ar fore Sul deuai atom yn gyffredin bryn-
hawn Sadwrn, wedi anfon gair at J. E. Jones, y canwr
penillion, a oedd yn ysgolfeistr ar y pryd yn Llanwddyn,
yntau'n un o blant Maentwrog, a gair at y Delynores i'w
rhybuddio o'n dyfodiad. Wedi te âi fy mhriod a minnau

ac yntau yno am noson lawen,—J.E. yn canu penillion, y
Delynores gyda'r delyn, ac Evan yn berwi a thorri i mewn
i'r canu wedi i J.E. godi'r hwyl. Y mae J.E. ac yntau
heddiw yn gorwedd yn ymyl ei gilydd ym mynwent Maen-
twrog, un o'r mynwentydd prydferthaf a thawelaf yng
Nghymru. Yr oedd Evan ei hun yn ganwr penillion da,
ac yn fardd pert a byw. Enillodd dair o gadeiriau yng
nghyfnod ei brentisiaeth,—Eisteddfod Meirion (" Yr Afon
Bur ") ; Eisteddfod Corwen (" Gwawr Yfory ") ; Eis-
teddfod Manceinion (" Yr Ynys Unig "). Cyfansoddai'n
feddylgar, mewn iaith seml, heb ffug fawredd, dyna dys-
tiolaeth y Dr. T. H. Parry-Williams a Phedrog i'w fyfyr-
draeth yng Nghorwen, ac y mae'r geiriau'n ddisgrifiad
teg o'i farddoniaeth oll. Wedi aeddfedu cyfansoddodd
rai darnau â chryn raen arnynt. Y mae ei " Y Gwlad-
garwr Newydd " yn ddarn pur arbennig. Y mae llawer
o ganeuon nodweddiadol o'r eiddo yn *Y Winllan*, a olyg-
odd mor raenus am bedair-blynedd-ar-ddeg. Ysgrifen-
nodd lawer i'r *Brython* a'r *Cymro* a'r *Gwyliedydd Newydd*,
ysgrifau pert, gogleisiol a chrafiad slei ynddynt, ond cwbl
ddiwenwyn. Yn y blynyddoedd 1907-8 bu dwy gyfres
yn *Y Gwyliedydd Newydd*, ar ffurf llythyrau,—" Sem Puw
a Ffowc Jenkins," a " Sem Puw a Jehosaphat ei Fab," yn
tynnu blew o drwynau'r mawrion yn yr enwad. Achos-
asant lawer o chwerwder ymhlith y croen-denau, a rhuth-
rai ysgrifenwyr tebygol i'r wasg i ymwadu â'r awduraeth.
Deuai pawb tebygol dan amheuaeth, ond nid amheuid yr
euogion eu hunain am eu bod mor ieuainc. Evan oedd un
ohonynt, a'i gyfaill oes oedd y llall. Gwelaf heddiw mai
llythyrau prentisiaid oeddynt. Yr oedd yn llenor graenus,
clir ei feddwl a chryno'i frawddegau. Yn wir, yr oedd
graen, graen ei gymeriad, ar bopeth o'r eiddo.

Etholwyd ef yn Ysgrifennydd y Dalaith yn 1938, a
dywaid y cyfarwydd ei fod yn ysgrifennydd campus, a
hawdd credu hynny o gofio'i gydwybodolrwydd, ei drefn-
usrwydd, a thlysni arbennig ei lawysgrif. Eithr nid

dyna'i fyd, ac nid ymhyfrydai yn y gwaith, a chefais lythyr
ganddo yn cywilyddio am ei fod wedi derbyn y swydd.
Teimlai mai ei lusgo i mewn a gafodd, ac yr oedd arno
ofn i'r swydd ei feddiannu, gan gofio'r hen air am y gŵr
a aned yn ddyn ac a fu farw'n groser. Nid oedd llai o
achos i neb ofni hynny, canys nid oedd llinyn mesur swydd
yn ddigon ei hyd i ddisbyddu ei ddynoliaeth ef. Preg-
ethu oedd ei fyd, ac yr oedd yn bregethwr rhagorol.
Byddai ganddo bregeth newydd ar y gweill beunydd.
Credaf y gwn amdanynt bron i gyd, canys trafodem
lawer ar bregethau ein gilydd, gan ymddiddori yn eu
tynnu'n ddarnau, heb i'r un ohonom fod yn ddim gwaeth.
Pregethau ffres, meddylgar, ymarferol, ymarferol iawn,
ac eglurebau byw yn eu gloywi, dyna oedd yr eiddo ef.
Daw un o'i gymariaethau, un nodweddiadol iawn, i'm cof :
" Bedwar can mlynedd yn ôl aeth Columbus i'r 'Merica
mewn hen long hwyliau fregus, ond cyrhaeddodd yn
ddiogel am ei fod wedi cydnabod y *Cardinal Points*. Newid-
iodd holl ddull dyn o deithio, gryn lawer, er hynny. Yn
ddiweddar aeth Mollison yno, mewn eroplên, dull cwbl
wahanol i Columbus, ond aeth yntau yno'n ddiogel am ei
fod yn cydnabod y *Cardinal Points*. Arhosant hwy yr un
drwy bob newid." Yr oedd yn ofalus na ollyngai syniad
o'i ddwylo heb ei gaboli, ac am hynny ceinder meddwl ac
ymadrodd oedd ei nodwedd arbennig. Petai wedi credu
mwy mewn ymollwng yn y pulpud, canys yr oedd y ddawn
ganddo, buasai'n fwy poblogaidd gan y lliaws, ond am y
rhai mwyaf dethol eu meddyliau, arweiniai hwy bob
amser i'r porfeydd gwelltog.

Yr oedd yn fwy o weinidog na hyd yn oed o bregethwr,
fel y dylai pawb fod. Gall dawn wneud pregethwr, ond
rhaid cael gras i wneud gweinidog. Yr oedd ei barch yn
fawr yn ei holl gylchdeithiau, ac yn troi'n hanner addol-
iad yn ei adran ei hun o'r gylchdaith. Pe na wnâi ddim
ond sôn am y tywydd, yn ei ymweliadau, teimlai pobl yn
well o'r herwydd, canys gwasgarai'r fath dirionwch ym

mhobman.   Ac yr oedd y parch hwn yn arbennig yn ei
adran ef ei hun o Gylchdaith Coed Poeth.   Digwyddodd
tanchwa Gresford ymhen pythefnos ar ôl iddo fynd i
Wrecsam.   Aeth yno ar ei union, er yn ŵr dieithr, ac y
mae ei weddi uwchben y pwll yn ddraddodiad yn y fro hyd
heddiw.

Eithr yr oedd ei gyfraniad ef yn fwy na bod yn swyddog
da neu bregethwr dylanwadol neu weinidog llwyddiannus.
Ei gyfraniad mawr oedd ef ei hun.   Ef ei hun oedd y perl
o uchel bris a gafodd ei Gyfundeb drwyddo yng Nghymru.
Unplyg, siriol, â'i galon bob amser ar ei lawes, yn edrych
bob amser ar yr ochr olau, dyna'i nodweddion cyffredin.
Anfonais lythyr ato unwaith pan oeddwn braidd dan y
don, a'r ateb oedd brawddeg Saesneg a gipiodd o rywle,—
" Never say die, if you say die, you die."   Dyna'r cwbl.
A chadarn fel y graig, heb utganu o'i flaen.   Yn nyddiau
cynnar Eisteddfod Lewis, Lerpwl, daeth gwahoddiad iddo
i arwain ynddi, a thâl da am ei waith, ond gwrthododd ar
dir egwyddor, am y credai nad oedd yr Eisteddfod honno
ond puteiniad ar ein hen sefydliad er mwyn masnach.

Pan ddaeth y cwmwl a'r nos ciliodd y sirioldeb, ond
arhosodd pob cadernid.   A nos hir a throm ydoedd.   Bu'n
hynod iach ar hyd ei oes.   Ni wyddai beth oedd diwrnod
o waeledd, na hyd yn oed tipyn o annwyd, ac ni chollodd
Sul erioed o'r herwydd hyd o fewn ychydig wythnosau i
adael Wrecsam yn 1939.   Cefais lythyr ganddo ei fod wedi
colli ei Sul cyntaf erioed drwy ymosodiad o'r ffliw, ond
y byddai'n iawn ymhen ychydig ddyddiau.   Eithr ni
ddaeth yn iawn.   Nid oedd wedi dysgu bod yn wael.
Cododd yn rhy fuan, heb ddeall ffalster y gelyn, a thra-
wyd ef yn ei wendid.   Yn ŵr llesg yr aeth o Wrecsam i
Gaer ymhen pedwar mis, a bu'n orweddiog am yn agos i
saith mis.   Gwellhaodd, ac i bob ymddangosiad yr oedd
fel yn yr hen ddyddiau, ond heb yr hen asbri.   Aderyn
wedi clipio'i adenydd ydoedd.   Wedi rhyw dair blynedd
o iechyd gweddol trawyd ef drachefn.   Bu'n dihoeni fwy

neu lai am flwyddyn. Dechreuodd bregethu, ar ei eis-
tedd, a chredai y byddai wedi ei lwyr edfryd yn fuan.
Etholwyd ef yn y tymor hwn yn Llywydd y Gymanfa
Ordeinio, ond ni chafodd fyw i weithredu. Ddechrau'r
flwyddyn cefais lythyr ganddo ei fod wedi pregethu bob
Sul (ar ei eistedd) yn ystod mis Rhagfyr, ac wedi bod yn y
Cyfarfod Chwarter, ac y byddai'r " hen Ieu yn iawn eto'n
fuan." Ysgrifennais i fynegi fy llawenydd, ond y bore y
derbyniodd fy llythyr cefais air ei fod wedi cael yr ergyd
a brofodd yn derfynol. Dihoenodd am hanner blwyddyn,
yna ymddangos fel petai'n dechrau gloywi drachefn, a
chilio dan ein dwylo, Gorffennaf 19, 1944. Anfonasai
lythyr ddechrau Mehefin i'r Gymanfa i ymneilltuo o'r
llywyddiaeth, ac wrth ei ddarllen dywedodd y Dr. Leslie
Church, Llywydd y Gynhadledd Brydeinig, mai llythyr
sant ydoedd,—a gawsai'r weledigaeth fawr. Ac felly y
ciliodd i'r cysgodion yn anterth ei ddyddiau.

Eithr daw heibio, pan fynner, hyd heddiw, am ymgom
mewn breuddwyd nos. Cofiaf yn arbennig un tro felly,
ychydig wedi ei fyned. Fe'm gwelwn fy hun yn mynd i
edrych amdano yn ei gartref newydd, yn ucheldiroedd
Fflint, cartref y dyheodd lawer am fynd iddo i wella, ac yr
aeth ei deulu iddo, ond nas gwelodd ef mohono. Daeth
i'm hebrwng at glawdd yr ardd, a sylwais yn y gwyll ar yr
hyn na sylwaswn arno yn y tŷ—mor guriedig a thenau a
llesg ydoedd. Llusgai'r ymgom yn hir. Methem ei
thorri. Dywedodd yn wyllt fod yn rhaid imi frysio neu
y collwn y bws adref. Edrychais beth oedd hi o'r gloch,
—deng munud i hanner nos. Rhuthrais ymaith, ond wrth
droi fy wyneb i chwifio arno llithrais a syrthio, a deffro.
Ac nid oedd Evan yno.

XX

MAB EI FRO

N<small>I</small> chofiaf imi erioed glywed galw Robert Richards ar ei enw cyfarwydd—Bob Richards—yn ei fro ei hun, eithr bob amser Robert Richards, ac yr oedd ef ei hun yn ei berthynas ag eraill yn ymgorfforiad o'r boneddigeiddrwydd cynhenid hwnnw sydd mor nodweddiadol o Faldwyn a'i ffiniau.

Yn Llangynog y deuthum i gysylltiad ag ef gyntaf, a ph'le bynnag y cyfarfyddem byddem yn ôl ar unwaith yn Llangynog. Yn hyn yr oedd yn debyg i'm hen gyfaill Evan Roberts, ond o ran hynny felly y mae pawb sydd â'u gwreiddiau'n ddwfn yn y tir. Pobl y fro honno oedd ei bobl, a'i barch i'r symlaf ohonynt gymaint ag i fawrion byd. Yr oedd troeon eu bywyd a'u dywediadau gwreiddiol a threiddgar beunydd ar ei wefusau, ac adroddai amdanynt â'i lygaid yn disgleirio. Wedi dychwelyd adref o deithiau pell ac o gymysgu â'r mawrion, adroddai sylwadau syml a chywir y " Brawd Tibbott " yn y seiat, a sylwadau pert a byw a gogleisiol John Evans y Garreg Fawr—gŵr byr, cadarn fel craig yr olwg arno, a barf fel swp o redyn hydref—â'r fath eiddgarwch â sylwadau arweinwyr y wlad y cymysgasai â hwy yn rhinwedd ei swydd ar y pryd. Mewn llawer seiat y bûm yn syllu ar ei wyneb a oedd fel haul haf, wrth iddo wrando ar Tibbott yn dweud ei brofiad,—syml, sicr a gloyw. Pan godai John Evans byddai yntau yn ei hel ei hun at ei gilydd ar gyfer disgwyl yr annisgwyliadwy a'i fwynhau. Daw un o'r digwyddiadau hynny i'm cof ar drawiad. Yn ystod y Rhyfel Byd Cyntaf cynhelid un Sul y chwarter yn Sul o ymostyngiad, sef yn Sul o gyfarfod gweddi drwy'r dydd. Yn lle pregethu, arwain cyfarfod gweddi ym mhob un o'i dri chapel fyddai'r gweinidog. Digwyddwn fod yn Llan-

gynog y nos ar un o'r Suliau hyn. Yn y seiat cododd
John Evans i ddwued gair,—" Wel," meddai, " 'dydwi
ddim yn dallt y Brenin Mawr o gwbwl. Pan fyddwch
chi'n anfon llythyr am gymwynas i rywun arall, hyd yn
oed pan wrthodir eich cais, fe gewch lythyr yn ateb, ond
'dydi'r Brenin Mawr ddim hyd yn oed yn ateb ein
llythyrau." Yna troi'n sydyn, yn ôl ei arfer, at un a eis-
teddai yn ei ymyl a gofyn : " Beth ydi'ch barn chi am
beth fel hyn ?" " Wel," ebe hwnnw, " ydech chi'n siŵr
ein bod ni'n rhoi'r stampiau iawn ar ein llythyrau John
Evans,—p'run ai rhoi stamp llywodraeth Prydain Fawr
ai stamp Teyrnas Nefoedd a wnawn ni ?" A John Evans
yn ateb : " Wel ia, dene rywbeth i feddwl amdano," ac
eistedd. Eithr cystal â gwrando ar yr ymgiprys ei hun
oedd gwylio wyneb Robert Richards,—yn llythrennol
disgleiriai o afiaith. Byddai digwyddiad fel hyn yn fêl
ar ei fysedd i gyfeirio ato drachefn a thrachefn. Ac mor
felys â hynny iddo oedd dywediadau cefn gwlad a glywai
oddi ar wefusau ei bobl megis yr un gan ferch y Tŷ Glas, a
gwynai i'w brawd gan ddweud ei fod " yn pesychu fel
ceubren," a'r disgrifiad o frawd gwalltog, barfog, gwyllt
ei olwg, ei fod yn edrych " fel cythraul mewn eithin."
Yr oedd sylwadau fel hyn yn destun sgwrs beunydd, ac
ynddynt gwelai ganfyddiad gwreiddiol yn sylfaen hen
ddiwylliant amhrisadwy.

Soniais mewn lle arall* am ddigwyddiadau a ddang-
osai gymaint rhan ydoedd o fywyd ei bobl ac ni allaf roi
gwell enghreifftiau yma : Daliai ar y pryd swydd uchel
dan y Weinyddiaeth Fwyd, gan fynd o harbwr i harbwr i
chwilio llongau. Cyrhaeddai adref o'i grwydro pell ar y
trên chwech, ond byddai yn y seiat bob amser am saith, yn
eistedd ynghanol hanner dwsin o weision ffermwyr.
Pan ofynnwn am air ni wnâi byth ond dweud adnod.
Teimlwn y dylai un o'i allu a'i ddiwylliant ef helpu mwy.
Awgrymais hynny iddo unwaith. " Wel," meddai, " pe

*Gyda'r Blynyddoedd, tud. 158.

gwnawn i hynny ni chaech air gan y bechgyn eraill, a
gwell ichi gael gair gan bob un ohonyn nhw nag araith
gen i a 'nhwthe'n tewi." Yr oeddwn yn mynd i Draws-
fynydd ar y beic dros y Berwyn ryw Sadwrn y Pasg. Yn
yr unigrwydd gwelwn lanc yn plygu gwrych, ei gap ar
ochr ei ben, ac wedi torchi ei lewys. Pan ddeuthum ato,
er fy syfrdandod, Robert Richards ydoedd, ac meddai'n
ddidaro : " 'Mrawd yn brysur, a meddylies yr helpwn
dipyn arno." Bore Mawrth byddai yn Hull, a'r swyddog-
ion yn moesymgrymu iddo, ond iddo ef nid mwy anrhyd-
eddus y naill waith na'r llall.

Rhyw Gyfarfod Taleithiol darllenid rhestr o enwau'r
rhai a enillasai dystysgrif arholiad y Maes Llafur. Gwel-
wyd bod un ohonynt yn ail yng Nghymru, a gofynnwyd
pwy oedd, gan mai ffugenw a oedd wrth y papur. Cododd
Robert Richards ar ei draed, ac yr oedd yn Aelod Seneddol
ar y pryd. Chwarddodd pawb, ond dyma'i eglurhad :
" 'Rydwi'n athraw Ysgol Sul yn Llangynog, ac mae
nhw mor ddeallus, er mai gweision ffermwyr ydyn nhw,
â'r dosbarth myfyrwyr oedd gen i ym Mangor, ond nid
oes yr un ohonyn nhw'n gafael mewn penholder o un pen
i'r flwyddyn i'r llall, os na fydd arno eisio sgrifennu at ei
gariad. 'Roedd arnai eisio iddyn nhw drio'r Maes Llafur,
ond fynnen nhw ddim, ac er mwyn eu cynnwys mi
gynigies fynd fy hun efo nhw."

Crwydrai lawer yn y dyddiau hynny, ac yr oedd ganddo
lawer i'w ddweud am y bobl bwysig a gyfarfuasai, rhai
ohonynt yng nghraidd amgylchiadau dyrys y Rhyfel Byd
Cyntaf. Soniai amdanynt ac am eu gwewyr a'u dryswch
mawr ynghanol y cyni hwnnw, a'r funud nesaf, ac yn yr
un cywair, byddai'n ôl yn Llangynog yn disgrifio'n ed-
mygol frwydr rhyw ddeuddyn cyffredin i gael deupen y
llinyn ynghyd a magu eu plant yn anrhydeddus. Yr oedd
ei anallu yn llwyr i wahaniaethu rhwng gwahanol haenau
cymdeithas, a gwahaniaethau safleoedd a swyddi. Edrychai
ar bawb, nid fel pechaduriaid a saint, nac fel gwrêng a

bonheddig, cyfoethog a thlawd, ond fel pobl ddiddorol neu anniddorol ynddynt eu hunain. Y diffyg amgyff-rediad hwn o'r safonau cyffredin a'i gwnâi'n ŵr mor arbennig yn ei holl gylch, ac mor eang ei ddiddordeb a'i gydymdeimlad.

Nid oedd dim mwy gogleisiol ganddo na hen hanesion y fro, yn enwedig y rhai â'i dad yn ganolbwynt iddynt. Ymddengys bod eisteddfod bur enwog yno yn nyddiau gorau ei dad, a'i dad yn ysgrifennydd iddi. Soniai lawer am yr eisteddfodau hynny, ac am gysylltiad ei dad â'r gwŷr amlwg yng Nghymru ar y pryd a ddeuai i'r eistedd-fodau, a'r troeon trwstan ynglŷn â hwy. Y rhai ynglŷn â Llew Llwyfo sydd gliriaf yn fy nghof erbyn hyn. Ym-ddengys bod Llew Llwyfo yn ymwelydd gweddol gyson â'r eisteddfod, fel beirniad ac arweinydd, ac nid bob amser y byddai'n gadarn ar ei draed. Daeth cystadleuaeth y côr mawr ymlaen mewn rhyw eisteddfod, a'r beirniad ar y pryd yn bur swrth. Tua diwedd y cystadlu trodd at dad Robert Richards gan ofyn yn floesg : " P'run ohonyn nhw yr wyt ti'n ddeud ydi'r gore ?" " Y côr a'r côr," ebr yntau. Yn y man cododd Llew i roi ei feirniadaeth : " Disgynned y nefoedd a rhwyged y ddaear," meddai, " rhaid yw gweinyddu cyfiawnder, y côr a'r côr ydyw'r gorau." A dyna'r digwyddiad mewn eisteddfod arall y clywais amdano ganddo droeon pan ddeuai ei dad i'r ym-ddiddan. Digwyddodd rhywbeth a wnaeth y gynulleidfa yn bur ystwrllyd ac aflywodraethus. Neidiodd Llew Llwyfo ar ei draed a dechrau llefaru'n fawreddog fel petai ar lwyfan sasiwn, gan weiddi ag awdurdod mawr : " Problem fawr yr oesoedd yw problem cwsg. Y mae athronwyr mawr yr oesoedd, megis Socrates, Plato, a llu eraill, wedi traethu eu meddyliau i ddatrys y broblem hon." Erbyn hyn gellid clywed pin yn disgyn. " Dyma rai o'r gwahanol farnau," meddai, gan eu mynegi mewn geiriau cymhleth, ffug-ysgolheigaidd. Wedi cyrraedd ei uchaf-bwynt, a phawb yn llwyr yn ei law, dywedodd mewn hwyl

L

fawr : " Er y gwahanol farnau, ar ôl myfyrdod dwys yr oesoedd, daeth meddylwyr mawr dynoliaeth i'r un casgliad ynglŷn â chwsg, mai dwy ffordd sydd i gysgu,—un yw efo cap nos, a'r llall heb yr un." Y gynulleidfa'n deilchion, ond yn llwyr yn ei law o hynny allan. Llawer awr a dreuliais yn ei gwmni yn gwrando arno fel hyn yn adrodd am ryfeddod bywyd ei bobl.

Adwaenai ei fro bob modfedd ohoni, yn ei hen hanes. Ar dro i Bennant Melangell gwyddai am bob cam o lwybr Melangell ac am yr union le y dywedai traddodiad y safai hi arno pan ddaeth helwyr Brochwel Ysgythrog heibio ac ysgyfarnog ar flaen yr helfa, ac i'r ysgyfarnog neidio i'w chysgod hi ac o dan ei dillad, a galw o ysgyfarnogod y fro byth mwy yn ŵyn Melangell, a dangosai loches Melangell ei hun. Yr oedd yn ffrind i bob aderyn a phob anifail gwyllt. Adwaenai loches ac arferion pob un, o'u gwylio'n hir ac amyneddgar.

Byddai ar bob awr hamdden yn chwilota'i fro, ac wedi darganfod rhywbeth arbennig nid oedd llonydd i fod nes mynd gydag ef i'w weld. Daethai o hyd i gutiau Gwyddelod uwchben Pistyll Rhaeadr, a soniai amdanynt beunydd. Methwyd cael cyfle tra oeddwn yn y fro yn weinidog, ond llwyddwyd pan oeddwn yno ar wyliau haf. Digwyddai T. Gwynn Jones a'i deulu fod ar eu gwyliau ar y pryd mewn gwesty yn Llanrhaeadr, a minnau a'r teulu mewn ffermdy ar y cyrion. Mynnai Robert Richards drefnu prynhawn i fynd i weld yr hen gaer. Trefnwyd i gyfarfod wrth y Pistyll. Cerddodd ef yno o Langynog dros y mynydd. Wedi inni gyrraedd a gorffwyso cychwynasom i fyny ac yntau ar y blaen. Llwybr serth ac ar draws y gefnen, ac wedi dringo peth arno dyfnder mawr o danom. Aem ymlaen yn sionc, ond pan oeddym ar gyrraedd y brig clywem ochenaid ddwys o gyfeiriad T. Gwynn Jones—y dyfnder wedi ei benfeddwi, a rhaid oedd iddo ddychwelyd i ddiogelwch y gwaelod, ac un o'r cwmni yn ei arwain gerfydd ei fraich. Yr oedd aidd Robert

Richards gymaint am gyrraedd yr hen gaer ag na thybiaf
ddarfod iddo sylweddoli bod dyfnder. Wedi cyrraedd y
gaer ni welwn i ac eraill ond ambell garreg yn gwthio'i
thrwyn drwy'r tir, ac ambell sypyn o fawn yma ac acw,
ond gwelai ef y gaer orffenedig, a disgrifiai hi mor fanwl
nes gwneud y tryblith hwnnw yn ddiddorol a gwerthfawr.
Yr oedd yn hynafiaethydd i wraidd ei natur.

Syfrdanwyd fi pan oedd ar fin priodi gan agwedd arall
i'w ddiddordeb a'i fedr na ddychmygais cyn hynny y per-
thynai iddo. (Gyda llaw, cefais y fraint o wasanaethu
yn ei briodas). Yr oedd yn paratoi tyddyn ryw filltir o'r
pentref—y Bryn Glas—at fod yn gartref i'w briod ac yntau.
Wedi gorffen y gwaith o'i atgyweirio aeth â mi drwyddo
i'w weled. Yr oedd wedi ei ddiweddaru heb dynnu dim
oddi wrth ogoniant ei orffennol. Yr hyn a'm llygad-dyn-
nodd ar unwaith oedd y silffoedd pen tân a'u panelau a
oedd o dderw solet, a hwy a'r ffendar a'r celfi eraill wedi
eu cerfio'n ysblennydd, a dihareb wedi ei cherfio i'r panel
o dan bob silff. Wedi synnu at brydferthwch a pher-
ffeithrwydd y gwaith gofynnais pwy a gafodd i'w cerfio,
a'r ateb didaro oedd : " Myfi fy hun." Anodd meddwl
am unrhyw grefftwr wrth ei swydd a allai wneud y gwaith
yn fwy celfydd. Rhaid ei fod wedi bod wrthi am fisoedd
lawer, gan roi llafur cyson, amyneddgar, anghyffredin o
ofalus, a hynny ynghanol ei weithgarwch mawr yn ei
swydd ei hun.

Hawdd oedd gweld bod y Bryn Glas fel cannwyll ei
lygad, a hynny am ei fod wedi rhoi cymaint ohono'i hun
ynddo. Eithr daeth adeg, ynghanol ei ddyddiau, y bu'n
rhaid iddo ymadael ag ef i beidio â dychwelyd iddo mwy,
dim ond gofalu amdano'n dŷ gwag wedi ei ddodrefnu.
Merch siop oedd ei briod, a hi a'i chwaer yn ei chadw.
Pan aeth Robert Richards a'i briod i Fryn Glas cadwai
ei chwaer a'i phriod y siop. Bu farw'r ddau, ac yn hytrach
na gadael i'r siop fynd i eraill mynnai ei briod ddychwelyd
yno, ac yno y treuliodd ef weddill ei ddyddiau. Y tro

nesaf yr euthum i Langynog, yn y siop y trigent, ac yntau'n gwneud ei waith mewn ystafell gefn ddigon anghysurus, ond cymaint oedd ei hunanfeddiant a'i feistrolaeth ar amgylchiadau, ag yr ymddangosai'n gwbl ddedwydd, a'm croesawu fel petai'n blas brenin. Yr oedd ei afael mor llac mewn clydwch a moethau fel yr oedd yn berffaith barod i wynebu amodau'r newid, os oedd rhaid, i sicrhau dedwyddwch teuluaidd.

Er mor eang ei ddiddordebau, a'r eiddo'i briod mor lleol, rhaid bod ynddi rywbeth a fodlonai'r dyfnaf yn ei enaid (ac adwaenai hi erioed), canys pan fu hi farw torrodd yntau ei galon.

A daw'r un amgyffrediad eang o fywyd, yn annibynnol ar amgylchiadau, i'r golwg yn ei berthynas â'i frawd. Gŵr syml, unplyg, oedd ei frawd, yn cadw tyddyn. Gwyddom am angerdd dirwestol Robert Richards, a ddangosodd drwy fod yn un o'r ychydig yn y Senedd a bleidleisiodd dros lwyr waharddiad, gan beryglu drwy hynny ei berthynas â llawer o'i etholwyr. Daeth tafarn y " Green," Llangedwyn, yn wag. Hen dafarn hardd ei hadeiladwaith a chyfoethog ei thraddodiad. Ymgeisiodd ei frawd amdani a chafodd hi. I ŵr mor bendant ei safle ar ddirwest â Robert Richards, gellid tybio na faddeuai byth i'w frawd. Eithr fel arall yn hollol y bu. Ei ddadl oedd tra fyddai tafarnau yng Nghymru mai Cymry ddylai fod eu tenantiaid, ac os Cymry'n dafarnwyr, Cymry glân eu caricter, a ofalai na fyddai'r dafarn yn fagl i'r fro, a chyfarfyddai'r angenrheidiau hyn oll yn ei frawd. Yn ddistaw bach, credaf mai ei ddiddordeb mawr ef yn y dafarn oedd ei bod yn adeilad mor ddiddorol, canys hyd yn oed ar ddydd ei briodas, a'r cinio yn y " Green," ni allai ymatal rhag dangos rhyfeddodau'r tŷ i'r gwahoddedigion, a'i fod yn falch mai ei frawd ef ei hun a ofalai y caffai'r hen dŷ bob chwarae teg. Byr fu'r denantiaeth, fodd bynnag, canys bu farw ei frawd yn bur fuan wedi hynny.

Gorffwysai allanolion bywyd, safleoedd, anrhydeddau,

swyddogaethau, yn ysgafn iawn ar ei ysgwyddau, hyd yn oed
y swydd o gomisiynydd adran y gogledd adeg yr Ail Rhyfel
Byd. Clywais gan W. J. Parry, y gŵr annwyl hwnnw
o ysgrifennydd iddo, a'i gwyliai mor fanwl rhag iddo
gymryd cam gwag, am amryw droeon trwstan ynglŷn â'r
swydd honno. Trefnwyd cyfarfod ym Mangor rhyngddo
ef a'r gwŷr a weithiai odano. Cyrhaeddodd ef Fangor
cyn pryd, ac aeth i grwydro i aros yr amser. Daeth yr
amser, ond nid oedd sôn am y comisiynydd. Chwilio a
chwilio, a deall i rywun ei weld yn mynd i gyfeiriad Capel
Twr Gwyn, lle'r oedd cymanfa ganu. Aed i mewn, a
dyna lle'r oedd ef ar flaen y galeri yn canu gymaint fyth,
wedi llwyr anghofio'i ddyletswyddau.

Yn ôl W. J. Parry, rhaid oedd ei ysbarduno o hyd ynglŷn
â'r swydd hon. Bu cyfarfod o'r comisiynwyr oll â phrif
gomisiynydd y deyrnas. Rhoddodd hwnnw ei adrodd-
iad o'r safle gan ddweud pa mor dda neu fel arall y gwnâi
comisiynwyr y gwahanol adrannau eu gwaith, ond heb
enwi neb. Dywedodd fod un adran â'r gofal ohoni yn
anfoddhaol iawn. Gwelai Parry ei bennaeth yn gwrido ac
anesmwytho. Pan orffennodd y comisiynydd ei araith
cododd Robert Richards i ymesgusodi, wedi cymryd yn
ganiataol mai at ei adran ef y cyfeirid. Edrychai'r prif
gomisiynydd yn ddryslyd, yna dywedodd : " Ond, Mr.
Richards, eich adran chwi yw'r fwyaf boddhaol ohonynt
oll." Ac enghraifft o'i gysylltiad ysgafn ag anrhydeddau
yw'r digwyddiad hwn. Gwahoddesid ef i annerch ein
Cyfarfod Taleithiol yn Nefyn, ac yn ôl y rhaglen yr oedd i
aros y noson yn nhŷ'r gweinidog. Cadeirydd y cyfarfod
oedd D. Lloyd George. Ar y diwedd daeth Lloyd George
ato i'w wahodd yn gynnes iawn i ddyfod gydag ef i dreulio'r
noson ym Mryn Awelon. Pwy na neidiai at y fath an-
rhydedd, gan ei esgusodi ei hun gorau y gallai i'r gwein-
idog ? Fel arall y gwnaeth ef,—gwrthod gwahoddiad
Lloyd George am fod y gweinidog yn disgwyl amdano.
Daw enghreifftiau fel hyn i'r cof yn gyson sy'n dangos

nad oedd graddau cymdeithasol ac anrhydeddau yn ddim iddo.

Ynghanol ei wasanaeth eang mewn cymaint o gylchoedd, gan mwyaf yn wasanaeth cudd, yn ôl y daw fy meddwl o hyd at ei wasanaeth i gapel bach ei hen fro. Ni chollai byth foddion os yn bosibl bod ynddo. Yr oedd yn flaenor, cyhoeddai ac âi o amgylch i wneud y casgliad. Uchaf-bwynt ei wasanaeth, fodd bynnag, oedd fel athro ysgol Sul ar ddosbarth o weision ffermwyr. Hanner addolid ef gan ei ddisgyblion, a'r un yw'r traddodiad amdano pan oedd yn athro Ysgol Sul ar ddosbarth o fyfyrwyr ym Mangor. Deallaf mai felly yr oedd ynglŷn â'i ddisgyblion mewn cylchoedd eraill. Hyn a bair imi gredu mai athro oedd wrth natur, athro drwodd a thro. Cofiaf pan oedd ar fin bod yn Ymgeisydd Seneddol am y tro cyntaf, inni'n dau fod yn crwydro strydoedd Croesoswallt am ddwy awr, a minnau'n ceisio'i berswadio i lynu wrth ei swydd ym Mangor, a'r gadair a gynigid iddo, mai yno yr oedd ei le, nid yn unig i gyfrannu gwybodaeth i'w ddosbarthiadau, ond hefyd weledigaeth ac ysbrydoliaeth, mewn modd na allai neb arall ei wneud. Clywais ef droeon yn annerch cyfarfodydd cyhoeddus. Llefarai'n glir, golau a diddorol, a phan âi'n galed arno llwyddai'n ddi-feth i ddyfod â'r oesoedd canol i mewn i gau adwy, ond nid oedd yn un o feistri cynulleidfa. Y dosbarth bach dethol oedd ei briod le, lle byddai meddwl pob un yn fwyaf miniog, a gyrru'r aelodau allan dan ei ysbrydoliaeth, hwythau i ysbrydoli eraill. A heddiw, wedi iddo dreulio'i oes fel seneddwr, daliaf i feddwl na fethais wrth gredu mai ei le oedd mewn cadair goleg i ysbrydoli'r ychydig, ac nid ar lwyfan i gyn-hyrfu'r llawer, a'n bod wedi colli athro mawr mewn seneddwr nad oedd mor fawr.

Y tro cyntaf a'r tro diwethaf y cyfarfûm ag ef, yn ei le yn y capel yr oedd hynny. Yn y sêt fawr yr oedd y tro di-wethaf, ar fore hyfryd o Fai. Digon bregus oedd ei iechyd, newydd gael triniaeth feddygol drom, ac yn fy

mraich y daeth i'w dŷ. Yr oeddwn newydd glywed yr
wythnos gynt am arwriaeth dawel gwraig, drwy dlodi
mawr, i fagu rhai annwyl drwy anawsterau fil,—plant ei
brawd,—a fwriwyd yn ddisymwth, pan oeddynt yn bur
fach, ar drugaredd y byd. Adroddais y stori wrtho.
Gwrandawai â'i lygaid yn llaith, a deigryn yn llithro i
lawr ei rudd. Wedi imi orffen dywedodd mewn sibrwd :
" *What a beautiful story* !" Y mae'n debyg mai'r ym-
adrodd Saesneg hwn a ddaeth i'w wefus gyntaf fel de-
hongliad o'i deimladau, er ei fod yn Gymro mor groyw.

Plentyn y werin oedd i'r diwedd, ei harwriaeth hi oedd
arwriaeth iddo. Uchelwr gwerinol, ac iddo ef nid oedd
boneddwr arall.

XXI

Y CANTWR

Yr oedd y chwarel lechi wedi cau, ac yntau wedi cael gwaith mewn chwarel galch—bum milltir dros y mynydd, ar ôl crwydro'n hir i chwilio. Cerdded fore a hwyr, nes cael llety, wedi holi a stilio llawer, wrth odre'r chwarel. Yna mynd nos Sul a dychwelyd brynhawn Sadwrn. Byddai yn y capel deirgwaith y Sul, a'r daith yn filltir bob ffordd. Cyrraedd adref nos Sul, tamaid o swper, cadw'r ddyletswydd deuluaidd, newid dillad, taflu ei waled dros ei ysgwydd,—bwyd yr wythnos yn y naill ben iddi a'i ddillad glân yn y pen arall, a chychwyn.

Dychwelyd brynhawn Sadwrn,—llety cysurus, meddai, llanc ieuanc yn gyd-letywr ag ef, bachgen seiat a chyfar-fod gweddi, a chantwr heb ei fath.

Cyrraedd adref ymhen yr wythnos,—" Wyddoch chi pwy weles i ?" meddai, cyn gynted ag y rhoddodd ei droed ar garreg y drws,—" yr hen Hedydd Iâl, yn eistedd ar foncyff ar fin y ffordd yn ymyl y tŷ. Minne'n gofyn,— ' Sut ydech chi, William Jones ?' Ynte'n ateb :

> ' 'R wy'n blino wrth wneuthur gwaith ysgafn,
>   'R wy'n blino wrth eistedd i lawr,
> 'R wy'n gweled yr *agos* mewn *pellter*,
>   A'r *bychan* yn edrych yn *fawr*.
> 'R wy'n blino wrth gerdded ffordd wastad,
>   Er hynny rhaid dringo y rhiw,
> 'R wyf eto, er cymaint fy mlinder,
>   Heb flino yn canmol fy Nuw.'

Dywedodd hi drosodd wedyn er mwyn imi ei dysgu hi." A chyn gorffen ei bryd bwyd yr oedd wedi dysgu'r pennill i'w blant.

Cyrraedd adref ymhen wythnos arall,—y cantwr erbyn hyn wedi dysgu pennill William Jones, " a'i ganu na fu rotsiwn beth." Ei ofid oedd na buasai ei deulu yno i'w glywed.

O'r diwedd cael tŷ ym mhentre'r chwarel, a symud ei deulu yno. Noson fawr i'r teulu hwnnw ydoedd pan alwodd y cantwr ifanc heibio, a chymryd ei berswadio i ganu pennill William Jones,—ni chlybuwyd dim tebyg erioed.

Daeth eisteddfod flynyddol enwog y pentref, peth newydd i'r teulu, a drigasai mor hir mewn bwthyn diarffordd ar odre'r mynydd grug, a mynnodd pob copa fod yno. Daeth cystadleuaeth y solo bariton, gwobr—pumswllt. Galw'r enw,—ARMONYDD. Y llanc—eu cantwr hwy—yn codi, camu'n eofn i lawr llwybr y capel, ac i'r llwyfan, plannu ei draed yn gadarn a sefyll fel brwynen. Calonnau'r teulu oll yn eu gyddfau. Yntau'n canu. Y teulu'n sibrwd drwy'i gilydd, o'r ieuangaf i'r hynaf,— " *Fo* caiff hi os ydi'r beirniad yn gall." Digwyddai'r beirniad fod yn gall.

Tom Jones y gelwid y cantwr. Wedi'r eisteddfod perswadiwyd ef i roddi enw nawddsant ei fro yn y canol. Ei enw llawn ei hun a roddai'r fam iddo, yn ôl ei harfer â phawb.

Yn y man ennill ei le mewn coleg yn Lloegr, a'r fodrwy rhyngddo a'r teulu, o'r herwydd, wedi ei thorri. O dipyn i beth cripiai sibrydion annelwig heibio am ei orchestion, —yng Nghymru, yn neuaddau mawr Lloegr, ac yn y man America. Wedi hynny tawelwch llwyr, a'r sôn am dano'n mynd yn hen hanes.

Aeth y chwarel yn ormod i'r chwarelwr, a'i gyfyngu i'w gongl. O'r gongl i lofft ei dŷ unllawr yn mynd yn ormod iddo, a'i gyfyngu i'w wely. Aeth siarad yn ormod iddo, a'i gyfyngu i sŵn beichus ei frwydr anadlu.

Noson dywyll dymhestlog gefn gaeaf ydoedd, a phob lleisio yn y tŷ yn sibrwd, ond chwibanogl iasol y frwydr.

Dyna swn ceffyl a cherbyd yn sefyll. Cnoc trwm, awdur-
dodol, ar y drws. "Neno'r tad," ebe'r fam, "pwy sy'
'ne ar noson fel hyn?" Agor. Palff o wr bonheddig
mewn côt fawr drom, flewog, yn camu'n eofn i ganol y
llawr. "Tomos Jones!" gwaeddodd y fam. Cofiodd,
ond yn rhy hwyr. Rhoddodd ei bys ar ei gwefusau cyn
iddo allu dweud mwy nag "Wedi clywed—" a'i arwain
i'r llofft, ond ei gwaedd wedi cyrraedd yno o'u blaenau.

Y claf â'i lygaid ynghâu, yn crynu, a chwys y frwydr yn
llifo. Y cantwr yn gwyro, gosod ei law ar ei dalcen a
sisial,—"Beth am ganu pennill William Jones ichi?" Y
frwydr yn lliniaru ar drawiad. Y cantwr yn ymunioni,
plannu ei draed yn gadarn, a chanu,—ni bu erioed y fath
ganu. Y plant oll yn ymwthio i'r llofft a llygadrythu.
Llygaid y claf, yntau, yn agor a serennu, a dal i serennu.
Distawrwydd.

Yna, o'r gwely, megis llef distawrwydd, dros y llofft a'r
gegin :

> "'R wyf eto, er cymaint fy mlinder,
>   Heb flino yn canmol fy Nuw."

Tawelwch, llonyddwch. Brwydr yr anadlu wedi ei
hennill dros byth.

Y mae gweddillion y plant hynny erbyn hyn yn *hen* bobl,
ond daliant i dyngu na welodd y byd hwn erioed gantwr
fel Tom Armon Jones, canys onid ef a agorodd y porth i'w
tad i'r Ddinas Gyfanheddol, wedi goddiweddu ohono
lawenydd a hyfrydwch, a chystudd a galar yn ffoi ymaith?

XXII

TRI

Y FLWYDDYN 1900 ydoedd. Eisteddai tri o lanciau ryw fin hwyr o Fawrth ar aelwyd gynnes â'i thân yn rhuo, yn un o ardaloedd uchaf, mwyaf mynyddig ac eiraog Cymru. Eisteddent yno a'r eira'n disgyn yn drwm o'r tu allan, yn gweled gweledigaethau, a'u bronnau'n ymchwyddo, a gorfoledd distaw yn eu cynhyrfu, wrth syllu ar ysblander eu golygfeydd. Tybient weled Cymru'n deffro ac yn eu gwahodd i'r frwydr, a churiad newydd ei chalon hi yn cyflymu curiadau eu calonnau hwythau. Gwelai un y dyddiau'n gwawrio pan fyddai arwyr Cymru'n ymdeithio eto, a sŵn eu cerdded fel sŵn llawer o ddyfroedd. Llencyn wedi ei eni a'i fagu ar lan y môr ydoedd, a'i gartref yn nannedd y môr mawr, a chlywai furmur a rhu môr ei gartref mewn popeth mawr ac aruchel. Gwelai'r llall fynyddoedd Eryri'n ferw eto gan blant annibyniaeth, a'r Wyddfa'n edrych i lawr â dirmyg ar elynion ei wlad. Gwelai adeg pan fyddai plant Cymru eto'n ymfalchïo yn Eryri, a'r creigiau hwythau'n adleisio caniadau eu gwaredigaeth. O Fôn y daeth ef, wedi ei fagu yngolwg cartref annibyniaeth ei genedl. Gwelsai fynyddoedd Eryri erioed yn y pellter, fel delfrydau wedi eu corffori, yn ymestyn i'r cymylau, ac yn ei wahodd ymlaen,—yn ddigon agos ato i'w danio a digon pell oddi wrtho i beidio â bod yn gyffredin iddo, a dyheadau ei galon yn ymgartrefu yn eu hagennau. Athro ysgol oedd y naill—Tom Arfor Davies wrth ei enw ; pregethwr newydd ei dderbyn i'r weinidogaeth oedd y llall,—Ben Tomos wrth ei enw ; ac athro â'i lygaid ar y weinidogaeth oedd y trydydd. Distaw iawn oedd ef, ond â'i lygaid yn serennu wrth wrando ar y lleill, canys bryniau oedd ei fynyddoedd uchaf ef, a llyn yng

nghesail y bryniau oedd ei fôr, a'r mynyddoedd mawr a'r
môr mawr y tu hwnt i'w orwelion.   Gweled gwceledig-
aethau a gwneuthur addunedau brwd oedd eu gwaith yr
hwyrddydd hwnnw ; ac iddynt hwy, a oedd mor ieuanc
a dibrofiad, rhywbeth i'w sylweddoli ar drawiad oedd
gweledigaeth.   Nid oedd eisiau ond codi bys arni a deu-
ai'n ddiatreg atynt i'w hanwylo.   Cyfyngedig oedd byd y
tri, ond penderfynai pob un wneud ei ran yn ei gylch ei
hun.   Addunedai dau fod yn ffyddlon mewn gwasanaeth
i'w henwad heb fradychu Cymru—yn y weinidogaeth.
Dyfod â'u pobl i fwy o gytgord ag anian eu cenedl, dyna
fyddai nod eu bywyd.   Addunedai'r athro ddyfod â'r
hyn a ddysgodd ei gartref a'i enwad a'i goleg iddo, i fyd
plant, gan eu dysgu i garu Duw a Chymru.   Yr oedd
gwawl O. M. Edwards drostynt ill tri.

Yna galwodd tynged ddidostur ar yr athro i ddychwelyd
i'w fro, yno i aros mwy.   Oddi yno sgrifennodd lythyr i'r
ieuangaf o'r tri.   Dyma ran o'r llythyr :

> Fu hi erioed mor dywyll arnaf o'r blaen.   Y dyfodol disglair !
> y cynlluniau prydferth ! y castelli mawreddog ! y bywyd
> hapus a dedwydd !   Dacw nhw—yn cilio o'r golwg—y naill
> ar ôl y llall—i'r tywyllwch pell.   Fel breuddwyd plentyn, gwel-
> af hwynt yn fy mhasio'n gyflym, ac yn ymgolli draw ymhell,
> bell, gan fy ngadael innau i wylo'n unig ac yn ofnadwy.

Yr oedd blotiau dagrau'n britho'r llythyr, ac enaid yn y
dagrau hynny, enaid ieuanc yn tywallt ei obeithion i
farwolaeth.   Ymhen ychydig iawn wedi sgrifennu'r llythyr
gosodwyd ef i orwedd, gartref, ar lan y môr mawr.   Aeth i
orwedd yn saith-ar-hugain oed.   Y mae'n gorwedd yno
bellach ers pymtheng mlynedd a deugain, ond erys y
blotiau dagrau, er cof am un a giliodd cyn i ymylon ei
weledigaethau ddechrau edwino, a chyn dechrau ohonynt
grebachu dan farrug gaeaf siomedigaethau.

Wedi i'r athro fynd i orwedd, o fewn yr un flwyddyn,
safai'r ddau arall, ryw nos Sul o Fehefin, dan gysgod llwyn,
ar noson gannaid olau leuad, yn Nyffryn Clwyd.   Saf-

asant yno nes i belydrau cyntaf y wawr ddechrau cymysgu
â phelydrau olaf y machlud, ac yr oeddynt mewn byd
breuddwydiol, cyfriniol a rhyfedd. Yr oedd y byd yr
oeddynt ynddo y noswaith honno o Fawrth yn gwbl ddi-
gwmwl, ond er mor gyfareddol hwn, rhwng machlud a
gwawr, yr oedd cwmwl drosto. Yr oedd yr athro ysgol
wedi cilio cyn dechrau sylweddoli ei weledigaethau, ac o'r
herwydd eu gweledigaethau hwythau erbyn hyn yn fwy
rhithiol. Er hynny ni flinai'r pregethwr a dderbyniasid
eisoes i weinidogaeth ei bobl, beintio'r dyfodol â lliwiau
mwyaf tanbaid ei ddychymyg gloyw. Gweledydd ydoedd,
mwy o weledydd na dim arall. Dychmygai a llefarai'r
naill a gwrandawai'r llall dan hud, ac ymglymodd
eu calonnau am ei gilydd y noswaith honno. Yng ngwlad
hud yr oedd y pregethwr yn byw, ac o'i alw i lawr i fyd
sylweddau caled y torrodd ei galon. Cael cam gwag wrth
ddisgyn a'i lloriodd.

Rhoddwyd ef mewn coleg o'r eiddo'i enwad yn Lloegr,
i ddysgu pynciau ei alwedigaeth, ond sain cynghanedd cân
ac englyn oedd ei fyd,—eisteddfod, nid coleg ; cynganeddu,
nid gramadegu ; cystadleuaeth, nid arholiad. Wrth
ymgolli yn y naill anghofiodd y llall nes dyfod dydd y
pwyso, ac fe'i cafwyd yn brin. Yn ei ddryswch ceisiodd
wyro'r glorian ac fe'i daliwyd. Mewn cywilydd di-
hangodd. Galwyd ef yn ôl i wynebu ei brawf, ond yr oedd
arno ormod o gywilydd ohono'i hun i fynd, ac am hynny
nid oedd maddeuant. Llechodd gartref, ond gan na ellid
fforddio byw heb gynhysgaeth ond cywilydd, nid oedd
iddo ond croesi'r môr i America bell. Wedi peth dis-
tawrwydd yn ei gylch daeth y newydd ei fod yn ei fedd.

Yn fy nyddiau diweddar hyn, ymhen dros ddeugain
mlynedd wedi ei briddo yn America bell, darlithiwn yn
Llundain, ac yng nghwrs y ddarlith cefais achos i'w enwi
a dyfynnu englyn o'r eiddo ac un o'i sylwadau pert. Oedfa
fore Sul yn Llanelidan a achosodd y sylw, a'r awel yn

gwrthod galw heibio. Daeth yr hen flaenor crafog,
Edward Hughes, ato ar y diwedd a gofyn,—" I b'le'r aeth
yr hen hoelion wyth i gyd, deudwch ?"   " Be wnewch
chi â hoelion wyth ar gyfer 'styllod modfedd ?" ebr yntau.
Ie, ef bioedd y sylw, er i amryw ei hawlio ar ôl ei ddydd-
iau.   A dyma'r englyn (dywaid cyfaill wrthyf nad yw'n
englyn manwl-gywir, ond er hynny y mae'n englyn da) :

> Myn oes y cymwynaswr—ddodi'i ran
>   Ym medd drwgweithredwr,
> Er hyn i gyd yr un gŵr
> I oesoedd eraill sydd arwr.

Ar y diwedd daeth gŵr o Fawddwy ataf a'm cyflwyno
i'w briod yn Saesneg, gan ddweud mai Americanes oedd
hi.   " Tybiais," meddai hi wrthyf, " imi'ch clywed yn
enwi Ben Tomos, a oeddych yn ei adnabod ?"   " Yr oedd
yn un o'm cyfeillion mawr," meddwn, " a wyddoch chwi
rywbeth amdano ?"   " Merch fy mrawd oedd ei briod,"
meddai hithau.   " Aeth yn gynnar," meddwn, " beth a
a oedd arno ?"   " Torri ei galon," oedd yr ateb.
Cafodd eglwys fach yn America, eithr nid oedd le nac
i'w ddawn na'i ddyheadau na'i weledigaeth ynddi, na'i
chyflog yn gyflog byw.   Cymerodd ei berswadio gan dad
ei briod, a oedd â'i lygad ar les ei ferch, i dderbyn gwahodd-
iad a drefnasai iddo, gan eglwys Saesneg.   Dechreuodd ar
ei waith yno ac edwinodd.   Mor aml y gwywa gweledig-
aethau pan gyfyngir arnynt gan angenrheidiau byd
creulon, er mai eglwys yw ei gyfrwng, ac y gwywa calon
sy'n sugno'i maeth ohonynt !   Yn ôl y wraig o America,
hiraethai ef am Fôn, bro ei febyd ;   hiraethai am Eryri,
cartref ei ddelfrydau ;   hiraethodd nes torri ei galon.
Gwerthasai ei enedigaeth-fraint, ac nid ydoedd le i edif-
eirwch, er iddo trwy ddagrau ei thaer geisio hi, a chil-
iodd i'w fedd cyn cyrraedd ohono ei bymtheg-ar-hugain
oed.   Aeth yntau, fel yr athro ysgol, gan adael ei weledig-

aethau yn wyw ar ei ôl. Llanc bochgoch, llygaid dir-
eidus, yn byrlymu o egni, cyn dyfod y diwrnod du a'i
dawch. Eithr wedi colli cynhesrwydd Môn a galwad
Eryri nid oedd dim a allai ei aros ond cilio i'w fedd.

Am yr un a adawyd, y mae'r gweledigaethau hynny ers
blynyddoedd meithion wedi dirywio'n freuddwydion, ond
arhosant yn ysbrydiaeth iddo i ddal ati yn ôl ei nerth.
Cilia, yn awr ac eilwaith, o ganol helbulon a siomedig-
aethau heddiw, i'r aelwyd honno gynt yn y mynydd-
oedd, a than y llwyn y cysgodai dano gyda'r pregethwr
ieuanc ar noson gannaid olau leuad ym mis Mehefin
rhwng gwyll a gwawr yn Nyffryn Clwyd, yn tynnu at
drigain mlynedd yn ôl, a theimla mai brad â'i hen gyfeill-
ion fydd peidio â dal ati nes dyfod y machlud, gan y cred
mai dyna a ddisgwyliant ganddo. Yna bydd goleuni yn
yr hwyr.

AMRYW DDONIAU

XXIII

CEWRI—AC ERAILL

Rhyw fore yn Ionawr, 1955, oherwydd esgeuluso'r gor-chymyn,—" Gwylia ar dy droed," wrth ddyfod i lawr y grisiau, a hithau'n llwyd dywyll, cefais gwymp ffyrnig a barodd dorri asgwrn yn fy nhroed a'm caethiwo i'm congl am fis. Wedi darllen cymaint ag a allwn, a myfyrio cym-aint ag a allwn, a diflasu'n fwy na dim, crwydrodd fy meddwl i fyfyrio ar rai o'r hen bregethwyr, o gyfnod i gyf-nod, ac atgofion hwn a'r llall a glywswn amdanynt, a phethau a ddarllenais amdanynt, a'm hatgofion i fy hun. Ysgrifennais y myfyrion wrth fy mhwysau. Pan ddaeth blinder arall, a'm caethiwodd yn hwy, manteisiais arno i loffa chwaneg ar y maes, a chefais gryn gynhaeaf. Tybed a fydd yr atgofion o ddiddordeb i rywun heblaw mi fy hun?

Dechreuaf â gŵr syml a diniwed. Y peth hynotaf a wnaeth ef oedd byw, a thrwy hynny fe gysylltir ein cyfnod ni â'r dechreuadau â dau gam. Robert Owen, o Lysfaen, ydoedd, a fu farw yn Aberaeron yn y flwyddyn 1875 yn 94 mlwydd oed. Ef a dorrodd y record yn ein plith am hirhoedledd, o'n dechreuad yng Nghymru hyd yr awr hon. Pedwar yn unig o'n gweinidogion a groesodd y deg-a-phedwar-ugain,—Robert Owen ; Hugh Hughes (91) ; Thomas Jones Humphreys (92) ; Owen Evans (91). Y mae rhai yn ein plith yn ymhyfrydu mewn torri recordiau. Wel hai ati i dorri record Robert Owen.

Pob tro y sonnid wrthyf am Robert Owen, yr un peth a ddywedai pawb amdano,—ei fod yn medru cerdded drwy'r baw heb ddwyno'i 'sgidiau, camp go fawr ar ffyrdd ei ddyddiau ef. Yr oeddwn yng Nghilcennin yn 1938, a

daeth gŵr o'r capel i'm llety am ymgom ar ôl te. Dywed-
odd ei fod yn cofio hen weinidog yn Aberaeron
pan oedd ef yn blentyn, gŵr tal, gosgeiddig, yn cario
melysion yn ei logell bob amser ar gyfer y plant, ei fod
wedi cael rhai ganddo droeon, ac y perthynai nodwedd
arbennig iddo—y medrai gerdded drwy'r baw heb
ddwyno'i 'sgidiau.

"Robert Owen," meddwn, "a fu farw yn 1875 yn 94
oed."

"Ie," meddai.

"A gaf ofyn beth yw'ch oed chi ?" meddwn.

"Tair-ar-ddeg-a-thrigain," meddai.

"Yr oeddych yn ddeg oed, felly, pan fu Robert Owen
farw."

"Oeddwn," meddai.

Meddyliais pa bryd y ganed Robert Owen, a gwelais ei
fod yn ddeg oed pan fu farw Pantycelyn a John Wesley,
canys bu'r ddau farw yr un flwyddyn. A dyna bontio'r
oesoedd o ddyddiau Pantycelyn a Wesley â dwy einioes.
Teimlais fod y Tadau bore yn ein hymyl.

Ni wyddom fawr am Robert Owen, ond a fynegwyd,
ond onid oedd yn werth byw am 94 o flynyddoedd, er
heb adael dim ar ôl heblaw'r gair o fod yn garedig wrth
blant, a medru cerdded drwy faw heb ddwyno 'sgidiau ?

Ac yn awr at un o wŷr hynotaf y dechreuadau—Richard
Bonner. Y mae Daniel Owen, fodd bynnag, wedi dwyn
y perlau gorau cysylltiedig ag ef yn ei ysgrif "Y Ddau
Fonner" yn *Straeon y Pentan*. Eithr ni ellir ei adael allan
o'r herwydd. Dyma un sydd gan Daniel Owen. Gof-
alai hen wraig dlawd, a elwid yn Begws, am gapel Tafarn
y Celyn, ar bwys Llanarmon-yn-Iâl. Lladratawyd ei moch-
yn gan rywun, a phenderfynodd pobl y capel wneud casg-
liad i'w digolledu ar nos Sul pan fyddai Richard Bonner
yno'n pregethu, a gofyn iddo ddweud gair i gymell casgliad
da. Ber oedd ei araith a dyma hi,—

M

" Wel, gyfeillion, yr yden ni i gyd yn nabod Begws,
'does ganddi ddim yn sbâr ag iddi gael llonydd gan chwiw-
ladron, ac mi wn y rhoiff pob un gymaint ag a feder o yn
y casgliad ond y dyn a ddygodd fochyn y greadures
dlawd.   Fe ellwch fod yn siŵr na roiff y dyn a ddygodd y
mochyn yr un ddimai goch."   Cyfrannodd pob enaid,
a digolledwyd Begws, a mwy.

Dywaid Dr. Hugh Jones iddo ef, pan oedd yn weinidog
ieuanc dibrofiad, ofyn cyngor gan Richard Bonner.
" Wel," machgen i," ebe Bonner, " gofala bob amser
fynd ag ymbarél efo ti ar dywydd braf, a gwna fel y mynni
pan fydd hi'n glawio."

Yr oedd cario ymbarél, gyda llaw, yn nodwedd arbennig
i Dadau'r enwad.   Teflid sen arnynt yn aml o bulpudau'r
enwadau eraill, fel pobl a oedd " yn gwisgo côt ddu a
chadach gwyn, a chario pric-a-charp " (sef ymbarél).
Mor aml y try dilornwyr yn ddynwaredwyr !

Gan fy nhad y cefais y stori hon, ac yntau gan Ehedydd
Iâl, a adwaenai Richard Bonner yn dda.   Caffai Bonner
bryd o fwyd ryw brynhawn Sul mewn tŷ a'r wraig yn bur
aflêr.   Gwelai Bonner ôl bawd du ar ei gwpan, a sychodd
ef ymaith â'i gadach poced.   Ffromodd y wraig.   " Mr.
Bonner," ebe hi'n swta, " mae nhw'n deud bod yn rhaid i
bawb fyta peced o faw cyn marw."   " Yden," ebe Bonner,
" ond nid i gyd ar unwaith."

Gan bobl Ffynnon Groyw y clywais y stori hon, am
John Bartley, pan oedd yn weinidog yn Llanasa, gŵr syml,
diddan, a phregethwr hwyliog.   Ef oedd y gŵr a fu'n
cystadlu ag Ehedydd Iâl ynglŷn â'r gynffon orau i bedair
llinell yr Ehedydd :

> Er nad yw 'nghnawd ond gwellt
>   A'm hesgyrn ddim ond clai,
> Mi ganaf yn y mellt,
>   Maddeuodd Duw fy mai.

Gwyddom oll mai " cynffon " Ehedydd Iâl oedd y cwpled gogoneddus :

Mae Craig yr Oesoedd dan fy nhraed,
A'r mellt yn diffodd yn y gwaed.

Cynnyrch John Bartley oedd y geiriau llymrig :

Maddeuant rhad, maddeuant llawn,
Sydd o foreddydd hyd brynhawn.

Deuai i bregethu yn Ffynnon Groyw yn gyson ar ganol wythnos, yn ôl arfer y dydd, gan ddyfod yn gynnar y prynhawn er mwyn ymweled â'r bobl a thrwy hynny gasglu cynulleidfa. Gorffennai'r ymweliad mewn tafarn a'r wraig yn aelod selog yn ein heglwys yno. Caffai yntau lasaid o chwisgi cyn mynd i'r capel. Nid ystyrid llwyrymwrthodiad yn rhinwedd yn y dyddiau hynny. Nid peth dieithr oedd cwpwrdd o dan y pulpud a ffircyn o gwrw ar gyfer y pregethwr ynddo. Pan ddeuai adeg yr oedfa cloai'r wraig y tŷ, a phwy bynnag a fyddai yno ei orfodi i ddyfod gyda hi i'r capel. Rhyw fin nos, pan alwodd Bartley, yr oedd un o'r cwsmeriaid wedi " mynd iddi " braidd ar y mwyaf, ac nid oedd na byw na marw na chaffai dalu am " twopenneth " i Bartley. Daeth amser yr oedfa, ac aeth cynulleidfa'r dafarn oll i'r capel. Cysgodd gŵr y " twopenneth " ar unwaith. Cafodd Bartley hwyl ar bregethu, ac ym munud ei anterth rhoddodd floedd orfoleddus. Neidiodd y cysgwr ar ei draed gan weiddi : " Twopenneth arall i Bartley, twopenneth arall i Bartley." Pan oeddwn yn Lerpwl, adroddais y stori mewn rhyw gyfarfod neu'i gilydd. Ar y diwedd daeth William Jones, Tŷ Capel Mynydd Seion, ataf a gofyn : " Wyddoch chi pwy oedd gwraig y dafarn ?" " Na wn," meddwn, ac meddai yntau,—" 'Mam."

Yn awr at gawr,—Thomas Aubrey. "Tri chedyrn Cymru,—Christmas Evans, John Elias, Williams o'r Wern." Gellid cyplysu enw Aubrey â hwy yn rhwydd heb ostwng dim ar y safon. Yr oedd yn arweinydd yn ei gylch o'i blentyndod. Ef oedd arweinydd y plant ym mhob direidi a drwg. Ychydig o ysgol a gafodd, mewn hen gapel, â gŵr ungoes, creulon a chosbwr didostur, yn athro. Arferai eistedd yn y sêt fawr a'r plant yn y seti eraill. Pan ddeuai i mewn datodai ei goes bren a'i gosod o'r neilltu cyn dechrau ar ei waith. Cafodd Aubrey gurfa ddidrugaredd ganddo unwaith nes ei fod yn wrymiau i gyd, a thyngodd ddial. Casglodd y plant at ei gilydd wedi mynd allan a dadlennu ei gynllun, a phawb yn cytuno'n eiddgar. Gwnaeth Aubrey rywbeth yn fwriadol fore trannoeth a barodd ei alw i'r sêt fawr am ei gosb. Aeth yntau, cipiodd y goes bren ac aeth â hi i ben arall y capel ac i'w le, a'r ysgolfeistr yn ddiymadferth yn melltithio a bygwth yn lloerig. Yna gosodwyd telerau heddwch, ei fod i addo'n bendant gymedroli ei gosb yn y dyfodol neu eu bod oll yn mynd allan a'i adael fel yr oedd, a bu'n rhaid iddo ufuddhau.

Yr oedd Aubrey yn gweithio mewn gwaith haearn yn ddeg oed, ac erbyn ei fod yn bedair-ar-ddeg yn ymladdwr o fri. Cytunodd gyfarfod â gwrthwynebwr mewn llannerch gudd ar brynhawn Sul am frwydr. Aeth ef a'i bartner yno, ond ni ddaeth y gwrthwynebwr. Wedi disgwyl yn hir trodd adref yn anfoddog. Clywodd ganu o gapel bach yr âi heibio iddo, ac o chwilfrydedd aeth iddo, capel y bobl ddirmygedig (ar y pryd) y daeth ef y fath golofn iddynt. John Williams oedd enw y pregethwr, gŵr dawnus a phregethwr clir a difloesgni. Disgrifiai, y prynhawn hwnnw, bechod a phechadur mor fyw nes i Aubrey dybio i rywun fod wedi dweud ei hanes ef wrtho, a gofidiai nad oedd ganddo garreg yn ei logell i'w hanelu at ei ben. Yn y man trodd y pregethwr i ddisgrifio maddeuant. Llarieiddiodd y bachgen, ac yna torrodd i wylo, a phan alwyd am ddychweledigion yr oedd ef yn eu plith. Dechreuodd bregethu yn bymtheg oed, derbyn-iwyd ef i'r weinidogaeth yn ddeunaw, ac yn un-ar-hugain pregethai yn oedfa olaf uchelŵyl y Cyfarfod Tal-eithiol, a daliodd felly hyd y diwedd.

Rhyferthwy Aubrey a'i eiriau mawr a gofiai'r tadau,— " tragwyddoldeb y tragwyddoldebau " a'u tebyg. Ef biau'r esboniad ar " Trugaredd," mai " *tri*-garedd " yw'r gair,—tri yn caru, y Tad yn caru, y Mab yn caru, yr Ysbryd Glân yn caru, esboniad hunaneglur i ŵr o'r De, sydd yn ynganu *tru* yn *tri*. Gwelais neu clywais am-dano'n pregethu yng Nghonwy. Digwyddai Caledfryn fod yn ymweled â'r dref ar y pryd, gŵr ffroenuchel, beirn-iadol, sych, ac aeth i'r oedfa i glywed beth a oedd gan y pregethwr Wesle yr oedd cymaint o sôn amdano i'w ddweud. Ymhell cyn diwedd yr oedfa yr oedd Caledfryn ar ei draed yn chwerthin fel ynfytyn.

Yn fy nghyfnod cynnar yn Nhregarth arhosai'r tra-ddodiad yn fyw amdano yn nyddiau cynnwrf y " Diwyg-wyr Wesleaidd," a rannodd y Cyfundeb mor drychinebus, ac a'n gwnaeth yn gymaint o gyff gwawd rhai o'r enwadau eraill yng Nghymru. Y mae'n debyg mai Aubrey a ar-bedodd y Cyfundeb yng Nghymru rhag y rhwyg. Yr oedd Tregarth yn sigledig, canys ymgiliasai Shiloh oddi wrth y Cyfundeb am gyfnod yn nyddiau helynt y " Wesle Bach," —rhwyg Cymreig a fu ychydig cyn hynny. Trefnodd Aubrey ddadl rhyngddo ef ac un o'r cynhyrfwyr, i'w chynnal ar Sgwâr Penrala ar brynhawn Sadwrn. Yr oedd y lluoedd yno. A gaem dyrfa debyg heddiw tybed i bwrpas tebyg ar brynhawn Sadwrn ? Gwagen oedd y llwyfan, a phob un i gael chwarter awr ar y tro. Yr oedd chwarter awr Aubrey ar ben bob tro cyn iddo orffen ei stori, a'r llall bob tro wedi dyfod i ben ei dennyn ymhell cyn diwedd ei chwarter awr. Buddugoliaeth enwog, hir ei thraddodiad, oedd honno.

Un arall o'r cewri, cyfysgwydd ag Aubrey,—Rowland
Hughes. Cyplysid eu henwau bob amser gan y tadau.
Fe orwedd Rowland Hughes ym mynwent yr Eglwys
Wen, Dinbych, yn yr un fynwent â Thwm o'r Nant. Yr
oedd Rowland Hughes yn un o bregethwyr mwyaf oll
Cymru mewn unrhyw gyfnod, a hynny yn ôl " Y Faner,"
nad oedd ganddi fawr o dda i'w ddweud am ei bobl.
Gŵr gweddol dal, tywysogaidd yr olwg, gwallt gwinau
crych, llygaid awdurdodol, ffraeth a phigog ei dafod.
Cefais lawer o'r traddodiadau am yr hen bregethwyr, gan
Evan Jones, y gweinidog yr wyf mor ddyledus am gymaint
iddo yn fy nghyfnod cynnar. Yr oedd Rowland Hughes,
meddai Evan Jones, yn anghymodlon pan fyddai pobl yn
ceisio cymryd mantais annheg ar bregethwr. Yr oedd
yn pregethu yn Sir y Fflint, a phan ddaeth adeg y talu,
prin y cafodd ei dreuliau teithio. " Beth yw hyn?"
meddai'n chwerw. " Yr ydym yn deall, Mr. Hughes,"
ebe'r talwr, " eich bod ar eich ffordd oddi yma i'r fan-ar-
fan," gan enwi lle cyfagos. " 'Dydwi ddim yn eich *chargio*
chi am y cyfarfod hwnnw," ebe Rowland Hughes yn swta.

Pregethwr hamddenol, ymddiddanol, ebe fy nhad am-
dano, a'i feistrolaeth ar ei bwnc yn ei alluogi i hepgor
geiriau mawr, ac yn ei egluro mor glir a byw, ac â'r fath
awdurdod tawel, nes cyfareddu pawb. Cyfodai tawch
weithiau oddi ar ruthr Niagraidd Thomas Aubrey, ond
llifeiriant clir oedd yr eiddo Rowland Hughes. Yr oedd gan
fy nhad stori amdano'n pregethu yn yr awyr agored dan
dderwen ar y Bod o Dduw, a thyrfa aruthrol yno, ac yn
llwyr dan ei awdurdod. Ar ganol y bregeth cododd ei
law, gafaelodd mewn deilen oddi ar y pren, ei thorri ym-
aith yn hamddenol, ei harchwilio a'i dadansoddi'n fanwl,
gan ddangos ei chywreinrwydd rhyfeddol, a hynny mor
fedrus nes bod pawb yn dal ei anadl. Yna codi ei olwg ac
edrych yn llym o'i amgylch, a gofyn ,—" Ymh'le y mae'r
anffyddiwr yn awr ?" Ac ochenaid unol o ollyngdod
drwy'r dyrfa.

Y mae cyfoeswr iddo yn yr un weinidogaeth—Thomas
Morris,—yn gorwedd ym mynwent yr Eglwys Wen. Pe
gwypai Rowland Hughes, tybed a fuasai'n esmwyth yn ei
fedd? Yr oedd Thomas Morris, yn ôl Evan Jones, yn
ganmolwr ewynnog ar bawb, yn eu hwynebau, a phigiad
bach slei wedi iddynt droi cefn. Pregethwr pur boblog-
aidd ond cwbl ddiymddiried fel dyn. Yr oedd gan Evan
Jones stori amdano a Rowland Hughes i egluro hyn. Yr
oedd Thomas Morris a gweinidog arall yn ymddiddan
ar stesion Caer, pan welent Rowland Hughes yn mynd o'r
naill drên i'r llall. Trodd Thomas Morris ar ei sawdl
ac ato, yn cael ei ddilyn gan y llall, a dweud,—" Sut
ydech chi, Mr. Hughes bach? Wedi bod mewn cyfarfod
mawr eto mae'n siŵr, ac wedi cael hwyliau mawr mae'n
siŵr, Mr. Hughes, ac yn mynd i le arall i gyfarfod preg-
ethu. Peidiwch â'ch lladd y'ch hun, Mr. Hughes bach."
Aeth trên Rowland Hughes ymaith. Trodd Thomas
Morris at y llall a dweud, " I b'le'r oedd yr hen Roli'n
mynd 'rwan tybed?" Prin, efallai, y gellir ei alw yn
" 'R hen Roli," canys nid oedd ond hanner cant oed yn
marw, ac Aubrey ond trigain. Synnir fi'n aml pan syl-
waf mor ieuanc yr oedd llawer o'r *hen* dadau yn marw.

Yr oedd Thomas Morris, yn ôl Evan Jones, yn ei ym-
weliadau â'r cartrefi, yn syrffedlyd ei gydymdeimlad a'i
gysur, hyd yn oed yn wyneb pob pigyn bach o boen. Ei
ddull o gydymdeimlo a chysuro, yn gyffredin, fyddai
sicrhau'r claf ei fod yntau wedi cael yr un clwy'n union ac
wedi gwella. Trwy hynny âi'n aml i brofedigaeth, yn
enwedig wrth gydymdeimlo â'r chwiorydd yn eu hamryw-
iol anhwylderau. Yr oedd traddodiad yng Ngronant,
pan oeddwn yn Ffynnon Groyw, amdano'n cydymdeimlo
felly â gwraig o'r eglwys yno. Ymhen deufis cafodd air
gan ei phriod, yn gofyn iddo, pan fyddai yno'n pregethu,
fedyddio'u merch fach.

Yr oedd gan Evan Jones stori arall am Thomas Morris.
Ymddengys mai creadur nerfus iawn ydoedd, ac ofn nos

yn ei lethu.   Pan oedd yn arolygwr Cylchdaith Abergele
yr oedd capelau'r Dawn a Betws-yn-Rhos o fewn ei ofal-
aeth, a'r ffordd yno'n bur unig, a'i chloddiau a'i gwrych-
oedd yn uchel, ac yr oedd potsiars Llysfaen yn gryn
ddychryn yn y fro.   Pan oedd Thomas Morris yn dyfod
o'r Dawn ryw noson ganol wythnos dywyll gefn gaeaf,
clywai gryn sŵn traed yn dyfod i'w gyfarfod, a fferrodd pan
ddeallodd mai potsiars Llysfaen a oedd yno.   Clywsant
hwythau yntau, ac yr oeddynt yn glustiau i gyd ar un-
waith, canys gwyddent fod ciperiaid effro yn y fro.   Pan
ddaeth ef i'w hymyl parodd un ohonynt yn chwyrn iddo
sefyll a chodi ei freichiau.   Ufuddhaodd yntau.   Trawodd
un ohonynt olau, a dyna wawch o chwerthin.   " 'Rargien
fawr," meddent ar drawsiau ei gilydd, " g'nidog Wesle
ydi hwn."   Y gorchymyn a gafodd Thomas Morris oedd
troi ei wyneb at y clawdd, a dweud ei bader yn uchel tra
fyddent hwy'n mynd o glyw, neu y byddai'n ddrwg arno.
Ac felly fu.   Yn sŵn Thomas Morris yn dweud ei bader
wrth y clawdd y collodd yntau sŵn eu traed hwythau.

Yr oeddwn yn pregethu yn Ninas Mawddwy ganol
wythnos ym Mehefin 1944, ac wedi oedfa'r bore—bore
heulog anghyffredin—safai'r gynulleidfa'n dyrrau o'r tu
allan i'r capel am ymgom.   Daeth gwraig fywiog ataf a
dechrau ymddiddan yn eiddgar.   Ar ryw siarad dywed-
odd, " 'Rydwi'n cofio clywed Owen Owen, Dolffanog, yn
pregethu yn y capel yma."   " Rhaid eich bod yn llawer
hŷn na'ch golwg," meddwn, canys blynyddoedd Owen
Owen oedd 1812-1887.   Atebodd ei bod dros ei deg-a-
phedwar-ugain, ac adroddodd y stori am Owen Owen a
oedd mor gyfarwydd i'r tadau.   Gŵr tal, cyhyrog, oedd
Owen Owen, a breichiau a choesau hirion iawn, a chyn ei
droedigaeth yn ymladdwr o fri.   Cafodd droedigaeth
hynod a daeth yn bregethwr poblogaidd iawn.   A dyma'r
stori,—rhyw noson daeth Owen Owen ar draws twr o'i
hen elynion, a ddechreuodd ei herian oherwydd ei grefydd,

yntau'n dal y cwbl yn dawel. Aent hwythau o ddrwg i
waeth, nes tybio ohono o'r diwedd eu bod wedi mynd dros
ben llestri. " Wel," meddai'n hamddenol, dan dorchi ei
lewys, " os ydwi wedi newid fy meistar 'dydwi ddim wedi
gwerthu'r twls." Ar drawiad cafodd y lle iddo'i hun.
Pan oedd yr hen wraig yn adrodd y stori daeth gŵr canol
oed heibio ar fotor beic ac aros yn ein hymyl. Torrodd
hithau'r stori'n fyr,—" Rhaid imi fynd 'rwan," meddai,
gan neidio'n wisgi ar y sêt yn sgîl y gyrrwr, rhoi ei breich-
iau am ei ganol ac i ffwrdd â hwy. Ei mab oedd y gŵr
canol oed. Sylwaswn arni'n dyfod i'r oedfa y noson gynt,
a gŵr dall, trwm ganol oed yn ei braich. Mab arall iddi
oedd hwnnw,—Telynor Mawddwy, ef yn tynnu at ei
ddeg-a-thrigain ar y pryd.

A dyna John Jones (Vulcan), a'i allu fel amddiffynnydd
ein ffydd yn ddihareb yn ein plith. Wedi i'r hen bobl
fesur a phwyso pawb yn ôl eu gwahanol ddoniau, y
diwinydd ohonynt oll fyddai Vulcan. Sonient beunydd am
y ddadl fawr ar Athrawiaeth yr Iawn a fu rhyngddo ef a
Dr. Lewis Edwards, a buddugoliaeth lethol Vulcan,—o
leiaf, yn eu tyb hwy. Pan oedd hen gyfaill fy ieuenctid—
Tom Arfor Davies—yn fyfyriwr yn Aberystwyth, cyd-
letyai ag ef lanc o Ddolgellau, Weslead penboeth, yn fwy
o lawer o Weslead nag o ddirwestwr. Ei eilun, o bawb,
oedd Vulcan. Digwyddai llun o Vulcan fod ar bared eu
hystafell, yn eu llety. Yr arwydd cyntaf fod y llanc yn
dyfod i mewn o'i grwydradau dan ddylanwad diod fyddai
yr âi ar ei union at lun Vulcan a sefyll o'i flaen, syllu arno'n
hir ac edmygol heb ddweud gair, yna crafu ei ben ac an-
nerch Vulcan yn addolgar,—" Yr hen Vulcan annwyl !
Fe guraist Lewis Edwards ar yr Iawn yn rags, do, yn rags
gyrbibion, mân." Ac nid llawer llai penboeth fyddai fy
hen gyfaill, yntau, pan ddeuai enw Vulcan ar y bwrdd.

Pan oedd Vulcan yn weinidog ym Methesda dechreuodd
golli ei gof, braidd yn gynnar, canys nid oedd ond pedair-

a-thrigain oed yn marw. Pregethodd yng Nghapel Gorffwysfa, Tregarth, yr un bregeth bedwar prynhawn Sul yn olynol. Ei destun oedd,—" Canys felly y carodd Duw y byd." Wedi'r pedwerydd tro aeth y blaenoriaid at ei gilydd i drafod y peth, ac awgrymwyd i Robert Jones, Pen 'Rêr, gan mai gydag ef yr âi Vulcan i de, ddweud gair wrtho wrth y bwrdd te ynghylch y peth. Pan welodd Robert Jones ei gyfle,—" Mr. Jones," meddai'n betrusgar, " 'r oeddan ni fel brodyr yn meddwl y buasach chi'n treio newid y'ch testun y tro nesa'."

" Beth " ebe Vulcan yn synedig, " a bregethais i honna i chi o'r blaen ?"

" Heddiw oedd y pedwerydd tro'n olynol inni ei chael," ebe Robert Jones.

Edrychodd Vulcan yn ddryslyd a gofynnodd,—" Sut y cymerais i'r pen-a'r-pen, deudwch ?"

" Yn wir," ebe Robert Jones, " 'dydwi ddim yn cofio'r munud yma."

" Wel," ebe Vulcan, " mae arnoch chi ei heisiau *unwaith* eto, a dweud y lleiaf."

Anfonodd ei wraig ef ar neges, a rhwymo edafedd coch am ei fys er mwyn iddo'i chofio. " Ond sut y cofiaf pam y mae hwn ar fy mys i ?" ebe Vulcan.

Er ei fedr fel diwinydd, nid oedd ganddo ias o ddychymyg. Ym Manchester y clywais amdano'n darlithio ar ei daith i America, gan synnu pam yr oedd cymaint o gadw sŵn ynghylch Rhaeadr Niagara, na welodd ef ddim yno ond lot o ddŵr yn disgyn dros graig. A Hugh Hughes —" Hugh Hughes Fawr,"—yn darlithio yno, yn Seion, Gore Street, ar ei daith yntau i America, ac yn disgrifio Niagara mor ysblennydd nes i'r gynulleidfa, fel un gŵr, godi ar ei thraed.

Rhyfedd nad oes gennyf ddim i'w ddweud am Dr. William Davies, awdur " Y Geiriadur Beiblaidd," pregethwr ac ysgrifwr campus, y mwyaf amryddawn yn ei

gyfnod, onid ym mhob cyfnod, ond yr hyn sydd yn ei Gof-
iant ac ysgrifau amdano. Ni adawodd draddodiadau ar
ei ôl i'w hadrodd gan y naill genhedlaeth i'r llall, a dyna sy'n
cadw enw dyn yn fyw.

XXIV

PREGETHWYR—A RHYFEDDODAU

Y DDIOD feddwol oedd pechod parod yr hen weinidogion o bob enwad. Yr oedd rhyw weinidog neu'i gilydd fyth a hefyd mewn helbul ynglŷn â'r awdurdodau o'r herwydd. Yn y flwyddyn 1922 pregethwn ym Mhontyberem, gan gael y fraint o gyd-bregethu â Dr. Davies, Castell Newydd Emlyn, Tre-lech cyn hynny, ef yn 83 oed ar y pryd. Cofiaf yn arbennig un sylw o'i bregeth nos Sul,—" Yr wyf ar y mur ym mhulpud Cymru ers dros bymtheg mlynedd a deugain, a'm tystiolaeth heno yw na fu pulpud Cymru erioed, yn foesol, cyn uched ag y mae heddiw." Gyda llaw, cofiaf sylw arall o'r bregeth honno. Ei destun oedd, —" Yr Efengyl a bregethwyd gennyf fi, nad yw hi ddynol " (Galatiaid I, ii), ac un o'i brofion nad ydoedd ddynol oedd,—petai'n ddynol y buasai wedi marw ers canrif-oedd, am fod cymaint o ffyliaid yn ei chynrychioli. Clyw-ais air tebyg gan Puleston am foesoldeb yr hen bregeth-wyr, mewn cynhadledd gyd-enwadol ym Mangor. Prot-estio yn erbyn duweiddio gormod ar yr hen bregethwyr ar draul heddiw yr oedd, fod llawer ohonynt " yn meddwi tipyn bach ac yn rhegi tipyn bach," ond bod y bobl yn fwy goddefgar am mai'r pregethwr yn y dyddiau hynny oedd yr eilun. Gellir esgusodi llawer brycheuyn a chrych-ni ar eilun. Eithr nid oedd peth fel hyn yn anodd i'w ddeall. O'r byd, wedi bywyd ofer, y dychwelyd llawer o'r hen bregethwyr, a hyd yn oed gwin y cymun sanctaidd, a oedd yn win alcoholaidd yr adeg honno, yn foddion i ddeffro hen wanc ynddynt. Y mae rhai ohonom na phrof-asom ddiod feddwol erioed ond wrth Fwrdd yr Arglwydd, a hynny yn ein dyddiau cynnar, ac eraill na phrofasant hi erioed, hyd yn oed yn y fan honno, oherwydd newid arfer. Nid felly'r hen bregethwyr.

Yna daeth y diwygiad dirwestol drwy'r wlad.   Soniai
Lewis Owen wrthyf unwaith am y frwydr fawr dros lwyr-
ymwrthodiad yn cyrraedd ein Cyfarfod Taleithiol ei hun.
Buddugoliaeth fawr oedd honno.   Cyffesodd yr arwein-
wyr eu troedigaeth, yn gadeirydd ac ysgrifennydd y Dal-
aith, a'u dilyn gan y gweddill.   Eithr daliodd y gŵr
torrog, gwynt-a-dim, hwnnw, John Pierce, yn gadarn yn
erbyn, bron hyd ei farw.   Pan oedd Lewis Owen, a
adroddodd yr hanes wrthyf, yn mynd i'w lety noson y
frwydr, ar hyd ffordd wlad unig, clywai sisial ym môn y
clawdd, a safodd.   Yr hyn a glywodd oedd : " Wel, mi
cawn *ni* o, wyddost, tra fyddwn ni, ond Duw a helpo'r
hogiau 'ma."   John Pierce a William Williams (Northyn),
Corwen, a oedd wrthi.   Lleygwr amlwg oedd Northyn.

Y mae'r hanesion am John Pierce yn y cyfeiriad hwn yn
llu, ond rhaid dewis.   Pan oeddwn yn Llanrhaeadr,
dywedodd Mrs. Jones, Henfache, wrthyf ei fod, pan oedd
yn Llanrhaeadr, yn mynd y naill fore ar ôl brecwest, i un
o dafarnau'r Llan am lasaid o gwrw, ac yn ôl i'w fyfyr-
gell, a'r bore arall i Henfache am lasaid o laeth (llefrith),
ac felly'n gyson bob yn ail bore.   Daeth i Henfache ryw
fore, fel arfer.   Digwyddai Mrs. Jones fod yn brysur iawn
a gwaeddodd ar y forwyn i estyn ei lasaid i Mr. Pierce, a
gwnaeth hithau.   Llowciodd yntau ef, ac ar ei union i
Henfache Fach.   Pan ddaeth Mrs. Edwards i'r drws,—
" Mrs. Edwards," meddai, " mi fûm i yn Henfache am
lasaid o laeth, ond 'd wn i ddim ar wyneb y ddaear be'
ges i.   Ga'i lasaid gennych chi os gwelwch yn dda ?"
Wedi ei gael aeth adref at ei waith.   Wrth ddychwelyd
adref o'r seiat, nos drannoeth, adroddodd Mrs. Edwards
yr hanes wrth Mrs. Jones.   Aeth hithau adref yn gyn-
hyrfus iawn, a holi'r forwyn beth a roddodd i Mr. Pierce.
" Llaeth," ebe'r forwyn.   Aeth Mrs. Jones â hi i'r llaeth-
dy.   " O ba bot y cymerest ti o ?" meddai.   " O hwn,"
ebe'r forwyn.   " O'r mawredd !" ebe Mrs. Jones, " bwyd
llo ydi hwnne."   Ni fethodd y forwyn.

A dyma stori teulu Cil Mawr, y Briw, wrthyf am John
Pierce. Pregethai yn y Briw ar noson waith,—pregeth
genhadol, ac ar ei union, wedi gorffen, i'r Cil Mawr am
damaid cyn mynd adref. Wedi cyrraedd, dywedodd
wrth y forwyn,—" Bara a chaws a glasaid o gwrw, 'ngen-
eth i," a chafodd hwy. Pan oedd wrthi'n bwyta, cyr-
haeddodd Mrs. Williams. Wedi iddo orffen,—" 'R wan,"
ebe hithau, " mi gawn ninne damed," ac aethpwyd ati i
osod y bwrdd. Tynnodd ffesant braf o'r popty, a John
Pierce yn rhythu'n hurt arni. Pan gafodd ei wynt ato,
gofynnodd yn ddagreuol : " Pam na fasech chi'n deud ?"
Ac ebe hithau : " Pam na fasech chi'n aros ?"

Profiad chwerw sydd gennyf fi o John Pierce. Ym
ddengys mai un o'r pethau cyntaf a wnâi, wedi cyrraedd
y lle y cynhelid y Cyfarfod Taleithiol, fyddai troi i'r capel i
ddewis ei gongl i eistedd ynddi yn ystod y trafodaethau.
Cyfarfod Taleithiol Llandudno oedd fy Nghyfarfod Tal-
eithiol cyntaf, 1902. Nid oeddwn wedi cyrraedd fy nwy-
ar-hugain, ac yn ofnadwy o swil ac enciliedig, gan ofni
fy nghysgod. Euthum i eisteddiad y prynhawn, ac edrych
drwy gil y drws am le i eistedd. Gwelwn gongl wag yn
weddol isel, a llithrais iddi. Pan godais fy mhen, gwelwn
hwn a'r llall yn troi cil-olwg arnaf, yna'n gwenu'n slei ar ei
gyfnesaf a sisial. Teimlwn yn chwyslyd o annifyr, gan
ddyfalu'n ofer beth a allai fod o'i le arnaf. Toc, daeth
John Pierce i mewn. Gwelaf ef y funud hon—gŵr byr,
tew, tordyn, wyneb llydan, bras, gwallt a barf tenau ac
aflêr. Daeth i lawr llwybr y capel yn hamddenol dan
anadlu'n drwm, ac fel petai'n berchen y lle. Cyrhaedd-
odd gyferbyn â'r lle yr eisteddwn. Safodd, rhythodd
arnaf, a dal i rythu, fel petai gennyf gyrn ar fy mhen. Yna
llefarodd, gan fy annerch dros y capel ac fel petai'n
cyhoeddi collfarn,—" Edward Tegla Davies, o Landegla, o
gylchdaith Rhuthun, o Sir Ddinbech, be-wyt-ti'n-ei-
neud-yn-fy-sêt-i ?" Minnau'n crebachu gyda phob ebych-
iad, ac ar ruthr y cyfarthiad olaf llithro oddi yno fel llyg-

oden i dwll, ynghanol tonnau o chwerthin, a chri fy enaid
am i'r ddaear fy llyncu.

A oes dim mwy annynol na gwneud yr ieuainc, yn eu
cyfnod mwyaf ansicr ohonynt eu hunain, yn gyff gwawd ?

Clywais fod yr hen greadur wedi llarieiddio llawer a
dyfod yn llwyrymwrthodwr fel y tynnai tua diwedd y daith.

Diolch am gael troi at un na all y sawl a'i clywodd yn
pregethu, hyd yn oed heddiw, sôn amdano heb i'w llygaid
leithio, eithr prin iawn yw eu nifer erbyn hyn,—John
Evans, Eglwysbach. Gan Evan Jones y cefais y ddwy
stori hyn am John Evans, yntau'n edmygwr addolgar
ohono. Ymddengys mai gŵr syml, diniwed oedd, siriol
a chynhesol iawn, ond heb ias o synnwyr digrifwch, ac
weithiau cymerid mantais arno o'r herwydd. Pan gyfar-
fyddai â chyfaill o weinidog, wedi cyfarch ei gilydd, ei air
cyntaf bob amser fyddai,—" Beth ydech chi'n ddarllen
'rwân ?" neu " Beth gawsoch chi ddwaetha ?" Galwodd
ryw ddiwrnod heibio i Gynfaen, ac wedi'r cyfarchiad
arferol gofynnodd ei gwestiwn cyfarwydd ar unwaith,—
" Beth gawsoch chi ddwaetha ?" " Dwy gyfrol drwchus,
—' Leather, *On The Human Understanding*'," ebe Cynfaen.
" Ydyn' nhw'n dda ?" ebe John Evans. " Mae nhw'n
rhagorol," ebe Cynfaen. " Ga' i olwg arnyn nhw ?"
" Cewch â chroeso." Aeth Cynfaen i ystafell arall, a
dychwelodd â phâr o esgidiau newydd.

Cyfarfu nifer o weinidogion, ebr Evan Jones, yn nhŷ'r
gweinidog am ymgom rhwng eisteddiadau rhyw Gyfarfod
Taleithiol, a John Evans yn eu plith. Ar ryw siarad
awgrymodd un ohonynt fod pawb yn cyfaddef ei bechod
parod, a dyna fynd ati. Pan ddaeth tro John Evans,—
" Diogi," meddai. Dyna wawch o chwerthin—y gŵr
prysuraf yng Nghymru yn dweud peth felly. Pan dawel-
odd pethau edrychwyd ar John Evans, ac yr oedd dag-
rau'n llithro i lawr ei ruddiau. Yn y distawrwydd sydyn
a ddilynodd, dywedodd yn dawel,—" Ie, diogi." Fe'i

lladdodd seraff-bregethwr Cymru, yn ei ddydd, ef ei hun â gwaith, gan farw yn 57 oed, ac arswyd ei bechod parod yn ei yrru ar hyd ei oes.

Ni all neb ddirnad cyfaredd John Evans ond y sawl a'i clywodd. Clywais ef yn pregethu ddwy noson yn olynol, pan oeddwn tua'r pymtheg oed, ac y mae perlewyg yr oedfaon hynny yn fy nilyn hyd heddiw. Rhydd y stori hon, a gefais gan y gweinidog diddan, Lewis Owen, gystal syniad am y gyfaredd â dim. Bu John Evans yn gwasanaethu yn Llundain am dymor, gyda'r Saeson, ond nid oedd yn llwyddiant. Nid oedd ei Saesneg yn ddigon rhugl ar gyfer ei ddawn gyforiog, na'i ddawn yn ffitio chwaeth y Saeson. Pan oeddynt yn ieuainc, aeth Lewis Owen a'i gyfaill R. Lloyd Jones, i'r Gynhadledd Bryd-einig i un o ddinasoedd mawr Lloegr. Wedi cyrraedd gwelent bosteri yma ac acw, ac arnynt gyhoeddiad o oedfa gan John Evans, yn cynnwys y geiriau,—' *The great Welsh preacher.*' Aethant i'r oedfa gan deimlo y caffai'r Saeson o'r diwedd wybod beth oedd pregethu. Daeth John Evans i'r pulpud, a'r lle'n orlawn. Dechreuodd â graen. Cym-ryd ei destun, brawddeg neu ddwy, dechrau gagio, pallu am air, ymysgwyd fel llew mewn cadwyn, mynd ymlaen yn betrus, a therfynu—o fewn ugain munud. Aeth y ddau allan ar ddiwedd yr oedfa heb edrych ar ei gilydd, cerdded i lawr y stryd ochr yn ochr heb dorri gair, troi i stryd fach groes, edrych ar ei gilydd, ac ymollwng i wylo.

Eithr yr oedd gan hyd yn oed John Evans ei genfigen-wyr. Yr oedd yn ein plith ŵr tordyn iawn, cydoeswr â John Evans, a dybiai nad oedd pregethwr yn bod cystal ag ef ei hun. Gŵr hynaws a siriol yng nghwmni cnafon direidus a gydnabyddai'r mawredd a welai ef ynddo'i hun, ond surbwch iawn wrth bawb arall. Trawodd ar yr hen werinwr crafog, Dafydd Thomas, Aber. Daeth enw John Evans i'r ymddiddan. " 'D wn i ddim," ebe'r gŵr mawr, " beth yw'r stŵr am John Evans. 'Rydwi'n fy 'styried fy hun yn gystal pregethwr ag ef unrhyw ddydd."

Edrychodd Dafydd Thomas yn dosturiol arno, ac medd-
ai'n arafaidd, er mwyn rhoi cyfle i bob gair suddo i mewn,
—" Wel, mae John Evans, yn *well* pregethwr *heb* yr Ysbryd
Glân, na chi *hefo'r* Ysbryd Glân,—*petaech chi'n digwydd ei
gael o.*"

Cododd yn ein plith ŵr ieuanc a ddaeth yn boblogaidd
ar unwaith, ond ni thyfodd, a chiliodd yn fuan i'r cysgod-
ion. Dedfryd Dafydd Thomas arno oedd ei fod fel
ymbarêl,—yn agor i gyd ar unwaith.

Daeth gŵr ysgolheigaidd a galluog iawn i bregethu i
Aber, pregethwr grymus ac un o wŷr ieuainc disgleiriaf
ei gyfnod, ond oherwydd ei ffordd newydd o drin ei bethau
amheuai Dafydd Thomas ei athrawiaeth yn drwm iawn.
Ar ôl oedfa fore Sul, a'r pregethwr wedi cael oedfa ysgubol,
dilynodd Dafydd Thomas ef i'r Tŷ Capel. " Wel,"
meddai wrtho, " fe gawsoch oedfa fawr." " Ydech chi'n
meddwl ?" ebe'r pregethwr, â'i ostyngeiddrwydd nodwedd-
iadol. " Ydw," meddai Dafydd Thomas, " ond fel hyn
yr ydw *i* yn edrych ar bethau,—dacw long fawr yn tynnu
tuag Aber, lawn o drysorau'r gwledydd, hardd anghyff-
redin, a'i hwyliau o sidan gwyn. Ond 'chaiff hi ddim
glanio yn Aber,—*mae'r frech wen ar ei bwrdd.*"

I Dafydd Thomas a'i gyfnod nid oedd bregethwr fel
John Evans, ac ni allai ei debyg godi mwy, a hawdd i'r
rhai ohonom a'i clywodd faddau iddynt. Gellid bai yn y
goreuon, ond nid yn John Evans.

Y mae'n debyg nad mantais i gyd i bregethwr poblog-
aidd yw byw i oedran mawr, a goroesi mor llwyr gyfnod ei
anterth, nes ei gael ei hun ynghanol cenhedlaeth na wŷr
ddim am ei wrhydri gynt, ac nad yw iddynt ond crair
diddorol. Dyna fu tynged Hugh Hughes. Pan oeddwn
yn Ffynnon Groyw, yn llanc un-ar-hugain, daeth ef yno
am wythnos o bregethu, gan aros yn fy llety. Ofnwn
ddyfod y gŵr enwog, ond mor fachgennaidd ei anian oedd,
ac mor rhadlon, oni wnaeth fi'n berffaith gartrefol ar un-

N

waith. " 'Machgen i," meddai ryw fin nos, " rhaid ichi gymryd gofal neu mi fyddwch cyn daled â minnau yn y man." " 'Dydwi ddim yn siŵr nad ydwi cyn daled â chi 'rwân," meddwn innau'n chwareus. Chwarddodd yn braf ac aed i fesur, ac wele, yr oeddwn hanner modfedd yn dalach nag ef. Eithr yr oedd wedi cyrraedd yr oed pan yw dyn wedi dechrau crebachu a chwtogi. Cefais y fraint ddwywaith o gyd-bregethu ag ef mewn blynyddoedd diweddarach—ym Mae Colwyn a Phontrhydygroes—ac yr oeddwn gymaint â hynny'n fwy cartrefol yn ei gwmni erbyn hyn oherwydd fy mhrofiad hyfryd o'i gwmni yn Ffynnon Groyw. Dywedodd wrthyf, pan oedd ef yn ieuanc, mai Cynfaen ac yntau oedd yr unig ddau lwyr-ymwrthodwr yn y weinidogaeth, fod Cynfaen wedi codi mewn eisteddiad o ryw Gyfarfod Taleithiol i ddadlau dros lwyrymwrthod (peth mor hynod yr adeg honno â phetai rhywun wedi codi heddiw i ddadlau dros lwyrymwrthod ag ysmygu). Cododd y fath wawch o wawd a difrïad ag na chododd Cynfaen i ddweud gair wedyn mewn eis-teddiad o Gyfarfod Taleithiol hyd ei fedd.

Y mae'n debyg mai penllanw gweinidogaeth Hugh Hughes oedd ei genhadaeth hynod yng Nghaernarfon. Aeth yno am wythnos o bregethu cenhadol, a'r capel— capel helaeth iawn—wedi ei orlenwi ymhell cyn nos Sadwrn. Penderfynwyd parhau'r genhadaeth bythefnos arall a llogwyd y pafiliwn—a ddeil wyth mil, a'r pafiliwn yn orlawn bob nos a threnau rhad yn rhedeg i Gaernarfon o bob cyfeiriad. Cafwyd llu o ddychweledigion.

Tyngai pobl wedi hyn fod Hugh Hughes gystal pregeth-wr â John Evans, Eglwysbach. Daeth y Cyfarfod Tal-eithiol i Gaernarfon yn ei dro. Noson y diwrnod mawr pregethai Hugh Hughes mewn un capel a John Evans mewn capel arall. Ar ôl John Evans yr aeth y llu. Y mae tystiolaeth draed yn groywach na thystiolaeth dafod.

Caffai Hugh Hughes y gair o fod y llefarwr mwyaf celfydd yng Nghymru. Dywedodd wrthyf ei fod yn

llwyr gredu amdano'i hun, pan oedd tua hanner cant oed,
ei fod yn ymyl marw, oherwydd difetha'i lais drwy gam-
lefaru (dywedais eisoes iddo fyw nes cyrraedd 91 oed).
Yr oedd ar y pryd mewn cylchdaith lan y môr, ac âi i'r lle
unicaf ar y traeth bob dydd, os byddai'n rhyw lun o dyw-
ydd, i ymarfer llefaru heb ei niweidio'i hun. Ac felly,
meddai, y dysgodd y gelfyddyd o lefaru, ac y gallai bellach
ddal ati am unrhyw hyd heb flino dim ar ei lais. Aeth
celfyddyd lefaru Hugh Hughes yn ddihareb yn ein plith,
a phawb yn sôn amdani. Un yn unig a glywais yn ei
hamau wrthyf, y cerddor a'r disgyblwr lleisiau, Wilfred
Jones, Wrecsam, a hynny am fod y gelfyddyd yn rhy
amlwg, canys pennaf celfyddyd celfyddyd gudd.

Soniais am Gynfaen ynglŷn â Hugh Hughes. Gŵr o
argyhoeddiad cadarn ydoedd. Pan oedd yn Lerpwl yn
weinidog, ni fynnai fynd i Birkenhead i bregethu ar y Sul,
dros Afon Ferswy mewn cwch ar unrhyw gyfrif, am y
byddai hynny'n dorri'r Saboth drwy gynnwys gweithwyr
i weithio ar y Sul. Yn lle hynny cerddai ar hyd y naill
lan i'r afon nes dyfod i fan a oedd yn ddigon cul i fforddio
pont drosti, a cherdded ar hyd y lan arall i Birkenhead.
Tybiai hynny gerdded milltiroedd lawer.

Pan oeddwn yn Nhregarth, yn fy nhymor cyntaf yno, y
clywais y stori hon am David Jones (Druisyn), pan drigai
ym Methesda. Gŵr â barf hir iawn, lydan, glaerwen,
wedi ei brwsio'n ofalus, a'r tebycaf i'r Tad Nadolig a
rodiodd y ddaear erioed. David Jones oedd enw ficer
Bethesda hefyd. Efallai na ŵyr pawb fod marchnad gudd,
bur lewyrchus mewn rhai cylchoedd, mewn paratoi a
gwerthu pregethau a'u hanfon drwy'r post i frodyr anghen-
us. Cydnabu un o'n gweinidogion Saesneg wrth fy nghyd-
lafurwr, J. Wesley Felix, a minnau, pan oeddym yn dych-
welyd adref wedi trafodaeth ar y gelfyddyd o bregethu,
mewn cynhadledd bregethwyr (a ni'n dau yn byw ym
Manchester ar y pryd), y gwnâi geiniog go dda drwy wneud

o

amlinelliadau o bregethau a'u gwerthu i frodyr prin eu
hadnoddau am hanner coron yr un a threuliau'r post, a
phumswllt am rai ar gyfer achlysuron arbennig, ac yr oedd
yn gwbl o ddifrif. Ymddengys mai un o'r brodyr prin
oedd ficer Bethesda, canys caffai yntau barseli. Deuai
parsel yn achlysurol i Druisyn, ond wedi ei agor gwelai
mai i'r David Jones arall y bwriadwyd ef, ac anfonai un o'r
plant ag ef iddo, rhag ei gadw i ddisgwyl. Wedi i hyn
ddigwydd droeon daeth nodyn i Druisyn oddi wrth y
ficer :

" Annwyl Syr,
Oni bai eich bod mewn swydd nad oes gennych hawl
iddi ni fuasai hyn yn digwydd.
Yr eiddoch
David Jones (ficer)."
Cafodd un o blant Druisyn gyfle arall i ymweled â'r
ficerdy, â'r llythyr hwn y tro yma :
" Annwyl Syr,
Oni bai eich bod mewn swydd nad oes gennych gym-
hwyster iddi ni fuasai hyn yn digwydd.
Yr eiddoch
David Jones (gweinidog Wesleaidd)."
O ! fel yr ydym ni, Gristionogion, yn caru ein gilydd !

Dyma stori gan Evan Jones am John Jones (F) a Samuel
Parry Jones, dau weinidog a fu farw yn gymharol ieuainc.
Gwahaniaethid yn yr oes honno rhwng gweinidogion
o'r un enwau drwy lythrennau'r wyddor ar ôl eu henwau,
nes i John Jones (H.) wrthryfela a'i alw ei hun yn John
Howell Jones. Gŵr dawnus iawn oedd John Jones (F.),
ond heb fawr o ddim o dan ei fysedd. Gŵr trymllyd, yn
cael y gair o fod yn feddylgar, oedd Samuel Parry Jones,
ond ei feddylgarwch yn gynwysedig, gan mwyaf, o eiriau
hirion, cymalog, a brawddegau cymhleth baglog. Caffai
John Jones dymhorau o gymysgedd meddwl, pan na allai

bregethu. Âi i'r capel i wrando ar eraill, ond ni wyddai
neb beth a ddeuai allan o'i enau. Pregethai Samuel
Parry Jones mewn cyfarfod pregethu yn y lle y trigai John
Jones ar y pryd. Daeth John Jones i oedfa'r prynhawn
gan eistedd yng nghornel y sêt fawr. Defnyddiai Samuel
Parry Jones yn aml air Saesneg, a'i gyfieithu i Gymraeg
yn ei ddull ei hun. Aeth i sôn y prynhawn hwn am
" *the law of the association of ideas*," sef, meddai, " deddf cyd-
gymdeithasiad meddylddrychau." " Wel, ia," meddai
John Jones yn siriol dros y capel,—" deddf caci-mwci,"
gan daro'r hoel ar ei phen, wrth gwrs, a lladd y pregethwr
a'r bregeth. Gwell egluro i'r anghyfarwydd, mai'r ffrwyth
neu'r blodeuyn crwn, pigog iawn hwnnw yw caci-mwci,
y bydd plant mor hoff o'i daflu at ei gilydd, i afael yn
nillad a gwalltiau ei gilydd.

Bu gennym unwaith ŵr yn ein gweinidogaeth a oedd yn
un o ryfeddodau'r Cread. Os bwriwn i'r Brenin Mawr
fod yn arbrofi i wahanol gyfeiriadau cyn mynd ati o ddif-
rif i greu dyn, rhaid bod y gŵr hwn yn un o'r arbrofion.
Ni bu gŵr mwy dawnus yng ngweinidogaeth unrhyw
enwad, mewn cryfder a mwynder a threiddgarwch llais,
ac amrywiaeth nodau, a phetai popeth yn gyfatebol
byddai'n un o'r cewri blaenaf a gafodd y genedl. Eithr
nid oedd popeth yn gyfatebol. Anodd gwybod pa un ai
diniweidrwydd ai dylni ai cnafeiddiwch ai babieiddiwch
oedd ei nodwedd amlycaf gan ei fod yn gymysgedd mor
rhyfedd o'r pedwar. Edrychai ar bob ymddygiad o'r
eiddo pawb yn ôl fel yr adlewyrchai arno ef, a phe credai'r
adlewyrchai'n anffafriol nid oedd derfyn ar ei ddial, a
thrwy'r cwbl yr oedd ei ddiniweidrwydd yn ddihareb, a
hefyd ei ddylni. Yr oedd llawer stori ryfedd ar led am-
dano, ond dyma'r hynotaf a glywais i. Gan ŵr parchus a
chywir iawn yn ein gweinidogaeth y cefais hi,—Edward
Mostyn Jones, a fu farw yn 1953, yn 88 mlwydd oed. Mab
tafarn ym Mostyn, Sir y Fflint, oedd Mostyn Jones, ond ei

rieni'n ffyddlon iawn i'r capel, yn croesawu pregethwyr, a'u cerbyd a'u merlyn at eu gwasanaeth. Dechreuodd Mostyn Jones bregethu, a daeth yn ymgeisydd am y weinidogaeth pan oedd y gŵr hwn yn arolygwr y gylchdaith. Gan fod a wnelo'r arolygwr lawer â thynged ymgeisydd, gwae unrhyw ymgeisydd a groesai'r arolygwr hwn. Pregethai ei arolygwr ym Mostyn ryw fore Sul poeth, trymllyd, o haf, ac yn Nhrelawnyd y prynhawn, ac yr oedd y pregethwr ifanc i fynd ag ef i Drelawnyd yn y cerbyd. Ar y ffordd yno dywedodd yr arolygwr wrtho:

" Mae hi'n ddiwrnod poeth iawn, Edward."

" Ydi, syr," meddai Edward.

" Mi fydd yn anodd pregethu'r p'nawn 'ma, Edward."

" Bydd, syr," meddai Edward.

" Wyt ti'n meddwl, Edward, pe bawn i'n trio, y gallwn i wneud iddyn nhw orfoleddu ?"

Edrychodd Edward yn syn,—" We-wel, ydw, syr," meddai.

" Wyt ti'n siŵr, Edward ?"

" Y-ydw, syr."

" Be feti di ?"

Dychrynodd Edward ac aeth yn fud.

" Feti di swllt ?"

Ni feiddiai'r ymgeisydd wrthod, a rhwng dweud a pheidio addawodd.

" Olreit," meddai'r arolygwr.

Aethant i'r capel a'r pregethwr i'r pulpud. Lediodd emyn yn llawn rhwysg ei ddawn. Darllenodd nes cyfareddu pawb. Yr oedd ganddo weddi enwog iawn, a elwid yn weddi'r uchelwyliau, a daeth honno allan, a'r porthi ar fin gorfoledd.

Cymerodd ei destun, ac yr oedd yn union yn morio'n ysblennydd, gan chwarae'n rhwydd â holl nodau ei lais. Torrodd yn orfoledd.

Capel hen ffasiwn oedd y capel,—lle agored o flaen y sêt fawr, a dau risiau ohono i dop y capel. Cododd hen ŵr yn y sêt uchaf wedi hurtio, a chamu i lawr y grisiau yn araf gan lygadrythu ar y pregethwr. Cododd hen ŵr arall o'r sêt gyferbyn, mewn stâd gyffelyb, a cherddodd i lawr y grisiau eraill, a'r ddau'n cyfarfod ac wynebu ei gilydd yn y gwaelod, a dweud yn wylofus,—" On'd oes yma le bendigedig !" A'r pregethwr yn dal i rafio.

Darfu'r oedfa, a phawb yn tyrru at y pregethwr i ysgwyd llaw a diolch iddo, yn eu dagrau.

Wedi te, aed oddi yno. Ar y ffordd dywedodd y pregethwr wrth Edward,—

" Mi wnes iddyn nhw orfoleddu'r p'nawn 'ma, on'd do, Edward ?"

" Do, syr," meddai Edward yn anesmwyth.

" B'le mae f'swllt i, 'machgen i ?" meddai'r pregethwr, ac fe'i mynnodd.

Ie, gan Edward ei hun y cefais yr hanes, ac yr oedd Edward yn ŵr geirwir.   Pwy mor ddall â'r saint ?

XXV

CYDNABOD A CHYFEILLION

DYMA fi wedi dyfod at rai y bu a wnelwyf fi fy hun â hwy.
John Price Roberts oedd un o'r saint mwyaf a fu erioed
yn ein gweinidogaeth. Gŵr gweddol dal, trwch o wallt
du, llygaid duon treiddgar. Un o freintiau mawr fy
mywyd oedd cael dyfod i gyffyrddiad agos ag ef. Yr oedd
yn weinidog yng nghylchdaith fy nghartref am yr eiltro
ar y pryd. Tua'r flwyddyn 1903 oedd hynny, a minnau'n
fyfyriwr coleg. Torrai ei galon oherwydd cyflwr isel
crefydd yn y tir. Cyn lleied â hynny oedd arwydd diwyg-
iad, flwyddyn cyn iddo ysgubo'r wlad. Yr oedd edrych
ar J. P. Roberts yn y pulpud yn foddion gras ynddo'i hun.
Yn ôl y sôn am Richard Owen y Diwygiwr, yr oedd
difrifwch J. P. Roberts yn y pulpud yn debyg i'r eiddo ef.
Pregethwr clir, angerddol, a phob amser yn yr afael â
gwirioneddau canolog, achubol, yr efengyl. Yr oedd
iddo nodyn yn ei lais, o'i gyrraedd fe drawai ddyn yng
nghraidd ei enaid, ac ymollyngai'r gynulleidfa ar unwaith.
Ni cheisiai byth ei gyrraedd, er mwyn yr hwyl, oni fyddai'r
awyrgylch yn ei dynnu'n naturiol iddo, yna llithrai iddo
fel llong i fôr. Cofiaf un o'r oedfaon hynny tra fyddwyf,
a deuthum ohoni wedi fy ngwallgofi, ac wedi fy newid
am fy oes, ond gan fy mod wedi sôn amdani mewn lle
arall* gadawaf iddi yma. Daeth Diwygiad 1904-5 cyn
iddo ymadael â'r gylchdaith, ac yr oedd dylanwad ei
bregethu ef yn ofnadwy. Clywais ddywedyd fod y cynull-
eidfaoedd yn ystod y Diwygiad hwnnw yn bwrw'r gwein-
dogion a phregethu o'r neilltu. Yn sicr ddigon ni wnaent
hynny â phregethwyr o'i fath ef, ond yn hytrach heidio ar
eu holau. Cymaint oedd ei ddylanwad achubol ef, yn
ystod y Diwygiad, ar Eglwys y Talwrn, Coed Poeth, ag y
codwyd tabled coffa iddo ef a'r Diwygiad yn y capel.

*Gyda'r Blynyddoedd, tud. 69.

Eithr am ei farw y mynnwn sôn, canys yr oedd yn un
o'r gwŷr prin hynny a'i farw yn gymaint o rym achubol
â'i fywyd.   Mewn llai na thri mis wedi iddo symud i
gylchdaith newydd, ac yntau ond deuddeg a deugain
mlwydd oed, bu farw o'r niwmonia.   Pan drawyd ef
galwyd meddyg ato, gŵr cymharol ifanc ond yn gryn
feddwyn.   Bu unwaith o leiaf yn ddryslyd ei feddwl o'r
herwydd.   Er yn feddyg da methodd arbed bywyd J. P.
Roberts, ond bu dull J. P. Roberts o farw yn gyfrwng
achub enaid y meddyg, a hynny yn y fan a'r lle.   Ym-
wadodd â'r ddiod yn llwyr a daeth yn Gristion gloyw.   Yr
oeddwn fy hun yn byw yn y tŷ hwnnw o fewn llai na chwe
blynedd i'r digwyddiad.   Clywais am droedigaeth ryf-
edd y meddyg wrth erchwyn gwely marw J. P. Roberts.
Deuthum i'w adnabod a gweled bod y stori'n wir.   Aeth
y meddyg o nerth i nerth.   Daeth yn arweinydd yn ei
eglwys.   (I gyfundeb arall y perthynai).   Cafodd oes hir
a chynyddai'n gyson mewn dylanwad, a phan fu farw
teimlid bod bywyd ysbrydol y fro yn dlotach o'r herwydd.
A'i dystiolaeth hyd y diwedd oedd mai dull J. P. Roberts
o farw a fu'n gyfrwng bywyd iddo ef.

Y mae'n ddrwg gennyf na allaf ddweud dim am ei gyf-
oeswr, D. O. Jones, a'r ddau o Benmachno, er ei fawredd
fel pregethwr, am na chefais y fraint o ddyfod i gyffyrddiad
agos ag ef, ac o'r herwydd ni wn fwy amdano nag y sydd
yn ei Gofiant.

Gŵr digrif, diddan ac annwyl oedd T. Nicholls Roberts,
gŵr byr, eiddil, moel ei gorun, gwallt a barf melyngoch,
a'i aeliau'n drwchus ac yn tyfu, fwy na heb, ar i lawr, nes
rhoi'r argraff ei fod yn edrych drwyddynt fel y cŵn bach
ffansi a foethir mor famol gan ein chwiorydd goludog a
segur, ac awgrym o wên ddireidus yng nghil ei lygaid.
Llais addfwyn, braidd yn fain ac ymddiheurol, a rhoddai'r
argraff, efallai'n fwriadol, mai creadur bach anwybodus

ac edmygwr mawr o'ch gwybodaeth chwi ydoedd. Cym-
erai ambell un ehud fantais ar hynny gan gyhwfanu ei
wybodaeth ger ei fron. Gofynnai yntau gwestiwn bach
swil ac edmygol a loriai'r ymhonnwr yn llwyr. Y gwir yw
mai gŵr galluog a diwylliedig anghyffredin ydoedd ond ei
fod yn ymhyfrydu mewn cuddio hynny.

Ei fri mawr oedd fel siaradwr yn seiadau mawr yr uchel-
wyliau. Os byddai ei enw ar y posteri i siarad yn y Seiat
Fawr ystyrid fod ei llwyddiant wedi ei sicrhau. Ei ogon-
iant oedd ei ddull ymddiddanol ac agos-atoch, fel petai'n
mynegi cyfrinach wrthych, a'i eglurebau gogleisiol a diar-
ffordd. Y mae llawer o'i eglurebau ar lafar gwlad hyd
heddiw. Dyma un ohonynt, nodweddiadol iawn. Soniai
am anffyddiwr yn annerch torf o dan bren derw, ar y Bod
o Dduw. " Os oes Duw o gwbl," meddai, " rhaid ei fod
yn un ynfyd. Edrychwch ar y pren mawr praff a chadarn
yma, a'i ffrwyth yn rhyw bitw o fesen ddisylw ; a'r
vegetable marrow â choesyn eiddil yn foncyff iddo a'r ffrwyth
bron yn rhy drwm i'w gario. Buasai Duw doeth yn rhoi'r
vegetable marrow yn ffrwyth i'r dderwen, a mesen yn ffrwyth
y coesyn tila." Ar hyn disgynnodd mesen ar ei gorun
ac wedyn ddisgyn wrth ei draed. Syllodd yntau arni,
yna codi ei ben a syllu ar y gynulleidfa. " Wel," meddai'n
syn, " Duw sy'n iawn, beth petai honna'n *vegetable
marrow* ?"

Dywedodd ei gyd-fyfyriwr yn y coleg, W. O. Evans,
wrthyf, mai ef oedd enaid y cwmni bach o Gymry yng-
hanol y llu Saeson, a'i droeon digrif yn eu gyrru'n deilch-
ion. Daeth yn wythnos cyn yr arholiadau, a theimlai
pob un yn amharod iawn. Casglasant ynghyd ryw bryn-
hawn i ystafell un ohonynt, a phawb am y pruddaf. " Wel,
frodyr," ebe T.N. yn ddwys, " fasech chi'n leicio 'ngweld
i'n sefyll ar fy mhen ?" Ac ar drawiad safai fel brwynen
a'i goesau'n chwifio yn yr awyr fel petai hynny'r ffordd
naturiol o sefyll, a chwalodd y cymylau'n llwyr.

Daeth adeg ymadael o'r coleg ac amryw ohonynt heb

le, gan nad oedd digon o weinidogion wedi marw neu ym-
neilltuo i'w cymryd i gyd i'r gwaith. Trafod pryderus yn
eu plith ar y rhagolygon. Yn Abermaw yr oedd y Cyfar-
fod Taleithiol y flwyddyn honno, ac yno y trefnid y sefyd-
liadau. " Wel, frodyr," ebe T.N. yn ddifrifol iawn,
" 'r ydwi'n cynnig ein bod yn cynnal cyfarfod gweddi i
ofyn i'r Arglwydd achosi damwain ar Bont y Bermo i'r
trên, a'r union nifer o weinidogion yn cael eu lladd i wneud
digon o le i ni oll yn y gwaith." Ac â rhyw awgrym
digrif felly y chwalai bob cwmwl. Yn y ffordd ddiddan
hon yr aeth drwy fywyd oll, yn ffefryn pawb. Adwaenwn
ei unig chwaer yn dda. Cefais lawer o garedigrwydd
ganddi, hi'n wraig i'r unig Arolygwr a gefais erioed am
dair blynedd. Y ddiniweitiaf o'r diniweitiaid, ond nid
wrth ei big yr oedd prynu cyffylog yn nheulu T. Nicholls
Roberts.

Diwinydd drwodd a thro oedd T. Isfryn Hughes. Mewn
diwinyddiaeth yr oedd yn byw, yn symud, ac yn bod.
Deuai gwahanol syniadau ato, yn eu tro, a'i llywodraeth-
ai'n llwyr am dymor. Yr Arfaeth fyddai'n holl-bwysig
heddiw, nes ei diorseddu gan Dystiolaeth yr Ysbryd,
un syniad yn ei dro. Mynnai ddyfod â'i syniad llywod-
raethol ar y pryd i bob trafodaeth yng nghyfarfodydd
Brawdoliaeth y Gweinidogion ym Mangor, beth bynnag
fyddai pwnc y drafodaeth. Ynghanol dadlau brwd ar
fater arbennig, torrai ar draws gan ddweud,—" Ond beth
am —?" gan dynnu ei syniad llywodraethol ar y pryd i
mewn, a mynnu troi'r dŵr i'r felin honno. Os byddai'r
amgylchiadau'n ffafriol gallai fod yn ysblennydd, onid e,
druain ohonom. Trwy dymor un gaeaf ei syniad llywod-
raethol oedd Athrawiaeth y Drindod. Llusgai ef i bopeth.
Ar ddiwedd y tymor trefnwyd i gael trip mewn bws, y
gweinidogion a'u gwragedd, i lan y môr ym Menllech.
Daeth y dydd, prynhawn godidog o heulog. Wedi cyr-
raedd, aeth y merched i ystafell a logesid gennym i wneud

te, a'r meibion i lan y môr i aros yr alwad. Ar y ffordd i lawr gwnaeth Maelor Hughes ryw sylw, a dadleuwr mawr oedd yntau. " Ie," ebr Isfryn, " ond sut y cysonir hynny ag Athrawiaeth y Drindod ?" Atebodd Maelor. Aeth yn ddadl, a dadlau'n ffyrnig y buont ar lan y môr am awr, a'r brodyr eraill yn taflu gair i mewn yn awr ac yn y man. Galwyd ni i de, a theflid dadleuon ar draws y bwrdd. Dychwelyd i lan y môr dan ddadlau, o hyd ar Athrawiaeth y Drindod. Daeth y merched atom, ac aeth-ant yn fud. Hyd yn oed pe carent ddweud gair wrth ei gilydd ar faterion diddorol iddynt hwy, ni allent ddeall ei gilydd ynghanol y fath ddwndwr diwinyddol. Ac felly y parhawyd am tua dwyawr arall, hyd amser y bws yn ôl. Cynnwys y trip oedd te a theirawr o ddadlau ar Athraw-iaeth y Drindod. Dyna'r trip olaf i Frawdoliaeth Weini-dogion Bangor. Cyn belled ag yr oedd a wnelai'r trip â mwynhau'r môr, llawn mor fuddiol fuasai inni ddadlau o amgylch bwcedaid o drochion golchi mewn buarth cefn.

Y mae'r stori am D. Gwynfryn Jones a chysgaduriaid Garston yn un o'r goreuon. Clywais amryw ffurfiau arni. Eithr pan oeddwn yn Lerpwl daeth Gwynfryn i bregethu ym Mynydd Seion, gan aros ar ein haelwyd. Holais ef amdani a chefais hi o'i enau ef ei hun. Yr oedd peiriant twymo newydd yng Nghapel Garston, a heb eto ddyfod dan lywodraeth. Pregethai Gwynfryn yno ar brynhawn Sul, ef yn ŵr ieuanc yn Widnes ar y pryd. Yr oedd fel ffwrn yno. Capel bach yw capel Garston, a drws mewnol yr ysgoldy'n wynebu drws y pulpud, ar y chwith i'r pul-pud o safle'r pregethwr. Wrth bregethu, yn y cyfnod hwnnw yn ei hanes, dechreuai Gwynfryn yn weddol dawel a hamddenol, a'i weithio'i hun, fel yr âi ymlaen, i angerdd ysgubol. Prin yr ydoedd wedi cymryd ei destun y prynhawn hwn na welai bennau'n gwyro, ac yn y man gwelodd nad oedd neb â'i lygaid yn agored ond yr organ-ydd. Yna, yn lle codi ei lais, fel arfer, gostyngodd ef, gan

lefaru am ychydig yn undonog, a chysgodd yr organydd.
Tawodd yntau a llithro i lawr o'r pulpud a thrwy'r drws i'r
ysgoldy ac allan. Glanystwyth oedd gweinidog Birken-
head ar y pryd, a Hugh Jones yn Lerpwl. Aeth Gwynfryn
ar ei union i dŷ Glanystwyth, a digwyddai Hugh Jones fod
wedi galw heibio. Adroddodd Gwynfryn y stori, a'r ddau'n
chwerthin bron yn ddiymadferth. Gwnaethant bob ym-
drech, mewn dulliau cudd, i gael gwybod beth a ddigwydd-
odd pan ddeffrôdd y bobl, ond yn ofer, er bod gan Hugh
Jones fedr llwynogaidd yn y cyfeiriad hwnnw. Nid yng-
anodd cymaint ag un o'r gynulleidfa air hyd ei fedd. Un
yn unig ohonynt a oedd yn aros pan gefais y stori gan
Gwynfryn.

Dyna'r stori nes i Gwynfryn fynd am dro i Garston,
brynhawn Llun yr adeg yr arhosai gyda ni, i edrych am
John Williams, hen ŵr 92 oed, yr unig un a adawsid o
gynulleidfa'r prynhawn hwnnw. Daeth yn ôl a dweud
mai gair olaf John Williams wrtho pan oeddynt yn ym-
adael â'i gilydd oedd,—" Hen dro sâl a wnaethoch chi
â ni y p'nawn Sul hwnnw, yntê? P'nawn da." Dyna'r
cwbl.

Nid yw fy hen gyfaill, Dr. D. Tecwyn Evans, ymhlith
yr " Hen Bregethwyr," ond y mae'n tynnu ymlaen. Y
mae'n debyg na phregethodd neb yn amlach yn oedfaon
enwog prynhawn Mawrth Cenhadaeth *Central Hall*, Man-
chester, yn ystod y chwarter canrif diwethaf nag ef. Deuai
Elfed a T. C. Williams iddynt yn eu tro cyn ei ddydd ef.
Oedfaon ydynt ar gyfer gwŷr busnes a ddaw i'r ddinas
y diwrnod hwnnw. Cafodd lawer oedfa wlithog yno.
Bûm mewn amryw ohonynt. Am yr oedfa fwyaf trychin-
ebus ohonynt, fodd bynnag, y mynnwn sôn, ac efallai
oedfa fwyaf trychinebus ei holl hanes, ac ofnaf mai myfi
fy hun, yn anuniongyrchol, a oedd yn gyfrifol amdani.

Pan oedd yn dechrau ennill ei gynulleidfa digwyddodd
ddweud y gair " *salvation*." Neidiodd gŵr penwyn i

fyny gan weiddi,—" Ia, Mr. Evans, *salvation*—' iachawdwr-iaeth,' nid ' iechydwriaeth '; iachawdwriaeth—*salvation*, nid iechydwriaeth—*sanitation*," gan ddal ati felly.   Aeth y dyrfa'n wyllt ar unwaith, gan weiddi,—" *Chuck him out, chuck him out.*"   Collodd Herbert Cooper, arolygwr y Genhadaeth, ei ben.   Neidiodd ar ei draed ar y llwyfan a gweiddi,—" *I'm not responsible, I'm not responsible.*"   Cod-odd gweinidog ieuanc ar y llwyfan, cerddodd yn ham-ddenol at y cynhyrfwr, rhoddodd ei law ar ei ysgwydd a thawelodd ef.   Cred y gynulleidfa oedd mai un o Blaid Cymru oedd y cynhyrfwr, yn ceisio rhwystro un o breg-ethwyr amlycaf Cymru rhag pregethu Saesneg.   O, chwi Saeson !   Adeg cynnwrf llosgi erodrom Penyberth oedd.

Aeth y pregethwr yn ei flaen.   Pan oedd yn ail gynhesu dywedodd y gair " *salvation* " drachefn.   Neidiodd y cyn-hyrfwr ar ei draed wedyn, a dalen o bapur yn ei law â rhestr o enwau arni, a dechreuodd eu gweiddi,—" Ia, Mr. Evans, ' *salvation* '—' iachawdwriaeth.'   ' Iachawdwriaeth ' a dd'wedai Dr. Owen Thomas ;   ' iachawdwriaeth ' a dd'wedai John Evans, Eglwysbach ;   ' iachawdwriaeth ' a dd'wedai John Williams, Brynsiencyn "—   Aeth yn fed-lam drachefn, a gwedd y pregethwr fel eira.   Tawelodd y gweinidog ieuanc eilwaith y cynhyrfwr.

" *Am I to go on ?*" ebe'r pregethwr.   " *Go on, brother,*" gwaeddai'r dyrfa.   Aeth yntau ymlaen, cystal ag y gallai undyn byw dan yr amgylchiadau, ond oedfa wedi ei difetha ydoedd.

Yr oeddwn yn anesmwyth ers meitin, canys credwn yr adwaenwn y sylwadau am " iachawdwriaeth—iechydwr-iaeth."   Wythnos i'r nos Sul cynt pregethwn yn Seion, Gore Street, a chefais achos i ddweud nad oedd *system of sanitation* yn nyddiau'r Testament Newydd, mai bwrw eu hysbwrial i'r stryd a wnâi'r bobl.   Rhwng difri a chwarae cyfeiriais at y ddadl fawr ynglŷn â Llyfr Emynau newydd y ddau enwad Methodistaidd—pa un ai " iachawdwr-iaeth " ai " iechydwriaeth " oedd yn gywir.   Awgrymwn

y buaswn o'm rhan fy hun yn cadw y ddau,—" iachawdwr-
iaeth " am " *salvation*," " iechydwriaeth " am " *sanitation*."
Fy nryswch oedd sut y clywsai'r cynhyrfwr y sylw, canys
aelod a swyddog ffyddlon yn Eglwys y Methodistiaid
Calfinaidd, Moss Side, ydoedd.

Ar ddiwedd yr oedfa yn y *Central Hall*, daeth un o'n
blaenoriaid yn Seion ataf â golwg gythryblus arno, a
dweud,—" 'Rydwi'n ofni mai fi sy'n gyfrifol." Dywed-
odd fod y cynhyrfwr yn ei dŷ i de y Sul cynt, ac yntau'n
adrodd iddo fy sylw wythnos i'r nos Sul ar " iachawdwr-
iaeth—iechydwriaeth," a bod y dyn yn hollol resymol
yr adeg honno.

Buasai'r peth yn ddigrif oni bai am ddifetha oedfa Dr.
Tecwyn Evans, ond yr oedd trychineb mwy yn aros.
Prynhawn drannoeth aeth y cynhyrfwr i ysgoldy Capel
Moss Side, lle y cynhelid clinig bob prynhawn Mercher,
a throdd y nyrsus a'r meddygon allan gan ddweud,—
" Tŷ gweddi y gelwir fy nhŷ i ; eithr chwi a'i gwnaethoch
yn ogof lladron." Dychrynasant am eu bywyd a rhuthro
am blismon. Gŵr doeth oedd y plismon hwnnw. Gwa-
hoddodd y cynhyrfwr i eistedd, rhoddodd ddarn o bapur
iddo a gofyn iddo sgrifennu arno ei gŵynion. Gwnaeth
yntau, a'r cŵyn cyntaf oedd bod y Parchedig D. Tecwyn
Evans yn mynnu dweud " iechydwriaeth " yn lle " iach-
awdwriaeth." Cymerodd y plismon ofal ohono. Nid
ymddangosai bod dim o'i le arno brynhawn Sul cynt.
Soniai ei fod newydd ymneilltuo o'i waith ac wedi cael
tŷ yng Nghymru (yn Nyserth, mi gredaf), ac yn mynd yno
ymhen pythefnos. Ni chafodd fynd yno ymhen pythefnos,
canys erbyn hynny yr oedd yn ei fedd.

Credaf y cydnebydd pawb fy mod wedi cadw y stori
fwyaf ysgytiol tan y diwedd, am Robert Humphreys o
Lanelidan, a fu farw yn y flwyddyn 1832, yn 53 oed. Dyl-
aswn, o ran amser, ei gyplysu â Robert Owen, Llysfaen, yr
hirhoedlwr, ond cedwais ef hyd y diwedd am mai iddo ef,

yn ddiddadl, y mae'r lle anrhydedd.

Enaid ar dân ydoedd, a theithiodd filoedd o filltiroedd
ar droed i bregethu, yn bennaf yn yr awyr agored.   Pan
oedd yn pregethu ar y stryd yn Nhywyn, Meirionnydd,
ymosodwyd arno'n giaidd gan dafarnwr, gof, a chiwrad.
Pwy a ddaeth heibio ar ei cheffyl, ond nith Ysgwïer
Vaughan, Penmaen Dyfi.   Pan welodd yr helynt, rhuth-
rodd yno a fflangellodd yr ymosodwyr, a ffoesant am eu
bywyd, gan adael Robert Humphreys a hi yno'n unig.
Priododd Robert Humphreys hi, a gwnaeth wraig ragorol
iddo.

Wrth symud o Lanidloes i Fiwmares, cerddodd yr holl
ffordd, a'r wraig a'r plant mewn trol.   Pan gyraeddasant
Fangor, dywedwyd wrthynt na allent fynd i Fiwmares,
fod y colera yno, fod trefniant wedi ei wneud iddynt aros
mewn ffermdy ym Môn, nes i'r aflwydd fynd heibio.
Aeth Robert Humphreys â'i deulu i'r fferm, ac aeth ef ei
hun i Fiwmares.   Pregethodd yno ddwywaith y Sul,
pregethodd yno nos Lun, cynnal cyfarfod gweddi am bump
fore Mawrth, a nos Fawrth marw o'r colera.

Beth yw angen mawr crefydd Cymru heddiw, ai undeb
yr enwadau ?   Efallai'n wir, canys mwy difyr yn ddiau
fydd marw gyda'n gilydd nag ar ein pennau'n hunain.
Eithr onid yn hytrach wŷr fel Robert Humphreys, Llan-
elidan ?

O'R DYFNDER

Arglwydd, maddau fy amheuon,
   Maddau fy mwhwman ffôl,—
Gwynfyd mawr, a du wasgfaeon,
   Rhuthro 'mlaen, a chilio'n ôl,—
     Dy edrychiad
    Digon fydd yn nydd y praw.

Gwelais Di ar ben y mynydd,
   Gwelais Di yn ddisglair wyn,
Mynnwn aros yno beunydd,
   Ond fe'th gollais wedi hyn,—
     Yn y cwmwl
    Dyro dy adnabod Di.

Fel ym mri dy Atgyfodiad,
   Tyrd at un a gloffodd cyd ;
Yn nhosturi dy ddyfodiad
   Cadarnha fy ngwamal fryd ;
     Yna rhodiaf
    Ar y môr heb suddo mwy.